統一教会と創価学会

信じるより疑え

佐高信

旬報社

はじめに

統一教会は自民党の外にあるのではない。中に入っている。国会議員等の秘書に統一教会員がいるのは明らかだし、議員自身にも怪しいのはたくさんいる。だから、まともな調査ができないのである。また、いるかどうかわからないほど、自民党と統一教会は一体になっている。無意識に日常化しているのだ。

統一教会に解散請求をした文科大臣の盛山正仁は統一教会の推薦確認書にサインしたことにアイマイな答弁を繰り返した。しかし、そんな大事なことにいいかげんな盛山が大臣はもちろん、議員をしていることが問題だろう。

自民党の党員や支持者には統一教会的な反共ウィルスや改憲ならぬ壊憲菌がうじゃうじゃいる。これが自民党を腐らせているのである。

統一教会と共に外から自民党を支えているのが公明党（創価学会）だ。一応、外からだが、自民党公明派と言ってもいいほど、こちらもかなり中に入っている。

統一教会と創価学会に共通するのは、その閉鎖性、密室性である。とにかく、外に向かって開かれていない。そこから、ジメジメした闇の部分が発生する。

亡くなった池田大作の、創価学会学生部主催の全日本学生弁論大会での発言が一九五九年一〇月二三日付の『聖教新聞』に載っている。

「三、四年前、立正佼成会の庭野日敬が国会に召喚されていろいろ調べられたことがある。このとき、会長先生（戸田城聖第二代会長）はニッコリ笑って『こっちへくればちょうどいいな、このときこそ立正安国論を叫びたい』と申しておられました。大事なときに叫ぶことこそ、わたくしは本当の雄弁ではないかと思うんです」

こう言っておきながら、池田は言論出版妨害事件が問題になるや、国会での証人喚問を嫌がって逃げまわり、公明党の当時の書記長の矢野絢也に「何とかしろ」と無理を言った。

矢野は『私が愛した池田大作』（講談社）で皮肉っぽくその発言を引き、こう指摘している。

「実に堂々としたものである。ところが、これは強がり、虚言に終わった。池田氏は『俺を守れ』と喚いているだけなのだ」

こんな池田を私は「宗教家にあらず」と断罪したが、対照的なのは大本（教）の出口王仁三郎である。

エスペラントのスポンサーでもある大本の本拠地の綾部と亀岡に、私は日本エスペラント大会の講演で行ったことがある。戦中の天皇制ファシズムの下、この二つの本部は二一日間で一五〇〇発以上のダイナマイトを使って徹底的に破壊された。

教主は代々女性がなるということと、その国際性が天皇制国家とは相容れなかったからだろう。驚くのは、戦後、その損害賠償を国家に求めなかったことである。早瀬圭一著『大本襲撃』（毎日新聞社）によれば、王仁三郎はこう言ったという。

「政府に賠償を要求しても出る金はみな国民の税金から取ることになるんや。いま日本人は敗戦の苦しみから立ち直ろうと懸命に努力している。そのときに、私どもが、国民の血と汗の結晶である税金を自分のものにもらうことはできない」

王仁三郎はちょっと破格の人物だった。スケールの大きい宗教家として池田は王仁三郎の足もとにも及ばない。王仁三郎は本殿等を破壊された時にもこう言っている。

「有難いことじゃ。あの建物を残しておかれたら無暗に税金がかかり、信者も税金支払いのために、どんな苦痛をなめなければならんか分からん。真正の宗教は人の心のうちに燈火をつけていけばよいのじゃ。こんな時世に殿堂を持っていても、田にしの殻と同じことで、厄介なだけで何にもなりはせん。要らんときには神様の方でちゃんと取りこわしてくださったのだ」

それに対して創価学会はどうか。

『自民党と創価学会』（集英社新書）や『池田大作と宮本顕治』（平凡社新書）を書いて、学会のことはかなり知っていると自負していた私も、矢野絢也の『乱脈経理』（講談社）には仰天した。池田の個人資産に査察が及ばないように、公明党の委員長となった矢野が国税庁長官や幹部に直接働きかけるのである。国税庁つまり大蔵省（現財務省）も法案の国会通過などで公明党に頼んだりするために、それを無下にも断れない。

この本の副題は「創価学会vs.国税庁の暗闘ドキュメント」だが、一億七千万円の現金が中から出てきた「捨て金庫事件」とか、一五億円もの不明金が発覚した「ルノワール絵画事件」とか、いずれも学会がからんだ事件が起きて、池田という聖域を守りにくくなる。

そこで考えられたウルトラCが、公明党のPKO協力法案への協力だった。出席して反対して自民党の単独強行採決にしなかった。これで自民党に恩を売り、竹下登が動いて、国税の査察はストップした。この法案は自衛隊の初の海外派遣につながるものであり、それに協力した公明党や学会本部には学会員からの抗議の電話が殺到したという。つまり池田の都合で、この時、平和は捨てられたのである。

いずれにせよ、自民党や統一教会はもちろん、創価学会も太陽の光に照らして虫干しする必要がある。この本はそのための重要なガイドブックであり、糾弾書である。

目次

1 統一教会と創価学会の類似性

2 権力に群がる者たち

3 佐高信の視点

4 徹底抗戦日記——日々に読書あり

1

統一教会と創価学会の類似性

統一教会と創価学会の共通点

安倍派を結び目にしたトライアングル

「私はそろそろ創価学会員の総理大臣が出てもいいころだと思います。公明党は二〇一四年に結党五〇年の節目を迎えましたが、次の五〇年の大きな課題の一つは、その五〇年の間に公明党首班政権をつくることではないでしょうか」

これは、創価学会（公明党）の代弁者・佐藤優が、二〇一五年に出した松岡幹夫との対談『創価学会を語る』（第三文明社）で述べている〝希望〟である。

そんな時代が来ては困ると私は思うが、佐藤は七年経ったいまも、そう望んでいるのだろう。

しかし、あまりにも身びいきが過ぎる佐藤の発言は、創価学会にとってさえ、ありがた迷惑なのではないかと心配になる。

ここで私は統一教会と創価学会の共通点を三つに絞って指摘したい。

一つは、寄付と信仰の押し付け、である。

次に、自民党安倍派（清和会）との結合。

そして、三つ目が、反共ウイルスの散布。

である。

二〇〇三年三月二五日夕、腰痛の治療に銀座に行くため、神田橋からタクシーに乗った。行く先を告げ、目をつむると、運転手が切り抜きを示して、読んでみてください、という。末尾に「公明党の出番である」

とあって、公明党の宣伝だった。

私がテリー伊藤と一緒に『お笑い創価学会—信じる者は救われない』（光文社知恵の森文庫）を出した人間であることは知らないようだったが、眠ろうとしたのを邪魔されたこともあってカッとなり、

「公明党が与党になってから、ロクなことないじゃないか。イラクへの自衛隊派遣だって徹底的に反対して政権離脱しないのはおかしい」

と、まくしたてた。それに対して、

「いや、いまによくなりますよ」

などと意味不明なことを言う彼に呆れて、私はすぐに止めろと言い、千円札を叩きつけて途中下車した。

これではセクハラならぬ宗教ハラスメント、すなわちレリハラではないか。

タクシー近代化センターへ連絡しようかとも思ったが、センターが公明党やそのバックの創価学会にどこまでキチンと注意できるかは怪しいので止めた。

大体、公明党はもう「平和の党」などとは言えないと私は断言してきたが、敵基地攻撃能力容認にまで踏み切って、いよいよ理念なきフラフラ党の正体が露わになった。

それも、統一教会による被害者救済のための寄付行為を骨抜きにするべく自民党と取引したと噂されているのだから、統一教会より先に公明党および創価学会の解散を請求したいくらいである。

拙著『統一教会と改憲・自民党』（作品社）に詳述したが、統一教会は自民党の安倍（晋三）派、つまり清和会と固く結びついている。連立政権を組んでいる公明党との結合については拙著に譲る。

統一教会と文教族が多い清和会の萩生田光一らとは家父長制に戻したい憲法改正案で一致する。

いまから四〇年ほど前に、東京は代々木にある修養団の本部に取材に行った時の衝撃が忘れられない。修養団は戦前からある社会教育団体で渋沢栄一が初代の後援会長であり、日立製作所や東芝等の一流企業が社員に研修を受けさせせてきた。有名なのは〝みそぎ研修〟と呼ばれる水行で、真冬の早朝、フンドシひとつで伊勢神宮を流れる五十鈴川に入らせる。

「小ざかしい理屈を捨て、バカになって物事に挑むキッカケをつかませる」と講師は言っていたが、戦後になっても修養団は解散させられるどころか、三井、三菱、住友等の旧財閥系企業も協力して、現在も続いている。

隣に日本共産党の本部があり、驚いたのは修養団の人間が、

「彼らもいずれ参加させます。共産党員も陛下の赤子ですから」

と平然と言ったことである。

敗戦から四〇年近くになるのに、天皇は日本国民の父親という思想は絶えることなく生きていたのだった。天皇制は家父長制に支えられている。子どもは親、特に父親に絶対的に従い、家の繁栄のための手段となる。命さえも差し出すのである。

これは日本国憲法が謳いあげた個人の尊厳や男女平等の思想と真っ向から対立する。

〝反共ウイルス〟バラまくカルト集団

統一教会（私は旧はつけない。つけると改称を認めることになる）もまったく同じであり、親および教団のために子どもはあるという考えである。

統一教会が一番喜んだ安倍の「国葬」の日、私は『毎日新聞』の同行取材を受けて、渋谷区松濤にある統一教会本部を訪ねた。

入口のところに文鮮明と韓鶴子夫妻の写真が飾ってあって、「父母の立場に立てば怨讐も許すことができる」とある。

「子どもを救うためなら、どんなことでもしようと思うのが父母の心です。そのような父母の愛をもって怨讐を許そうと決意するのです」と説明されている。

それを見ながら私は、統一教会が勢いを得ていた時だったら、尊属殺人罪はなくならなかったのではないかと思った。

安倍を撃った山上徹也の場合は母親による子殺しとも言えるだろうが、戦前・戦中の教育勅語の親孝行は尊属殺重罰に裏打ちされ、国民は天皇の赤子だから天皇に無限の忠誠を尽くせという教えに収斂されていた。

ここに谷口優子という弁護士が書いた『尊属殺人罪が消えた日』(筑摩書房)という本がある。

一九六八年秋のある日、「不倫な父娘関係の清算　事実上の夫を絞殺」とセンセーショナルな見出しが新聞に踊った。そして次のように事件が要約されている。

「Y市の市営住宅で、戸籍上は親子関係にありながら事実上は夫婦関係にあった娘が実父を絞め殺すという猟奇的な事件が起った。一五年前に父親が実の娘を手ごめにして、夫婦関係を結んだことに端を発し、それまでの正妻が家出、一家が離散するというのろわれた家庭で、父親と加害者の娘との間には三人の子どもまであるという常識では考えられない生活をしていた」

刑法二〇〇条の尊属殺人罪は「死刑又は無期懲役」で、執行猶予はつけられない重罪だった。しかし、親殺しはこの例のようによくよくのことである。

ところが、大日本国憲法下に制定された刑法は家族国家のイデオロギーから、義理を含めて親殺しを他の殺人罪よりも重くしていた。

これに対して、この事件を担当した弁護士の大貫大八は、尊属殺重罰は日本国憲法一四条の法の下の平等に違反すると訴えた。一審はその主張が認められたが、高裁で引っくり返り、最高裁に持ち込まれる。途中で大貫大八が亡くなり、弁護は息子の正一が引き継いだ。

そして、一九七三年四月九日、最高裁は尊属殺重罰は違憲という画期的な判決を下す。

「尊属に対する尊重や報恩という自然的情愛ないし普遍的倫理の維持尊重の観点からは尊属殺人を普通殺人より重く罰することは不合理ではないが、刑法二〇〇条が尊属殺の法定を死刑・無期懲役に限定している点において甚だしく不合理であり、憲法一四条に違反する」

これが判決理由である。

「世界平和統一家庭連合」と改称した統一教会は、「ハッピーFamily講演会」への参加の勧誘のチラシを配る。

「どうしたら幸せになれるか?」をテーマに、幸せのヒントを提案するらしい。

しかし、親が子どもに押しつける「しあわせ」で、子は「しあわせ」なのか?

母親を狙わなかった山上は戦後二八年経って、ようやく尊属殺人罪がなくなったことを知っていただろうか?

「貧乏を憎み、誰でも働きさえすれば幸せになれる世の中を望むことがアカなら、私は生まれた時からアカもアカ、目のさめるような深紅です」と言い切ったのは女優の山田五十鈴だった。アカと呼ばれる共産主義は平等を志向する。その平等を統一教会や創価学会は嫌悪するが、それは共に信者が平等ではないからだろう。寄付の額でも差が出る。

そのため、格差をなくそうとする共産主義に反発し、日本共産党を非難する。それを反共ウイルスと呼ぶが、そのウイルスをバラまく点に於いても、統一教会と創価学会は共通する。自民党を含めて、この三つは同じようなカルト集団なのである。

池田大作は宗教家にあらず

集金・謀略・詐術にまみれた生涯

池田大作は宗教家ではない。貧困ビジネスのオルガナイザー、もしくはアジテーターである。

かつて池田は高利貸業の大蔵商事の営業部長を務めていた。これは『仁義なき戦い』の脚本家、笠原和夫も調べて書いているが、そのサラ金業で頭角を現す。矢野絢也が『私が愛した池田大作』(講談社)で、こう記す。

「金を持っている家をズバリと見抜き、取り立てる術は他の追随を許さなかったとか。真偽不明ながら、取り立てのために寝ている布団まではぎ取ったというまことしやかなエピソードを聞いたこともある」

要するに貧しさにつけこんで創価学会を大きくしたということである。カネと信仰を結びつけたのだ。

いま、次の池田の発言を読んで驚かない人はいないだろう。一九六二年六月一六日付の『聖教新聞』で池田は「創価学会としては、永久に皆さん方から、ただの一銭も寄付を願ったり、供養願うようなことは致しません」と言っていた。

「邪宗などは、みんなうまいことをいって金を巻き上げて、教祖のために、それから教団の勢力のために、それも、本当に人々が救えるならば許せるけれども、ぜんぶが地獄に落ち、民衆は教祖にだまされて、そして、教祖はりっぱな家ばかりつくり、民衆は最後には、コジキみたいになってしまう。これが邪宗教団の姿です」

まさにブラックジョークと言うしかない。池田はその後まもなく、「財務」と称して金集めを始め、統一教会のような「邪宗」と変わらなくなってしまったからである。そして統一教会の問題で寄付に上限を定めることにすら、いま公明党および学会は反対している。

宗教家ではないと断定する第二点は、矢野の指摘する如く、「究極の内弁慶」であること。

「内部の人間を前にしたときは滔々と演説ができるのに、外に向かっては一転、オドオドと縮こまってしまう。猜疑心が強く、自分を攻撃した人間のことは何十年経っても忘れない。コンプレックスの塊で、その執念深さは想像を絶する。自分に敵対する者への攻撃性はすさまじいの一言だ」

自らも徹底的に攻撃されただけに、矢野の池田評は迫真性がある。

私は大本（教）の出口王仁三郎と比較するとそれが明らかになると思う。

藤原弘達の『創価学会を斬る』（日新報道）の刊行を阻止しようとして言論出版妨害事件を起こし、国会に証人喚問されそうになった時、池田は恐れて引きこもりになり、矢野を私邸に呼んだ際も布団に潜り込んで首だけ出した格好だったという。

これが出口だったら、堂々と出て行って、国会議員を〝折伏〟したのではないか。絶好の布教の機会を逃すとは、とても宗教家とは言えない。

拙著『池田大作と宮本顕治』(平凡社新書)に詳述したが、池田はこの危機を乗り切るために共産党と協定を結ぶという策略を考える。いわゆる創共協定である。しかし、これもその場しのぎの二枚舌だった。

「学会は共産党とは戦いたくない。自民党に対し、二つの牙になっていたい」

そう言って共産党のドンの宮本と池田が結んだ協定だったが、反対する矢野に対して池田は言った。

「あいつらと本気で仲良くする気なんかあるものか。表面だけだよ。お前よく考えてみろ。自民党と共産党、両方敵に回せるか」

つまりは「共産党を黙らせるための策略」だった。

「言論問題のときの、あの弾圧迫害がなくなるんだぞ。協定の有効期間は一〇年間だ。一〇年間、共産党を黙らせるんだ。学会はこれから大きく前へ進む。背後を気にしている余裕などない。そのためには共産党という後門の狼を絶たなければならない」

ヌケヌケとこう言う池田の顔を矢野は呆気に取られて見ていたという。

しかし、これで共産党と結んだ学会は公安の監視対象となり、右翼も怒って、

「『反共の砦』が共産党と馴れあうとは何事かっ」

と街宣をかけてきた。

協定発表後も公明党は〝政教分離〟でそれまで通りに共産党を攻撃したが、池田は矢野を、

「もっとやれ」

と煽ったという。

さすがに矢野も「自分から協定を結ばせておいて、この二枚舌。ひどい話である」と呆れている。

私はそれでも「律儀に学会批判を封印」した共産党の人のよさに呆れるが、後に池田は、

「創共協定がなかったら公明党は存在していない。あれはやって正解だったのだ」

と自画自賛した。発表直後には、

「協定は失敗だった。宮本は悪い奴だ」

「間違いだった。なのに誰も何も言わない。俺をいさめる奴がいない」

などと言っていたのにである。

マキャベリスト池田の面目躍如だが、矢野は「もっともこれは政治家のすることで、宗教家のやるようなことか、という気がしないでもない」と及び腰の感想をもらしている。

私は『池田大作と宮本顕治』でこう指摘した。

「宗教家らしくなく、理念より状況を重視して動く池田に対して、逆に宮本は政治家らしくなく、状況より理念を重んじて、十年間、協定を守った。それで矢野はテレビ局で宮本に会った時、

『お前んとこもひどいなあ』

と言われることになる。明らかに協定違反を積み重ねていたからである」

暴力団とも蜜月だった池田創価学会

池田が亡くなって私は『朝日新聞』にコメントを出した。二〇二三年一一月一九日付に掲載されたが、

「権力接近　理念二の次」という見出しである。一一月二七日号『日刊ゲンダイ』のオススメ本では後藤忠政著『憚りながら』（宝島社文庫）を池田理解の必読書として挙げた。それを引いて結びとしたい。

〈亡くなった創価学会名誉会長、池田大作を理解するのに山口組傘下後藤組組長だった著者のこの本は欠かせない。なぜなら、後藤はある時まで池田と創価学会のボディガードだったからだ。私は『自民党と創価学会』（集英社新書）や『池田大作と宮本顕治』（平凡社新書）を書く時に存分に利用させてもらった。第四章が「創価学会との攻防」である。

一九九六年春、新進党に統合された旧公明党の国会対策委員長として活躍した権藤恒夫は自民党の野中広務と会った際、「公明」代表の藤井富雄が後藤と会っているビデオが自民党に届けられた、と打ち明けられる。新進党切り崩しの材料になるこの「密会ビデオ」の話が永田町に流れたのは前年の暮だった。

当時、自民党の組織広報本部長として反創価学会キャンペーンを指揮していた亀井静香が命を狙われているという噂が流れ、ＳＰが増員されたりした。魚住昭著『野中広務　差別と権力』（講談社文庫）で、参議院のドンといわれた村上正邦の元側近が、こう語っている。

「騒ぎの発端は、藤井さんと後藤組長の密会ビデオでした。亀井さんが入手したそのビデオのなかで、藤井さんは反学会活動をしている亀井さんら四人の名前を挙げ、『この人たちはためにならない』という意味のことを言ったというんです。受け取りようでは後藤組長に四人への襲撃を依頼したという意味にもとれる。それで亀井さんと村上、警察関係者、弁護士、私も加わって対策会議が開かれたんです」

創価学会がかつては信仰していた日蓮正宗の本山の大石寺が静岡県の富士宮にあり、そこを本拠地とする後藤組とは自然に関りが深くなった。その過程で大本堂や墓地の土地売買や建設工事をめぐって疑惑が取り沙汰され、富士宮市議会に調査のための百条委員会ができて池田大作の名誉市民剝奪の動きが出てきた時、後藤はそれをつぶしにかかる。

しかし、池田の〝お庭番〟で後藤との連絡役だった山崎正友が池田と対立するようになると、創価学会（池田）は山崎もろとも後藤との関係を断とうとする。それに怒った後藤が当時の公明党委員長の竹入義勝や書記長の矢野絢也に内容証明郵便を出し、さらには池田に会おうと学会本部に乗り込んだ。

「これには池田もビビったんだろうな。そりゃそうだわ、行く先々で〝パン〟って音がするんだから」と後藤は笑っている〉

創価学会の守護神の〝言論封殺魔〟佐藤優

被害者を装う加害者の悪質性

「たとえば安倍（晋三）政権や岸田（文雄）政権を厳しく批判していたとしても、公明党＝創価学会の問題に触れていないならニセモノですよ。公明党＝創価学会を批判しているかどうか、それが言論人の真贋判定になる」

『月刊日本』二〇二三年七月号の特集「いつまで続ける自公政権」でこう断定した私はその理由を次のように説いた。

「いま必要なのは公明党＝創価学会を徹底的に批判することですよ。公明党は連立政権に入っているのだから、権力側の存在でしょう。メディアや言論人が権力を批判しないでどうするのか。公明党が野党の時代なら、彼らを革新陣営に留めておくという目的で、公明党を応援するということもあり得たと思いますよ。私だって学会系の『潮』や『パンプキン』に連載も持っていましたからね。だけど公明党が自民党と連立政権を組んだ時に連載をやめました。他の執筆陣にも執筆拒否を呼びかけたけど、やめたのは鎌田慧と私だけでした」

わかりやすいニセモノは自民党は批判しながら、公明党＝創価学会は擁護していた森田実である。『日刊ゲンダイ』や『月刊日本』も森田を重用していたが、左も右も学会べったりには気がつかないということだろうか。

地上波のテレビで「創価学会」や「聖教新聞」の広告が目立つようになった。

一九六九年に藤原弘達の『創価学会を斬る』（日新報道）が出るのを妨害して大騒ぎになったのに懲りてか、懐柔作戦に転換したのかもしれない。しかし、言論弾圧に変わりはない。この時、出版妨害に抗議して、五木寛之、野坂昭如、結城昌治、梶山季之、佐野洋、戸川昌子が学会系の潮出版社の出版物への執筆拒否を宣言した。

ところが、池田大作は加害者なのに被害者のふりをして、『週刊文春』の一九七〇年五月一八日号で次のように言う始末。呆れるほかないが、言論の自由とか、批判の自由とかがまったくわかっていないのである。

「ずいぶんタタかれましたねェ。わたしは良いが、会員がかわいそうで……（とカオをおおう）。わたしは『自殺したいよ』と女房にいったんです。『がんばりなさい』となぐさめられましたよ。いまのキモチとしては『処女のお嬢さんが、輪姦されたあと、さらに蹴とばされているような気分だ』と女房にいいましたよ」

ずいぶん品がないが、乱暴したのは池田（創価学会）の方なのである。これは藤原弘達のセリフとしてなら、まだわかるが、出版を妨害した方が言うのは図々し過ぎる。

これ以後、学会は自公連立政権に批判的な『毎日新聞』や『朝日新聞』の取り込みを図る。

田原総一朗の『創価学会』（毎日新聞出版）が出たのは二〇一八年。『AERA』に連載された佐藤優の『池田大作研究』（朝日新聞出版）が出たのは二〇二〇年である。

共に批判的ではなく、田原の本の売れ行きを見て佐藤の本は初版一〇万部でスタートした。池田があまり発信しなくなった現在、池田の著作に代わるように学会員の間で佐藤の本が読まれているという。

しかし、『佐藤優というタブー』（旬報社）という私の本を訴えたことでわかるように、いまや学会の守護神となった佐藤（それでもクリスチャンらしい）も学会と同じく批判に対してヒステリックに反応する。

佐藤と戦った漫画家の小林よしのりは、それで佐藤を〝言論封殺魔〟と名づけた。

二〇〇八年の夏から秋にかけて、小林と佐藤の間で激しい応酬があった。

まず、小林が『SAPIO』に連載中の『ゴーマニズム宣言』で佐藤を言論封殺魔と呼び、「あちこちの出版社に圧力をかけて、自分への反論を封殺している。ミニコミの編集部にまで弁護士とともに押しかけ、岩波書店の一社員の批判まで封じ込め、『AERA』に書かれた自分の評伝も気にくわなかったらしく、執筆者をつるし上げ、やりたい放題」と批判した。そして、「わしが『ゴー宣』で批判を始めたら、わしに対してではなく、小学館に圧力をかけ、訴訟を臭わせ、版権引き揚げを口にし、同じ雑誌内で連載している者を批判してはならないなどと勝手にルールを押し付け、『SAPIO』に反論を書けばいいのに、漫画は非対称だから議論にならないと逃げ、とにかく『ゴー宣』で自分の批判をさせるなと、ねじ込んでしまったのだ！　それ以後、わしはその男の批判を編集部から禁じられてしまった！　ところがその男は、以降、新聞という『公器』で、わしの批判を何度も行っているのだ」と続ける。

小林は佐藤を「『言論封殺魔』は言論戦が恐いのだ。論理がないことがバレるから裏から謀略で批判を封じる」と断罪し、「堂々と正面から論理で戦えない、卑怯者の腰抜けめ！」と斬り捨てている。

その通りだろう。

よほど自信がないのか、言論で戦わずに私の本を訴えて司法権力に助けを求めた佐藤は言論人とは言えない。

その佐藤が都知事選の際、スキャンダルを書かれて週刊誌を訴えた鳥越俊太郎を「言論には言論で戦え」と批判したことがあるのだから笑わせる。

言論の自由を阻む宗教ドグマ

テリー伊藤と私の編著で二〇〇〇年に出した『お笑い創価学会　信じる者は救われない』（光文社）はベストセラーとなったが、いまは亡き作家の米原万里は、この本の書評で次のように指摘している。その前段で、イラクで武装グループの人質となった日本人の救出について、その費用を人質に請求せよと最初に言いだした「公明党の冬柴幹事長」をこう皮肉る。

「さすが、信ずる者しか救わない宗教政党、支持する者もしない者も差別せずに救うのが政治だという民主主義のイロハをわきまえていないみたい」

批判とか疑問の大事さがまったくわかっていないから「信じる者しか救わない」のを当然と考える。彼らに言論の自由の大切さを説いてもムダなのだ。

当時は小泉（純一郎）政権だった。米原は続ける。

「小泉流の、争点をはぐらかし、国民に対する説明責任をあからさまに省く強引な政治手法が自民党に際立ってきたのは、公明党と組んでからと思うのは私だけだろうか。選挙と言う国民による最高の審判の機会を恐れなくなったせいではないだろうか。支持率低落が続く自民党は、政策の良し悪しとは無関係に教祖の一声で動く巨大な票田に魅入られた」

そして、「小選挙区制が導入されたことが大きな原因」と言う私の指摘をはさんで、井田真木子のルポを紹介する。

「藤原ら学会批判者が受けた出版妨害や凄まじい嫌がらせ、元公明党委員長竹入に対するパージなど、一切の批判を受け付けない閉鎖性、マスゲーム好みに見られる絶対的池田崇拝は北朝鮮を彷彿とさせる。公明党幹部の人選から政策まで悉く池田の意向で決まっていくのだから、今や政教分離は死語だ。選挙の票読みと寄付の多寡によって信仰の深さを評価される学会内位階が決まっていく宗教らしからぬ競争原理に煽られて、信者たちが資産を食い潰され、心をすさませ、家庭崩壊に追い込まれていく様をルポした井田真木子は、信者がそれでも学会から抜け出せず、被害者意識を持ちにくいのは、池田への帰依がオウム真理教のそれに瓜二つな疑似恋愛的ハーレム状態にあるためと見抜く」

オウム真理教は統一教会に置き換えた方が現在はわかりやすいだろう。

つまり、公明党＝創価学会に言論の自由を求めるのは、北朝鮮でそれを論じるようなものなのである。

学会と佐藤優は同じく批判封殺の体質を持つが、三菱重工爆破事件を起こして逮捕され、死刑判決を受けた大道寺将司が『最終獄中通信』（河出書房新社）で佐藤を次のように批判している。

「佐藤優は集団的自衛権の行使について『公明党は歯止めをかけた』と述べていますが、甘いでしょう。本読みが落ちる陥穽じゃないかな。安倍（晋三）はまったく歯止めなんて感じていませんよ。自民党単独ではなく、公明党も含めて閣議決定への道を開けば、あとはどうとでもなると考えているのだから」

また、「彼は今も公明党は平和を党是としていると言っているけれど、どうかしているのではないか」とも指摘しているが、どんなに弁護しても軍拡に賛成する政党を平和の党とは呼べないだろう。

言論弾圧に足並み揃える自民・公明

「地上波で、いま、創価学会を批判するのはサタカさんくらいですよ」

もう、四、五年前になるのか、ＴＢＳ系の「サンデーモーニング」で横にすわった常連のコメンテーターに私はこう言われた。ＣＭタイムにである。

「あなたも批判しろよ」

私より若い彼にそう言いたかったが、黙ってその言葉をのみこんだ。

すぎやまこういちや渡部昇一が名を連ねる「放送法遵守を求める視聴者の会」が『産経新聞』と『読売新聞』にＴＢＳ系「ＮＥＷＳ23」のアンカーだった岸井成格を名指しで批判する意見広告を載せたのは二〇一五年一一月である。そのころから政権による極端な言論弾圧が始まっていたわけだが、言うまでもなくそれは自民党だけの責任ではない。連立政権を組んでいる公明党（創価学会）にも同じ責任があるのに、なぜかそれが見逃されている。

「地上波」云々で言えば、テレビに「創価学会」や「聖教新聞」のCMが目立つ。その影響で学会批判がしにくくなっているのだろう。

不気味な岸井への個人攻撃広告が載ったのは『産経』と『読売』だが、政権に批判的な『毎日』と『朝日』には創価学会は取り込み作戦に出る。

田原総一朗の『創価学会』(毎日新聞出版)が出たのは二〇一八年。『AERA』に連載された佐藤優の『池田大作研究』(朝日新聞出版)が出たのは二〇二〇年である。

共に批判的でなく、田原の本の売れ行きを見て佐藤の本は初版一〇万部でスタートしたとか。

それかあらぬか、私は二〇一四年に池田大作ビイキの『サンデー毎日』編集長から一五年続いた連載を突如ストップされた。潟永秀一郎という編集長にとっては私の池田批判は仰天するものだったらしい。

私は最初、『毎日』が『聖教新聞』を印刷しているために学会に弱いのかと思ったが、潟永の個人的事情だった。私の連載打ち切りは波紋を呼んでメディア批評誌『創』が取り上げたが、インタビューに答えている潟永が終始「池田名誉会長」と尊称をつけているのに、私は「池田大作」と呼び捨てで対照的である。

掲載されなかった私の池田批判を次に掲げよう。

〈猪瀬直樹を自民党や公明党の議員が居丈高に追及しているのを見ると、いささかならずシラケる。お前たちがこの欠陥候補を(都知事に)推したことを忘れるなよと言いたくなるのである。その公明党の支持母体である創価学会を大きくしたのは池田大作だが、学会はいま、問題の徳洲会と似た構造的危機を抱えているといわれる。

徳洲会は〝創業者〟の徳田虎雄を擁する徳田ファミリーと、徳田の側近だった能宗克行をはじめとする官僚群に割れ、能宗がファミリーの乱脈を告発する形で腐敗が世に出た。〝中興の祖〟の池田をかつぐ池田ファミリーと、池田の手足となって学会を拡大させてきた〝実力者〟との間に葛藤がある点が似ているのである。

池田は学会の創設者ではない。学会の初代会長は牧口常三郎であり、牧口は戦争中に治安維持法違反と不敬罪で逮捕され、獄死した。二代目の戸田城聖もやはり投獄されている。そうした歴史を考えるならば、学会は当然、〝平成の治安維持法〟といわれる特定秘密保護法に反対すべきだったのに、三代目の池田（現名誉会長）の下、賛成してしまった。

池田について、『仁義なき戦い』の脚本家、笠原和夫がこんな証言を遺している（笠原『昭和の劇』太田出版）。

「ちょっと池田大作のことを調べたことがありましてね。そうしたら、かなりひどいことをやってるんですよ。池田大作は青年部にいた前、財務を担当してたんですね。そこで、苦しい商店街とかあるでしょ？　そこに金を貸して、返せなくなると、即刻、土地を担保に取っちゃうんですよ」

取った後に、新しい職を見つけてやったり店を開かせたりして学会に取り込んでいく。池田より1歳上で、観念だけでは生きられないという同じ戦後的人間の笠原は、それを「偉い」と思って映画化しようとしたがダメだった。

「要するに、観念でもって今さら宗教だなんて言うやつはおらんと。金だと。食うためにやるんだと。じゃあ、それを誰がやるのかという時、俺がやってやるよと出てきたのが池田大作なんですよ。宗教家なんていうのはみんな金貸しなんてやりたくないわけでしょ？　それで返せなくなったら土地を取り上げるなんてことは一番汚い。要するに手が汚れる話なんですよ。それを誰がやるのかという時に、俺がやってみせると。それが池田大作の今の出世の基なんですよ」

池田に対するホメ殺しのような笠原の「礼賛」だが、要するに池田が支配者となったのは、キレイゴトによってではないということだろう。しかし、こうした過去は完全に消されて、偉大なる池田大作という神話が完成されている〉

以下略とするが、池田があまり発信しなくなった現在、池田の著作に代わるように学会員の間で『池田大作研究』の佐藤の本が読まれているらしい。

〝卑しい集団〟守る〝言論封殺魔〟

しかし、『佐藤優というタブー』（旬報社）という私の本を訴えたことでわかるように、いまや学会の守護神となった佐藤も学会と同じように言論弾圧的である。佐藤と戦った漫画家の小林よしのりは、それで佐藤を〝言論封殺魔〟と名づけた。

佐藤は『潮』の二〇二一年五月号に載ったインタビューで、元法相の買収代議士、河井克行を応援したと告白している。

「広島三区の河井克行議員が金権汚職で逮捕されたことには、私にも責任の一端があります。外務省時代から面識があった縁もあり、私は河井氏の選挙で推薦人を引き受け、応援演説に行ったことがあるのです。私は軽々には推薦人を引き受けないことにしているのですが、河井氏が権力の魔性に取りこまれつつあるのを見抜けませんでした。

その責任を痛感しているからこそ、政治腐敗には絶対手を染めない斉藤鉄夫さんをいま私は応援しているのです」

しかし、自分の不明を反省しているなら、しばらく「応援」は控えるのではないだろうか。ところが、公明党熱烈応援団の佐藤は、すぐに公明党の斉藤（現・国交相）に乗り換えた。これでは「責任を痛感している」とは言えないだろう。

よく、野党が弱いと言われるが、野党であるべき公明党が与党にいて甘い汁を吸っていることがおかしいのである。批判に耳を貸さず、権力のおこぼれをもらい続けている公明党（創価学会）は限りなく卑しい集団である。

松下正寿と芳野友子

二〇二二年八月二〇日付『日刊スポーツ』の「政界地獄耳」を切り抜いた。筆者のKは、立憲民主党代表の泉健太に「自民党に向けた疑問を連合にも向けるべきではないか」と注文をつけて、松下正寿という人物に言及する。

一九〇一年生まれで八五歳で亡くなった松下は立教大学の総長などをやったが、あの極東軍事裁判では東条英機の弁護人を務めている。

一九六七年に自民党と民社党の推薦で東京都知事選に立候補し、美濃部亮吉と争って敗れた。翌年、民社党から推されて参院議員に当選したが、議員時代の七三年に統一教会の文鮮明に会って心酔し、七四年に統一教会が主導する世界平和教授アカデミーの初代会長に就任している。『世界日報』の論説委員なども歴任したが、反共に固執する同盟系労働組合のブレーンだった。聖公会系のクリスチャンなのにカルトの統一教会にハマってしまったのである。

松下は民社・同盟系の富士社会教育センターの二代目理事長（現在の理事長は元連合事務局長の逢見直人）も務めたが、同センターの教育部門である富士政治大学で現連合会長の芳野友子は反共思想を学んだ。

Kによれば、「芳野はこの時の思い出をさまざまなところで自慢げに披露するという」が、旧同盟系労組の幹部や国民民主党の議員は現在もここで研修を受けているとか。

玉木雄一郎や前原誠司が統一教会と関わっていることが明らかになったが、反共連合、あるいは反共同盟のつながりは歴史的なものなのである。

自民党と手を結んで都知事選に出た松下正寿を考えれば、芳野が自民党に近づくのも不思議ではないのかもしれない。

キーワードは反共だが、自民党副総裁の麻生太郎に招かれて芳野は麻生と会った。連合を自民党の下請けにしようとしている麻生に芳野が会ったことについて、さすがにネットには次のような疑問の声が殺到した。

「この人は初めからおかしいとは思っていたが、どんどん自民党にすり寄っていく。ちやほやされるのがよっぽど好きなのか？　底辺にいる労働者にも目配りするのが連合会長の役目ではないか」

「組合いらない。連合解散。自民党と手を組む組合って何か意味があるんだろうか」

端的に言えば、自民党と手を組むことは統一教会と手を組むことである。それについての深刻な反省が芳野はもちろん、泉健太にもない。

もう一つの反共集団が創価学会（公明党）である。二〇〇〇年六月八日、フランスの国営テレビは「創価学会――21世紀のセクト」を放送した。

「（創価学会は）世界中に一二〇〇万人の信者を持つ日本の組織で、世界で最も危険で金持ちのセクトの一つとされています。膨大な不動産、パーキング、大学、発行部数六〇〇万部の日本で第三位の日刊新聞等の金融資産、そのすべてが創価学会に属し、フランスにも進出しており、影響力は増え続けています。なかでも、日本人が一番心配しているのはその政治世界での力です。創価学会の政党は有権者の一〇％に相当し、現在、与党にあります」

セクトはカルトと置き換えた方が分かりやすいが、公明党が与党になってカルトへの警戒が緩んだことはまちがいない。

統一教会のえげつなさ

早くも統一教会問題が忘れられようとしている。三〇年の空白と言うが、また、その空白がやってくるのだろうか。

およそ三〇年前に出された中村敦夫の『狙われた羊』（講談社文庫）が緊急再刊された。

「私がこの小説で描いたのは、次々と仮面をかえて金儲けに突進する詐欺団体でしかない。マインド・コントロールによって信者を無賃労働者に仕立てあげ、カモを見つけては他者の財産を巻き上げる。『なぜ人はこうもやすやすと操られるのか？』この疑問が三〇年前の私にこの小説を書かせた」

文庫版あとがきに中村はこう記しているが、小説にしたことによって、より分かりやすく、「詐欺団体」

のえげつなさがクローズアップされた。

「敬霊協会」のダミー・サークルの学生たちが、自民党ならぬ「国民保守党」に潜り込んでいる敬霊協会候補の選挙の応援をする。

それが驚くようなもので、夜中の三時ごろに対立候補の名をかたって有権者の家へ電話攻撃をかけるのである。

厳しい選挙なのでぜひ応援をと依頼するのだが、かけられた方は非常識だと怒る。次の朝、その候補の事務所には抗議の電話が殺到して電話が使えなくなるという。

そんな選挙妨害は統一協会でなければ考えつかないだろう。私は実際にそれをやられた候補からその話を聞いたことがある。

マインド・コントロールによって信者になった人たちを脱会させるのは容易なことではない。中村が指摘するように「カルトが忍び込む絶妙の環境が育ち始めて」いるからである。

渋谷にある協会本部のビルの標示板本部の標札の他に、

○九州―釜山海底道路建設財団
○世界情報学術会議事務所
○純血結婚推進本部

といった奇妙な組織名のプレートが並んでいたとか。

信者を脱会させるためには、人里離れた所に連れて行って孤立させなければならない。

「信者は、団体生活に慣れきっていますから、一人になることを恐れています。しかし、一人にしなければば、自分の力で判断する力や習性が戻りません。なんとしてでも昔の生活の感覚を思い出させるのです」

百人以上救出した人間が、作中でこう語る。彼は「信者たちは別の星に住む異生物だと考えた方がいい」とも言っている。マインド・コントロールの後遺症は深く、普通に戻るまで、平均すれば一年ぐらいのリハビリ期間が必要なのである。

「元総理の中曽根までバックにいる」この協会が、一九九〇年を境に極端に衰えてゆく、と小説では書かれている。

「霊感商法がマスコミに糾弾され、訴訟件数も激増した。詐欺による収益は、最盛期の年間一千億円から十分の一以下にまで落ち込んでいる。バブルの崩壊がさらに追い討ちをかけた。今や経済的には青息吐息の状況にある」

三〇年前には確かにそうだった。しかし、死滅せず生き残ったのである。

協会の指導者が「疑いは明らかに罪です」と言う。また、「内容に疑問を持つ人には覚えられませんよ。疑問を抱くことが、そもそも大きな罪を犯すことですからね」とも強調する。それを踏まえて私は「信じるより疑え」と声を大にして叫びたい。

統一教会員、必読の書

金曜日の『毎日新聞』に国際的な問題のコラムを書いている論説委員の小倉孝保と『俳句界』の二〇二三

年二月号で対談した。

「この間、佐高さんの『池田大作と宮本顕治』（平凡社新書）を読みました。とてもおもろかったです」

「ありがとうございます。でも、評伝よりも辛口のほうが売れるんだよね」

「佐高さんに期待しているのはそっちですもんね」

「本質は違うのよ（笑）」

「それは、最近よくわかってますけど（笑）」

関西出身の小倉と、このように始まった対談は、彼の近著『躍る菩薩　ストリッパー・一条さゆりとその時代』（講談社）の話に移る。

「これは本当に力を入れました」と彼が語るこの本は、まさに入魂の書である。

一九九七年に亡くなった伝説のストリッパーが、なぜ釜ヶ崎で亡くなるまで落ちていったのか、その人生に興味を持ってまとめたこの本を、意外にも四〇代や五〇代の女性が読んでいるらしい。もっと年齢の高い、一条を知る男性からの反応を見込んでいた小倉は驚いた。

オールストリップをして、わいせつ罪で逮捕された彼女を裁いたのは全員男性である。検事も裁判官も男性だった。

女性の性に関するわいせつ性の判断を、いっさい女性の視点を外して行なっている。

「今からすると圧倒的におかしい時代に、彼女を裁いているんだなというのが、この本を書きたくなった理由のひとつで、女性に読んでほしいのもそのためです」と語る小倉はまた、次のように続ける。

「男性が経営する小屋で、男性を喜ばせるために踊ってわいせつ罪で逮捕、そして男性に裁かれたというのはやっぱりおかしいよね、というのを隠し味的に入れたいなと思いました」

ストリップについては松下竜一の逸話が忘れられない。

あまり引き受けない講演をして「正しいこと」を話す。

「すると自分が嫌になる。偽善の仮面を引っぱがしたくて、講演が終わった後にストリップ劇場に直行したって、書いてあるのを読んでね、正直だなと」

これに対して小倉は「あはは」と笑い、「とても人間ぽい」と付け加えた。

「そう。また、それを書いたことにびっくりした。普通は隠すでしょ」

と私が返すと、小倉は、

「松下さんのキャラクターが出ていますね。でも彼の場合は生活者の視点がありますから。生活者は高いところからものを見ないので、小屋に行って女性の裸を下から見上げるという視点になるのはあるような気が」

と答えた。

そして突然、私はこの本を統一教会の信者に読ませることを提案した。不審がる小倉に私は
「統一教会は純潔教育だから結婚前にキスすることも駄目という教えでしょ。だから、なぜストリップが絶えないのかという本は禁書にしたいと思う。しかし、息子や娘を統一教会に行かせないためには、これを読ませるしかないのではないか」

と言った。すると小倉は、

「一理あるかもしれない。これを読んだら、若い子が原理主義に走らないのではと思います」と応じた。

女性を神々しいものにしたり、アンタッチャブルにしないための提言である。

統一教会と大学と公安

一九九九年四月の日記に「東工大の新入生歓迎会で講演」と書いている。四度目だった。来年こそは別の人に頼めと自治会の学生に言ったが、当時から大学の管理が強まっており、去年と同じ講師と言うと通りやすいのでと泣きつかれて四年も通った。そのころは統一教会傘下の原理研究会の勧誘が盛んで、メンバーが校門でビラを配っていた。それを横目に見ながら会場に入り、私は、

「君たちは受験勉強の勝者かもしれないが、その分、社会性とか批判的視点が弱いことを自覚してほしい」

と強調した。付き添いで来た母親も多く、彼女らが人生の最も喜ばしい日に水を差すなといった表情で渋い顔をしていたのが忘れられない。

私が『社会新報』の連載コラムで「しぶとい統一教会」と題して警鐘を鳴らしたのは、安倍晋三が撃たれる一ヵ月前だった。霊感商法などが問題になって下火になったとはいえ、統一教会は統一家庭連合と名前を変えて生き残っているのに、安倍政権になって警視庁の公安捜査の対象からはずされた。市民運動まで対象に入れながら統一教会を対象外にしたのは自民党の政治家たちの強い働きかけがあったからだろう。

二〇二二年七月二八日付の『日刊ゲンダイ』はそれについて、安倍の実弟の防衛大臣、岸信夫の「驚愕の居直り」を報じている。記者会見でこう言ったというのだ。

「何人かと付き合いがあり、メンバーにボランティアとしてお力をいただいた。（投票を呼びかける）電話作

戦などはあったと思う。選挙なので支援者を多く集めることは必要なことだ」

これには統一教会も「さすが岸さん！」と大喜びだとか。一九九三年に出た山口広著『検証・統一教会――霊感商法の実態』(緑風出版)を開くと、山口が会った霊感商法の被害者や元信者(加害者)は八対二の割合で圧倒的に女性が多く、元信者のほとんどは二〇歳台だという。

日本国憲法に男女同権を盛り込むべく努力したベアテ・シロタ・ゴードンは封建的な家父長制の下で苦しむ日本の女性たちの姿を目の当たりにして、一四条や二四条の草案を書いた。

統一教会は逆に家父長制を強めようとしているのに、若い女性たちは錯覚して入信していったのかもしれない。しかし、それは特に彼女たちの置かれた矛盾の深さを表している。

国民民主党の玉木雄一郎や離党した前原誠司まで含めて、統一教会に関わりのあった政治家はほとんどが改憲ならぬ壊憲論者である。

私は統一教会と改憲勢力の密接なつながりを批判する必要があると思う。前掲の山口の本は新版が出ているが、東大をはじめ、原理研の学生のための寮があることに驚いた。東京周辺の寮のいくつかを引いてみよう。一七もあるが、寮の名前と大学をランダムに並べる。

一、早成寮。早大、立大、跡見
三、天檀寮。一橋大、成蹊大、ＩＣＵ、東京女子大
四、慶成寮。慶大
七、曙港寮。横国大、相模女子
八、忠烈寮。東海大、中大

九、忠成寮。法大、理科大、大東文化、お茶大

一一、成和寮。東大（文成寮に変更、駒場）

この他、開拓支部と称する少人数のホームもいくつかあるらしい。公明党（創価学会）の政権入りも宗教への警戒をゆるめたことは間違いないだろう。

トランプと統一教会

ドナルド・トランプの愛読紙は『ワシントン・タイムズ』である。言うまでもなく統一教会が全面的に関わっているニュースペーパーだ。『ニューヨーク・タイムス』や『ワシントン・ポスト』を連想させる〝フェイクニュースペーパー〟でもある。

安倍晋三が銃撃される原因となった統一教会関連のビデオにはトランプも出ていた。言ってみれば、安倍とトランプは〝統一教会兄弟〟である。

横浜へのカジノ誘致に命懸けで反対した〝ハマのドン〟こと藤木幸夫は、当時の市長、林文子を横浜誘致に踏み切らせた官房長官（のちに首相）の菅義偉を名指しして「菅さんは安倍さんの腰巾着、安倍さんはアメリカの腰巾着」と痛罵した。

二〇一九年六月一四日付の『日刊ゲンダイ』のインタビューで藤木はこう語っている。

「世界の三大カジノ業者にラスベガス、サンズ、ＭＧＭ、シーザーズがあります。サンズのアデルソン社長はトランプ大統領に莫大な献金をしています。そのトランプ大統領に安倍首相が頼まれたんでしょう」

だから、つまりは「安倍はトランプの腰巾着であり、トランプはアデルソンの腰巾着」ということになる。アデルソンはトランプに年間数十億円もの献金をしていると言われた。

トランプが大統領選に勝つや、安倍は就任式より前にトランプに会いに行ったが、この時お膳立てしたのは統一教会人脈だとうわさされた。トランプはカジノ誘致を安倍にやらせようと思っていたのだった。

佐藤伸行の『ドナルド・トランプ』（文春新書）によれば、バラク・オバマに対するトランプの攻撃は偏執的だった。その出生疑惑と彼がムスリムであるというデマを執拗に流した。

そして佐藤は、セバスチャン・ハフナーの『ヒトラーとは何か』（赤羽龍夫訳、草思社）の一節を引く。

「ヒトラーにあっては、彼の性格、彼の個人的本質の発展とか成熟とかいうことが全然みられないのである。彼の性格は早くから固定してしまった。より適切にいえば、とまってしまったということなのだろう。そして驚くべきことに、ずっとそのままで、何かがつけ加わるということはないのだ」

これはトランプも安倍も同じであり、ハフナーはヒトラーを「自己批判能力が完全に欠如している」と断定して、さらにこう続ける。

「ヒトラーはその全生涯を通じてまったく異常なまでに自分にのぼせ上り、そもそもの初めから最後の日まで自己を過大評価する傾向があった。（略）ヒトラーはヒトラー崇拝の対象だっただけでなく、彼自身がその最も初期からの、そして最後までつづいた、最も熱烈な崇拝者だった」

トランプはなぜ、批判や気に食わない意見には「ノー」と言い続けるのか？　それを彼のばい菌恐怖症に求める意見がある。

彼はその強迫神経症を「デマだ」と否定したが、実は『金のつくり方は億万長者に聞け！　大富豪トランプの金持ち入門』（扶桑社）で告白している。ばい菌に対する不安から、トランプは握手するのをいやがり、渋々した後で、その手を何かで拭ったりする。前掲書で彼は「握手というのは恐ろしい習慣だ」と打ち明けているのである。

統一教会と公明党

「路上のラジオ」を主宰する西谷文和が奮闘している。私も加わっているので、ちょっと口ごもるが、彼との問答でまとめられた西谷編『統一教会の闇　アベ政治の闇』（日本機関紙出版センター）には見逃せないネタがいろいろ詰まっている。

巻頭の鈴木エイトとのそれでは、次の鈴木の告白に驚いた。

二〇〇九年の民主党政権時代に足立区で統一教会に支えられて女性候補が当選した。その候補は民主党で、運動員となって応援した青年たちが信者であることがわかっていて、一体となって動いていたのだが、彼女に取材したら、「自分は知らなかった。一切関係ない。統一教会から利用された被害者だ」と、いま自民党の議員が言っているような弁解をする。そのうち、民主党の本部から一二人に及ぶ顧問弁護士の抗議書が鈴木の下に送られてきたという。

それで鈴木は「カルトより政治家の方がひどいな」と思ったとか。統一教会から尾行されたり、殴られたり、さらには指名手配書まで作られた鈴木の言葉だけに迫力がある。

元朝日新聞記者の佐藤章は、警察庁の最高幹部の夫人が統一教会にハマって、夫人の仲間に数十万円の印鑑を売ったりしていたと指摘する。

この幹部は借金だらけになってしまったが、それで「その仇を取る」と警察が本格捜査に動き出す。それが二〇〇五年ごろで、しかし、そこに安倍晋三が立ちはだかった。安倍は本命ではなかったのに党員票をかなり獲得して自民党総裁選で勝ったが、この時に統一教会員がにわか自民党員となって安倍に投票したというのである。

「つまり統一教会と安倍元首相は貸し借り関係にあった。警察の捜査にストップをかける代わりに、統一教会が安倍を首相にする」

納得のいく佐藤の語りだ。

また、統一教会には「秘書養成所」があって、有能で見た目がいい女性がそこで鍛えられて送り込まれる。かつて石原慎太郎の秘書がそうだったが、どうも様子がおかしいので、夜中に議員事務所に行ってみたら、秘書がガサゴソ何か探していた。「何やってんだ！」と慎太郎が怒鳴って即座にクビにしたという。

さて、私の郷里の酒田には写真家の土門拳の記念館があるが、土門が『ヒロシマ』を撮ったのは戦後一三年経ってからだった。アメリカが撮らせなかったのである。原爆を落としたアメリカをそんなに信用していいのか。

「日本は被害者としての戦争は伝えるけど、加害者としてはあまり考えていない」と私が言うと、西谷が、

「はい。中国や韓国での侵略行為はあまり語られません」

と返す。以下、私と彼の問答。

「アメリカは加害者なんだ」

「原爆だけでなく東京や大阪の大空襲でも」

「例えば国連。あれはドイツや日本を懲らしめるために作ったものとも言えます」

「敵国条項があって日本は敵に分類されている」

「そう。だから『敵基地攻撃能力』は、アメリカを攻撃するってことだよ（笑）」

西谷が相手だと私の口もゆるむが、公明党は寄付の規制を緩和するかわりに敵基地攻撃を認めた。そんな公明党と統一教会の違いはあるのか？

信仰しない自由を！

公明党のトップだった矢野絢也が支持団体の創価学会とぶつかった途端に「正体不明の多人数から三年にわたって尾行、監視をされた」と証言したことがある。

池田大作に疎まれたのだろうが、矢野の前任者の竹入義勝も同じように『聖教新聞』などで激しい罵詈雑言にさらされた。カルトは統一教会だけではないのである。

テリー伊藤と私が共編者で『お笑い創価学会――信じる者は救われない』（光文社）を出したのは二〇〇〇年だった。ベストセラーになり、二〇〇二年に同社の知恵の森文庫に入った。

以来、創価学会からは仏敵扱いされているが、その中に収録したいくつかのレポートで一番驚いたのは池田大作についての井田真木子のそれである。

井田は創価学園出身の信者二世のこんな声を拾う。

「うぶな中学生だったら一発で憧れてしまうようなすごい美人の先生なんかがいるわけですよ。そういう先生が、顔面紅潮させて、今日は〝池田先生〟が学校に来て下さいました、みんなでお話を聞きにいきましょう、なんて言う。ぞろぞろと講堂に行くと、〝先生〟はそこでピンポンをしている。なんか変な光景だなとは思いますよ、当然。

でも、〝先生〟が一言、暑いなと言うと、クリームソーダがさっと出てきて、〝先生〟は半分ぐらいそれを飲むと、美人の先生にグラスをわたすわけ。そうすると、先生はそれを高々と掲げて、これが〝先生〟のお飲みになったクリームソーダですって叫んでさ、恭々しく口をつけるわけ。で、そのあと、ソーダが僕ら全員にまわってくるの。

僕は、その美人の先生が口つけたところはこのあたりだっけ、なんて思いながら、チュッとか口をつけましたけどね」

もちろん私は池田の「お飲みになった」ものに口をつけたりはしない。気持ち悪いと思うだけだからである。

別の二世はこう語る。

「大人は学会をやめて、池田の呪縛から離れても、もどる家庭があるでしょう。でも、二世の子供は、もどりたい、でも、もどるってどこへ？　そういう感じ」

これはこのまま統一教会の二世信者の声でもあるだろう。

信仰の自由は、何よりも信仰しない自由とセットで尊重されなければならない。そうでないと、信仰の強制の自由になってしまうからである。

前掲書には読者からこんな反応もあった。

都内に住む若い主婦からの手紙で、彼女はその何年か前、あまり実情を知らずに創価学会員の男性と結婚した。夫の家は両親、兄夫婦等、すべて学会員だった。

ただ、彼が彼女に入信を求めなかったので結婚したのだが、「嫁にもらってしまえば、こっちのもの」とばかりに、その後、すさまじい勧誘が始まった。いわゆる折伏である。

義母に誘われるまま、会合に行って、「池田センセーを誉めたたえるビデオ」などを見せられる。「よくまあ、そんなに都合よく解釈するなあ」と思う体験発表も、彼女には馬鹿らしいだけだった。「人を池田のロボットにして動かす」学会を「怪しい宗教」と断じる彼女の抵抗はその後も続いただろうか？

創価学会員の首相？

二〇一五年に出た松岡幹夫との対談『創価学会を語る』（第三文明社）で佐藤優はこう言っている。

「私はそろそろ創価学会員の総理大臣が出てもいいころだと思います。公明党は二〇一四年に結党五〇年の節目を迎えましたが、次の五〇年の大きな課題の一つは、その五〇年の間に公明党首班政権をつくることではないでしょうか」

もともと公明党はもう「平和の党」などとは言えないと私は断罪してきたが、敵基地攻撃能力容認にまで踏み切って、いよいよ理念なきフラフラ党の正体があらわになった。それも、統一教会による被害者救済のための寄付規制を骨抜きにするために自民党と取引したとうわさされているのだから、統一教会より先に公明党の解散を請求したいくらいである。

これまでも公明党はネタのばれた茶番劇を麗々しく演じてきた。たとえば二〇〇三年の自衛隊のイラク派兵の時、当時の代表、神崎武法はあわただしい日程でイラクのサマワを数時間視察するという猿芝居をして派兵に賛成した。そして二〇〇四年には派遣期間の一年延長に賛成し、見返りに公明党が主張していた所得税定率減税の縮減を自民党に呑ませたのである。公明党支持者、すなわち創価学会員にとっては所得税の定率減税の廃止は経済的に影響が少なく、縮減による財源は年金に充てられるという主張だった。

イラク特措法は二〇〇三年七月に成立していたが、実際の派兵には国会の承認が必要とされていた。この時の自民党総裁は小泉純一郎で、幹事長が安倍晋三である。八百長的に賛成した公明党と違って、自民党では三人の実力者がこれに反対した。元幹事長の加藤紘一、同じく古賀誠、そして元政調会長の亀井静香だった。頭文字がいずれもKの3Kである。

詳しいことは拙著『自民党と創価学会』（集英社新書）に譲るが、その結果、タカ派の清和会（というより統一教会と親しい清和会）が主流の自民党に、「公明党の手前、三人にペナルティなしというわけにはいかない。ケジメが必要」という声が強くなる。それで安倍は何とか三人に「戒告」という処分を下した。党則では「勧告」に次ぐ軽い処分。「平和の党」という公明党の看板が欺瞞に満ちたものであることはすでにこのころから明らかだった。

そんな公明党および創価学会の〝守護神〟である佐藤優は、本欄（『社会新報』のコラム）がとても気になるようで、社民党代表の福島みずほ宛てに二度も内容証明便をよこした。二〇二一年五月一三日付のそれには「佐高氏の連載をそのまま掲載する」編集姿勢に重大な疑問を持つとし、「現時点では貴党に対しては、これら『佐高信の視点』の記事内容の謝罪を求めるにとどめますが、人権を重視するという貴党のスタンスからも、根拠のない中傷誹謗を繰り返されている佐藤優の立場を十分ご考慮いただきますよう強く要請いたします」と結んでいる。つまりは連載させるなというわけだ。

公明党が野党になれ

二〇〇〇年に出した福島みずほと私の共著『「憲法大好き」宣言』（社会思想社。二〇〇四年に『神は「憲法」に宿りたまう』と改題して七つ森書館）の私の発言を読んで、二〇〇一年二月三日付の『毎日新聞』にこんな投書が載った。

「図書館で手に取った本に、びっくりするようなことが書いてありました。『悪いやつは徹底して悪いの。ところが庶民っていうのは自分がいい人であるもんだから、自分と等身大の悪しか想像できないわけです。自分ができる悪しか想像しない。これを想像力の貧困と言うんです』というくだりを読んだ時、すべての疑問が解けました。

税金で競走馬を買う神経、平然とわいろを要求する役人、罪はすべて秘書になすりつけるふてぶてしさ、国民の反対をよそに進められた諫早湾干拓事業など数え上げればきりがない。彼らには良心の呵責なんてなかったのだ。それを許していたのはほかでもない、庶民のスケールしか持ち合わせていない私たちなのだ。

グチっていても世の中、よくならない。みんなが想像力の貧困を克服し、選挙という剣を持って立ち向かえば、政治は音を立てて変わる」

これを「みんなの広場」に書いた大阪の平松昌子はいまもそう思っているだろうか。

野党が弱いと、よく言われる。しかし、それは野党であるべき公明党が与党にいるからである。公明党が野党になればいいだけの話なのだ。

『週刊新潮』の二〇二三年一一月二四日号の元創価学会員、長井秀和の証言は衝撃的だった。

「学会側が明言することはありませんが、財務（寄付）の額はおおむね収入の一割が目安と言われています。一〇日で一割の高利貸し〝十一〟に因んで、私は学会の財務を〝宗教十一〟と呼んでいますが、収入が低ければ低いほど、当然、負担は大きくなる。うちの両親でもすでに総額で数千万円の寄付をしていると思いますよ。それだけでなく、例えば高額な学会専用の仏壇を三基も購入していて、仏壇関連だけで約二〇〇〇万円。統一教会の〝一〇〇万円の壺〟なんて安すぎて、多くの学会員はピンと来ないんじゃないでしょうか」

貧しき者の味方を装って、彼らから搾り取る点において、統一教会と同じだということになる。旬報社から刊行中の「佐高信評伝選」は第二巻の『わが思想の源流』が出たが、わが師の「久野収からの面々授受」や「福沢諭吉のパラドックス」を収めている。久野は、いまからほぼ五〇年前に危惧していた。「公明党が創価学会に支配され、『潮』が公明党に支配されている間は、僕は書かないと断わり続けてきたんです。現在、創価学会から公明党は独立し、『潮』は公明党から独立していると称している。それをあとがきに書いてもいいかと聞いたら、結構ですと言うんで、高畠通敏君と対談をしたんです。僕は、最初、あれはファシズムになるんじゃないか、という一種の心配があったんです」

防衛という名の軍事費の拡大に反対しない「平和の党」など、まさしく詐欺以外のなにものでもない。政権に参加して身につけたのは汚職だけではないのか。国土交通相を独占しているのにも何か臭うものがある。

昨日の誠、今日の嘘

正岡子規に「紫陽花やきのふの誠けふの嘘」という句がある。

自民党と公明党の選挙協力という野合の雲行きが怪しくなって、公明党の支持団体ならぬ支配団体の創価学会に太いパイプを持つ菅義偉の存在感が大きくなっていると聞いて、「ちょっと待ってくれ」と叫びたくなった。拙著『池田大作と宮本顕治』（平凡社新書）や『自民党と創価学会』（集英社新書）で指摘したように、菅は一九九六年の衆議院議員選挙で初当選した時、相手が創価学会候補だったこともあって、名誉会長の池田大作を「人間の仮面をかぶった狼」とまで攻撃した。

それで、自民党と公明党の連立政権が発足した後の二〇〇〇年の選挙で学会に選挙協力を求める時、神奈川県の学会本部に呼びつけられる。

県のトップが菅に尋ねた。

「菅さん、あんたこないだの選挙で、池田大作先生のことを何て言った？　あんなに批判しておいて気持ちは変わったのか」

当然の追及だろう。

森功著『総理の影』（小学館）で、菅に同行した秘書の渋谷健が振り返っている。

「一時間ほど、ねちねち延々とやられました。いやあ、すごかったです」

菅も汗をかきながら言い訳をし、その後はいいムードになったが、

「おい渋谷、最初はほんとに怖かったな」

と身をすくめていたとか。

そんな菅が自民党きっての学会通となってしまったのだから、公明党および学会もいいかげんだと言わなければならない。麻生太郎が野党共闘を〝立憲共産党〟と皮肉ったが、〝自民公明党〟の方がカルト色も加わってはるかにいかがわしい。

元公明党参議院議員の福本潤一の『創価学会・公明党「カネと品位」』（講談社）によれば、ある時、創価学会本部の最高幹部から、こんな指導が入ったという。

「今度、池田名誉会長の『新・人間革命』が出版されるんだ。君の地元の一番大きい本屋に行って、自分の名前で二〇〇部発注しなさい。そして、それを学会に贈呈しなさい」

『新・人間革命』のその巻は一冊一三〇〇円だった。二〇〇冊で二六万円。これをポケットマネーで出す。一度に二〇〇冊も購入すれば、すぐにその書店でのベストセラーになる。

福本が二〇〇一年に参議院議員になった後、婦人部の最高幹部から、当時八三歳だった母親に

「息子さんが選挙で支援してもらったんだから、母親が一〇〇〇万財務するように」

との指導が入った。財務とは寄付である。ほとんど年金で暮らしている母親にそんなことを望むとは、住んでいる家を売れとでも言うのかと福本は怒っている。

議員が財務を行なうと公職選挙法違反に問われるので実家から巻き上げようというのだろう。

『週刊新潮』の二〇二二年一一月二四日号でのお笑いタレントで元創価学会員の長井秀和の前の証言を裏書きする話である。

2 権力に群がる者たち

国葬に出席する労働者代表とは…　芳野友子

立教大学総長をやった松下正寿は、一九〇一年生まれで八五歳で亡くなった。

一九六七年に自民党と民社党の推薦で東京都知事選に立候補し、革新統一の美濃部亮吉と争って敗れたが、翌年、民社党から推されて参議院議員に当選している。その議員時代の一九七三年に統一教会の文鮮明に会って心酔し、翌年、統一教会が主導する世界平和教授アカデミーの初代会長に就任した。『世界日報』の論説委員なども歴任したが、反共に固執する同盟系労働組合のブレーンだった。聖公会系のクリスチャンなのにカルトの統一教会にハマってしまったのである。

松下は民社・同盟系の富士社会教育センターの二代目理事長（現在の理事長は元連合事務局長の逢見直人）も務めたが、同センターの教育部門である富士政治大学で現連合会長の芳野友子は反共思想を学んだ。私が統一教会ウイルスと皮肉る〝思想〟である。

自民党と手を結んで都知事選に出た松下正寿を考えれば、芳野が自民党に近づくのも不思議ではないのかもしれない。

共通するのは反共ウイルスだが、自民党副総裁の麻生太郎に招かれて芳野は麻生と会った。連合を自民党の下請けにしようとしている麻生は極めて統一教会と近い勝共推進議員である。

芳野が統一教会が一番喜ぶ安倍晋三の国葬に参列することを知って思い出したのは、私と同郷（山形県酒田市）の異色俳優、成田三樹夫が放った痛烈なタンカだった。

悪役が似合う渋い俳優の成田は『週刊大衆』の一九八二年一二月六日号掲載のインタビューで、こう言っている。
惹句（じゃっく）には「春遠い港町に育ち、喧嘩を波枕の男一匹」とある。

「最近の役者というのは、いやらしいのが多すぎるよ。総理大臣主催のナントカ会というと、ニコニコして出かけていって、握手なんかしてるだろ。権力にヘタヘタするみたいな役者じゃ意味ないよ」

と、まずズドンと一発。

「オレも、一言でいえば流れ者という感じね。世の中全体という視点からみると余計者じゃないかな。昔の河原乞食タイプだしサ。ただ、昔の河原乞食という言葉が大好きなわけよ。社会的に追い立てられた時代でも権力をバカにするみたいな芝居をやってたわけだからね。これは心根の問題、なんで役者をやるかという問題よ。カネをほしがったり名声や権力がほしいなら、役者やるなっていいたいわけよ」

と、たけしのようなゴマスリ芸人に追い撃ちをかけた上で、

「周りも、おかしいといわなきゃダメよ。人気スターさんです、美しい女優さんですなんてチヤホヤするから、バカがどんどん図にのるんだよ。ハハハ」

とトドメを刺す。

この指摘がいま一番当てはまるのは芳野にだろう。仮にも労働者の代表が国葬に出るとは。

私はツイッターで、成田のセリフを芳野に浴びせ、「(安倍のそれに出るのは)反共ウイルスで一致するからか。

また、それを連合の組合員は黙って見逃すのか？」と結んだ。

これに対して「それでも組合費を払うのか」という反応もあったが、芳野が麻生に会った時には「組合いらない。連合解散。自民党と手を組む組合って何か意味があるんだろうか」という根底的な疑問の声があ

がった。

端的に言えば、自民党と手を組むことは統一教会と手を組むことである。多分、富士政治大学で反共思想を植え付けられた芳野には、自民党より共産党の方が遠いのだろうが、ほとんど統一教会と変わらない思想の持ち主の芳野を組合員はそのまま会長にしておくのか。

週刊誌が批判できないトンデモ男　百田尚樹

安倍晋三への恋慕雑誌『月刊Ｈａｎａｄａ』を発行する花田紀凱（かずよし）が『安倍晋三総理が闘った朝日と文春』（産経新聞出版）で大学生の孫に、いまこう言っていると書いている。

「ぼくはいずれ、この世におサラバするだろう。けれど、一〇年後か二〇年後か、あるいは三〇年後か、安倍総理はきっと高く評価される。その時、『ああ、爺ちゃんが、あの時、あんなに熱心に安倍総理を応援していたのは正しかったんだなあ』と思ってくれ」

安倍が関係が深かった統一教会についても花田はそう思うのか、と孫にいささか気の毒になるが、多分、歴史の教科書は安倍とジッコンの百田尚樹の『日本国紀』などになるのだろう。

百田のいいかげんさは、やしきたかじんが再婚したさくらとの経緯を描いた『殉愛』（幻冬舎）をめぐる騒ぎで白日の下にさらされた。

この中で、たかじんの娘がめちゃくちゃに書かれているが、彼女にはまったく取材しなかったという。重婚疑惑もあったさくらを百田ははっきり「独身」と書いており、書かれていることは「全て事実である」という謳(うた)い文句にも反する。

こんなドロドロは週刊誌の絶好のネタのはずだが、『週刊文春』も『週刊新潮』も『週刊現代』も最初沈黙した。百田を怒らせて本を出さないとか言われては困るからだろう。それに林真理子が憤慨して『週刊文春』のコラムを書き、ようやく〝解禁〟となった。しかし、ほとんど百田やさくら側に立って書かれていた。

この問題を大々的に特集したのが『月刊宝島』で、二〇一五年二月号の「百田尚樹の正体！」でその真相を追った。それによれば、『週刊文春』は何と、たかじんの娘の手記を校了直前で掲載見送りにしたらしい。関係者が語っている。

「これは後になって（文春）社内で分かったことですが、取材班がさくらに取材を申し込んだ直後、百田さんから新谷（学、『週刊文春』）編集長の携帯に直接電話があったそうです。恐らくさくらから依頼を受けてのことでしょう」

辛辣(しんらつ)が売りものの『週刊新潮』も〝重婚疑惑〟について、彼女のイタリア人夫を取材することもなく、さくらから提供された離婚届の「受理証明書」だけを根拠に、「重婚」の事実は全くなかった、と書いた。そんなに百田が恐いのか？

この本について、発売当日の夜にTBS系の「中居正広の金曜日のスマたちへ」は特集を組み、ゲスト出演した百田はさくらの〝天使ぶり〟を力説した。ちなみにたかじんの遺言執行人が弁護士だった吉村洋文（現大阪府知事）で、さくらが遺産を独占する動きに深く関わった。

トンデモ男の百田はNHKの経営委員になっていたが、『殉愛』の版元の幻冬舎社長、見城徹はテレビ朝日の番組審査委員。テレビ朝日のドンの早河洋を安倍に紹介した男で、もちろんテレ朝も百田批判をやるはずがない。

演説をしたくて国葬に参加　野田佳彦

安倍晋三への野田佳彦の追悼演説を山口二郎が絶賛していると知って、お涙頂戴にそんなにも簡単にやられてしまうのか、と暗然とした。林達夫と久野収の『思想のドラマトゥルギー』（平凡社）で、久野がこう言っている。

「民衆の方は、メロドラマを実人生とは違う、絵空事だと知っていて距離をおいて見ている。そうでなければ、あんなに繰り返し同じシチュエイションのものをあきもせずに見ていられるはずがない。ところが、そこが分らない大インテリは、かえって民衆よりも弱くなって、アイデンティファイしてしまうわけですよ。何しろメロドラマのもつ毒に対して免疫性がないですから」

あの演説をしたくて国葬に参加した野田のあくどさを見抜けない山口は大インテリではなく「軽インテリ」だろう。

二〇一五年六月二七日に開かれた民主党福島県連大会で、県連特別顧問として登壇した八三歳の渡部恒三はゲストで招かれていた野田に、

「こんな席に野田君がいるのはおかしい。民主党をつぶした張本人だ」

と面罵した。そして、

「私は（二〇一二年の）一一月、解散なんかすべきでない、と説得するため面談を申し込んだ。ところが玄関払いをくらった。私の長い政治生活で面談を拒否されたのは初めてだ。その二日後に野田君は（衆議院を）

解散した。もしあの解散がなければ、まだ民主党の政権は続いている」

と言い、県連代表の玄葉光一郎をも、

「野田内閣で外相にしてもらったから、そのお礼に呼んだのか」

と痛撃した。

永田町で評判になったこのスピーチについて、渡部は後日こう説明したという。

「あの時、党の常任委員会の全員が解散に反対で、私と（元財務相の）藤井裕久君が野田君に伝えるため官邸に行くことになった。ところが当日、キャンセルされた」

松下政経塾ならぬ松下未熟塾出身の野田らしい愚かさを、渡部は、さらに次のように指弾する。

「解散権は首相にある。それは党が一番有利な時に解散を打てる、ということだ。ところが野田君は気まぐれで、自分の党が一番不利な時に解散した。こんな首相は明治以来、野田君しかいない」

まさに利敵行為と言うしかない野田の打った解散で議席を失った落選者は怒りをブチまけた。

「恒三さんの言う通りだ。A級戦犯の野田氏が議員をやっていることがおかしい。首相の時、解散して落選を恐れて（比例と）重複立候補した。現職首相では例がない。トップの資格がない」

そんな野田が二〇一六年の三月三日、連合の春闘決起集会に参加して、

「一番私の足を引っ張った（小沢一郎）元代表さえ来なければ、あとは全部のみ込もうと思っている」とか、

「方針が決まってもゴチャゴチャ言うのが民主党の悪いクセだ。一番ゴチャゴチャ言ったのは（小沢）元代表だ」と不満を述べたのには呆れた。代表の泉が参加しなかった今度の国葬に参加した野田はどうなのか。

当時、民主党の関係者が『日刊ゲンダイ』で反論している。

「小沢さんは足を引っ張ったのではなく、財務官僚にだまされて消費増税をやろうとしている野田さんに対して『消費税率をアップしたら日本は大不況に陥る』と増税に反対しただけです。結果は小沢さんの警告通りになった。野田さんは『自分の考えが間違っていました。小沢さんのアドバイスに従うべきでした』と頭を下げるのが当然なのに、足を引っ張られたなんて、あまりにも勝手な言い分ですよ」

近代的な企業でなく〝豊田藩〟豊田章男

豊田章男が業界誌の『ベストカー』の〝乗っ取り〟に動き始めたという。とにかく批判されることが嫌いなこのボンボンは耳に心地よい記事だけで世界を覆いたいのだろう。

慶応出身ながら「公正の論は不平の徒より生ず」という福沢諭吉の言葉など読んだこともないに違いない。あるいは読んでも意味がわからなかったのか。

明らかにトヨタをモデルとした『トヨトミの野望』（小学館文庫）という小説がある。著者は梶山三郎。その続編が『トヨトミの逆襲』（小学館）で、「愛知県豊臣市」に本社がある〝トヨトミ自動車〟の社長が作中でこうつぶやく。

「あの総理とはどうもウマが合わない」

父親も祖父も政治家であり、大叔父にも首相経験者がいて、家系図には財閥・財界の大物がきら星のごとく居並ぶ内閣総理大臣・岸部慎介は、豊臣統一と同様、親の七光のバカボンと言われ続けてきたのだから気が合いそうなものなのに、合わない。

岸部慎介が誰をモデルにしているかは言うまでもないだろうが、岸部が豊臣を「元は尾張の鍛冶屋の倅」と見下しているように見えるというのは笑える。それは「目くそ鼻くそを笑う」としか思えないし、共に「バカな大将、敵より怖い」の典型であるからだ。

岸部がこの国のトップだったことに恐怖をおぼえるのと同じように「巨大自動車産業」の社長がこの小説に描かれているがごとくとするならば、これもまた背筋が寒くなる。

発行済み株式のわずか二％しか保有していないにもかかわらず、なぜ、豊臣家がトヨトミ自動車を支配するのか。

三〇歳手前でトヨトミに入りたいと統一が父親の新太郎に申し出ると、新太郎は「お前を部下に持ちたい人間はトヨトミにはひとりもいない。それでもよければ人事部宛てに正式に願書を出せ」と厳しい言葉を投げた。

ところが親の威光で四四歳の時に最年少役員に、そして、五二歳で社長になる。

その統一を、ベテランの新聞記者が次のように評する。

「統一さんは自分に従順な人間は徹底的に重用するが、意見が合わなかったり、批判的な人間は許さない。結果、統一さんの周りには〝お友達〟しか残らない。口うるさい豊臣家の分家の連中も、古参の年長役員も、あらかた〝粛清〟は済んだ。人事部は自分たちに危害が及ぶから、必死になって統一さんの意向を忖度して、気に食わない人間を放り出す。そんな上司たちに嫌気がさしたんだろう。トヨトミ人事部では、この一年で中堅社員が一〇人以上辞めている」

まるで岸部慎介こと安倍晋三のことを言っているようだろう。トヨタで私が一番許せないのは、一九五九年に由緒ある挙母市を豊田市に変えたことである。

私が編著者の『巨大ブラック企業』（河出書房新社）で、この小説の取材協力をした元『朝日新聞』記者の井上久男が語っている。

「今でも本家と分家の間にちょっと摩擦があるんです。豊田英二さんの長男の幹司郎さんはアイシン精機、二男の鐵郎さんは豊田自動織機、三男の周平さんはトヨタ紡織」のトップだが、分家の英二から本家の章一郎への社長交代は〝大政奉還〟だといわれた。

つまり、トヨタは近代的な企業ではまったくなくて〝豊田藩〟なのだ。

「そこのけ、そこのけ、トヨタが通る」で、トヨタは日本製鉄ともケンカをした。特許侵害で日鉄が訴えている中国の宝山製鉄製の無方向性電磁鋼板をトヨタ車が採用しているので、その是正を日鉄が申し入れたのを無視し「章男は我々をなめているのか」と日鉄側が激怒したのだ。

統一教会のパーティにも出る「国際社交家」デヴィ夫人

「国際社交家」なのだという。だから統一教会のディナーパーティにも出たのだろうか。二〇〇六年七月三〇日、東京のホテルニューオータニで開かれた統一教会の集会の後のそれで、デヴィはこう言ったという。

「ミサイルが七発飛んできたからといって、何をあわてているのでしょう」

「ニセ札や覚醒剤をつくっているからといって北朝鮮を非難するのはやめたほうがいい」

これを報じた『週刊新潮』の取材に彼女はその発言を認めた。

朝鮮戦争について「日本にも責任の一端はありますよ。だって日本がずっと支配していて、敗戦後に何も後始末せずに逃げ出したじゃありませんか。だから朝鮮半島は分断されてしまったんです」と指摘するのは正しいが、独裁者として金日成とスカルノが親しかったから擁護するのだろう。

自分をモデルに『生贄』（徳間書店）という小説を書かれたデヴィ夫人は、怒り狂って作者の梶山季之の愛人が経営する銀座のバー「魔里」にどなりこんだことがある。そして、

「梶山を出せ！」

と叫んだ。マナーも何もなく、血相を変えた彼女を見て、ママのまり子は梶山をカウンターに隠し、平然を装って、

「梶山はいませんよ」

と返した。デヴィはまり子を睨みつけ、

「あんた、梶山の女でしょう。梶山にデタラメ書くんじゃないって、よく言っておくんだね」

と捨てゼリフを吐いて帰って行った。

梶山の弟子の大下英治が書いた『最後の無頼派作家 梶山季之』（さくら舎）の一場面である。

梶山が小説化する前、徳間康快が社長の徳間書店の週刊誌『アサヒ芸能』が、インドネシアへの賠償をめぐって岸信介とスカルノの間に汚職があり、スカルノへの〝貢ぎ物〟として根本七保子（のちのデヴィ夫人）が使われたと書いた。それを斡旋した政商のバックの暴力団の幹部が徳間を脅しにかかる。三〇人も引き連れて社長室にやって来て、

「社長を辞めろ！　さもないと殺すぞ」

と詰め寄った。しかし徳間は退かない。

「何を言ってるんだ、おまえら。断じて辞めない、冗談じゃない」

そう答えた徳間に今度は政商本人が接触して来て、責めた。

「スカルノ大統領は大変親日的で、日本との国交を友好的に進めたいと真剣に考えている。それなのに、あなたはこういうことを平気でやる。国賊的行為だ」

徳間が取り合わないでいると、

「あくまでも逆らうと、会社をつぶすぐらいわけない。刑務所にぶちこんで、生涯出られないようにしてやる」

と息巻いた。

徳間はその経緯を「魔里」で梶山におもしろおかしく話した。

「徳間社長、それは小説になりますよ」

梶山は膝を叩いて喜び、一九六六年五月二九日号の『アサヒ芸能』から連載が始まった。そして翌年春に単行本になる。

オビには「喜劇か悲劇か？　大統領夫人はシンデレラか娼婦か？　新興国アルネシアの賠償問題にからんで権力構造とその中に踊る赤裸々な人間像に迫るセミ・ドキュメント小説！」と謳ってある。

これが彼女から名誉毀損で訴えられ、裁判となった。この時、梶山の弁護を買って出たのが作家で弁護士の佐賀潜だが、東京地裁に化粧っ気なしの、うちしおれた姿で現われたデヴィを見て、佐賀は、

「裁判官の同情を得ようと言うのか、陪審制のある外国では有効な手段だけど」

と思った。梶山は「モデル小説だとか、暴露小説だとかという世間の声に」中途で挫折したと述懐している。

オウムの教義のタネ本に　中沢新一

『週刊現代』二〇二三年三月二五日号の目次に中沢の連載が休載すると小さく出ている。しかし、中沢は筆を折って永遠に休載しなければならないようなことを過去にやっている。有田芳生と小林よしのりの『統一協会問題の闇』(扶桑社新書)で小林がそれをこう指摘する。

中沢は『週刊SPA!』の一九八九年一二月六日号でオウム真理教教祖の麻原彰晃と対談し、坂本弁護士一家失踪事件は「オウムの犯行ではない」と言い切った。中沢の『虹の階梯――チベット密教の瞑想修行』(平河出版社)がオウムの教義のタネ本となり、麻原がそれで「ポア」という言葉を知ったことは有名である。

中沢の東大宗教学科の後輩の島田裕巳に『中沢新一批判、あるいは宗教的テロリズムについて』(亜紀書房)という目糞鼻糞を笑うような本がある。そこで島田は「サリン事件以降もテロを容認するような発言をやめない中沢」を厳しく批判しているが、私が最も許せないのは中沢が「江川紹子＝統一教会」説を流したことである。

中沢はそれを否定しているようだが、『宝島30』の一九九六年一月号で匿名のXが、中沢があちこちでそれをしゃべりまくったと語り、「怪情報の類が、中沢新一というフィルターをくぐったことで、彼の知的権威によってオーソライズされてしまう。眉ツバだとは思いながらも、中沢新一が言うんだからひょっとしたら本当かもしれないと思ってしまう」と続ける。そして、「なぜ江川紹子が統一教会員だとか、在日だとか言うかというと、その噂が広まればオウム擁護をしてきた自分にとって都合がいいからとしか思えない」とその理由を明かしている。

大学教師の片手間に駄文を書き散らしている中沢と違って、江川はサリンをまかれる危険を冒してまでオウムと闘ってきた。サリンをまくオウムの側にまわって、いわば安全地帯で高見の見物をして、火の粉がとんできてあわてふためいている中沢とは覚悟が違うのである。

統一教会の問題でも学者のいいかげんさが彼らの跳梁（ちょうりょう）を許し、メディアが中沢のような人間を重用して、その肥大に手を貸したのではないか。

中沢と『憲法九条を世界遺産に』（集英社新書）を出した爆笑問題の太田光が統一教会にはっきりとダメを出さなかったのも記憶に新しい。

中沢は荒俣宏との対談ではこんな讃辞を麻原に献じている。「麻原さんは相当にカニング（ずるい、あるいは巧妙といった意味）に頭のいい人だと思いました。いまは麻原さんのことをバカにしている人、いっぱいいるけど、どうしてどうして。そのことは実際には対談してみればわかります」

中沢のような学者をだますのは簡単だということだろう。あの世で麻原が、中沢をバカにしていないか心配になるほど中沢は単純である。

中沢は大泉実成との対談ではユダヤ教の偽予言者、サバタイツビについて語っている。サバタイツビは麻原と同じように世界の終末が来ることを予言していたが、トルコ軍に捕まってしまった。信者たちは彼が八つ裂きになって、殉教の苦しみにあえいでいるに違いないと考え、教えを守ろうとした。ところがサバタイツビはイスラム教に改宗し、トルコでいい暮らしをしていたという。

その情報がヨーロッパに伝わっても、信者の中にはそれを認めない者がいて、現在のサバタイツビの姿は仮の姿で、生き延びるためにイスラム教のふりをしているのだと解釈して活動を続けた。

中沢はそれがオウムの場合と似ていると言っているらしいが、私には、イスラムに改宗したサバタイツビの姿がいかがわしい中沢に重なって見える。

維新にも引き回される公明党党首　山口那津男

共産党の党首非公選が問題となっているが、公明党も公選ではない。

選挙で選ばれることのない公明党の委員長を長く続けた竹入義勝を、その後、支持団体の創価学会は凄まじい罵詈(ばり)の対象とした。「辞めるか辞めないかは、自分で決めることではない。任免は池田会長の意思であり、勝手に辞めるのは不遜(ふそん)の極みだ」などと『朝日新聞』の回顧録で書いたことが池田大作の逆鱗(げきりん)に触れたからである。仮りにも学会支配下の公明党のトップだった人に、こうまで悪罵を並べるのかと、呆れさせるほどだった。「天下の変節男」「欺瞞(ぎまん)の天才」「銭ゲバ」などの汚いコトバが『公明新聞』や『聖教新聞』に躍った。

一切それに反論しなかった竹入の、回顧録の結びはこうである。

「政治が何かの利益団体のために、利益を擁護したり代弁したりする時代は終わりつつある。一つの団体や勢力が政党を支配したり、政党が奉仕したりする関係は、国民が目覚めてきて、あらゆる面で清算される時代になっている」

竹入の回顧録が連載されたのは一九九九年だが、残念ながら「清算される時代」はまだ来ていない。それどころか、山口がトップになって、いよいよ強化されているようにさえ見える。

そうでなければ、自民党と連立しているとはいえ、不倫スキャンダルが発覚した神奈川県知事の黒岩祐治をその後も応援したり、世襲候補の岸信千世を推薦したりしないだろう。

大体、軍拡一途の岸田文雄に「待った」をかけない公明党が「平和の党」などと言うのはチャンチャラおかしい。竹入に投げた「変節」とか「欺瞞」はそのまま山口に向けられるべきである。

学会婦人部に絶大な人気のあった公明党代表代行の浜四津敏子は、軍拡で平和が守れないことを強調した。彼女の死が公けにされなかったのは、軍拡容認の現在の公明党の路線と矛盾するからではないか。

藤原弘達の『創価学会を斬る』などに対する言論弾圧についても、池田および学会はまったく反省していない。

池田自身が山本伸一として登場する『人間革命』にこんな記述があるからだ。

「伸一は頭を下げた。参加者は驚きを隠せなかった。〝先生が、なぜ謝らなければならないのだ！〟〝学会は、法に触れることなど、何もやっていないではないか！〟」

まさに、つけるクスリなしだが、その『人間革命』を、曽野綾子は「ツルツルで読むものの心にナニもひっかからない」と一蹴し、野坂昭如は「区役所の広報、お知らせみたいなところがあるョ。アジもソッケもない。……ボクはつまらない文章だと思います」と酷評した。

要するに、イワシの頭も信心からで、山口らは「アジもソッケもない」ものでも喜んで食べて、信仰を続けるということだろう。

池田の夫人、香峯子の『香峯子抄』（主婦の友社）という本がある。

それによれば、彼女は結婚以来、「主人」が帰宅すると、玄関で「三つ指ついて迎え」たらしい。

「私が主人にしてあげられる最大の努めは、健康で思う存分働けるよう、陰で支えることだと思いましたし、それが私の人生のすべて」だからである。

意志なき人形、あるいは意志を誰かに預けたい人形たちが創価学会を支えており、香峯子はその象徴だと思うが、山口も「意志なき人形」であることにかわりはない。

どこまでもついていきます下駄の雪と皮肉られる公明党のトップとして、山口は自民党だけでなく、最近は維新にも引きずりまわされている。

排除の女　小池百合子

私が〝ネット右翼（ネトウヨ）百合子〟とか〝鬼百合〟と呼んでいる小池は「排除の女」である。希望の党の設立騒ぎでリベラル派を「排除する」と叫んで、あの党は瞬く間にしぼんでしまったが、排除はすなわち差別であり、小池が石原慎太郎以上の差別主義者であることが明らかになったのが、関東大震災の際の朝鮮人虐殺についての追悼式典に都知事として追悼文を送ることをストップしたことだった。慎太郎でさえ送っていたのを止めたのである。

二〇一七年三月二日の東京都議会で、自民党の古賀俊昭が追悼文送付をやめるよう迫ったのに応じて、歴代都知事が送ってきた追悼文を中止した。

ところで、小池が政治家として特に関わってきた男が五人いる。細川護熙をはじめ、小沢一郎、二階俊博、森喜朗、そして小泉純一郎である。二階は小沢を裏切って自由党を離れる時に一緒だった。森は自民党入党への案内人である。

彼女が二〇〇九年夏の衆院選で落選したことは案外忘れられている。比例で復活したものの屈辱の選挙区での落選だった。相手は民主党の江端貴子。東大特任准教授の江端を小沢が口説いて立候補させた。この東京一〇区は、前回、郵政選挙の刺客として小池が兵庫から鞍替えして立ち、小林興起を破った。

小沢に頼まれて江端の応援に入ったのが、当時、人気絶頂だった田中真紀子である。田中は池袋駅前でこう演説した。

「同じ女性でも、もうひとりの候補者、あの方はなんですか。いろんな政党を渡り歩いて。あんな女性と一緒にしないで下さい。江端さんとはまったく違うんですよ、みなさん！」

この落選選挙で小池は幸福実現党と協力している。

同党は最初、ここに幸福の科学総裁の大川隆法の妻、きょう子を立てる予定だった。知名度のある小池にぶつければメディアも注目すると思ってである。

しかし、小池の働きかけで二転三転する。

幸福実現党は各地で民主党の票を食うことで自民党を応援するなどとも言った。それで小池陣営は訴えた。

「逆ですよ、むしろ民主党を利することになりかねない。幸福実現党さんがめざしておられる憲法改正や北朝鮮のミサイル攻撃への先制攻撃は実現できなくなってしまいます」

結局、小池が「八〇〇〇票足りない」と言っていた通り、選挙区では八七七三票差で落ちた。

この時の小池のキャッチフレーズは「風車のお百合」だった。

「風車」は風力発電の風車を指し、環境大臣を経験した政策通をアピールしたのだが、誰もそうは受け取らなかっただろう。クルクルとまわって票をのばすことを考える、中曽根康弘と同じ「風見鶏」を連想したに違いない。

環境を大事にが見かけだけのものであることは、神宮の森をめぐって坂本龍一が出した手紙によって明白になった。

それにしても、自民党はもちろん、維新よりも右の幸福の科学と手を結んだことがあるのには驚く。

小池は「日本会議」とも関わりが深かったが、反共ウイルスと改憲菌に冒されているという意味では統一教会とも親近性がある。

小池がウソで塗り固めた人生を送ってきたことを石井妙子は『女帝小池百合子』（文藝春秋）で突きつけたが、中で朝堂院大覚が小池の父、勇二郎のことをこう語っている。

「とにかく大風呂敷で平気で嘘をつく。（中略）恥という感覚がないから突進していく。無茶苦茶な行動力はあるんや」

この遺伝子は確実に娘に受け継がれた。

オーッ、テリブル！　櫻井よしこ

先年亡くなった新右翼の鈴木邦男は、櫻井よしこが『クリスチャン・サイエンス・モニター』の記者をしていた頃に取材されたことがある。

当時は「オーッ、右翼、テリブル！」などと彼女に言われたが、いまは彼女の方がずっとテリブルだと笑っていた。

私も『噂の眞相』の一九九二年一一月号「タレント文化人筆刀両断！」を皮切りに櫻井を斬り、彼女もテレビなどで私の顔を見るとチャンネルを替えていたらしいが、そんな二人が初めて顔を合わせたのは一九九六年三月五日の法律扶助のシンポジウムである。

その予告で『読売新聞』は櫻井と私の双方の名前を並べたのに対し、『朝日』は「佐高信氏ら」、逆に『産経』は「櫻井よしこ氏ら」と報じた。いまなら『読売』も「櫻井氏ら」と書くだろう。ドンの渡辺恒雄に反逆した清武英利と私は二〇一二年に『メディアの破壊者 読売新聞』（七つ森書館）という共著を出して決定的に対立したからだ。

それはともかく、櫻井は国民総背番号制につながる住民基本台帳ネットワークや個人情報保護法には先頭に立って反対した。

二〇〇二年には彼女に呼びかけられて私は銀座でやる反対のビラまきに参加し、彼女が「（狂牛病対策で）ウシは一〇ケタで一生を管理されることになった。ヒトは一一ケタの番号で管理される」と訴えるのを聞いて「わかりやすいな」と感心したおぼえがある。

ならば、なぜ、今度のデタラメなマイナンバーの押しつけに反対しないのか。

問題になった森友学園ならぬ安倍友学園の経営する塚本幼稚園で、櫻井は講演している。曽野綾子、渡部昇一、青山繁晴、竹田恒泰等にまじってである。

同学園の前理事長、籠池泰典は、

「あの頃は、日本会議の先生方を幼稚園にお呼びして、お国のためやと思ってたからね。なんぼ金を出しても惜しくなかった。お忙しいスケジュールを縫って大阪まで来て頂いた先生方には、今でも感謝しているよ」

と二〇一七年六月一六日号の『週刊朝日』（菅野完「森友学園に群がった〝安倍人脈〟の面々」）で当時を振り返りながら、特に櫻井については次のように語っている。

「講演は結構、金かかるんよ。中でも櫻井よしこさん、結構高かったよ。講演料八〇万円（税別）。秘書の人とギャラの交渉したんやけど、『通常一〇〇万ですが、幼稚園だから、少し安くします』って話になって八〇万になった。ありがたい話やなと思ったよ」

この記事には櫻井が籠池と並んで笑っている写真まで載っているが、これについて櫻井が何か弁明したという話は聞いたことがない。教育勅語を大事に思う同志として櫻井は籠池を否定したくないのか。

櫻井は私と同じ一九四五年にベトナムの野戦病院で生まれている。中国への反感はそこに根があるのではないかと私は思っているが、原爆を落としたアメリカは警戒せずに、なぜ、中国だけを警戒するのか。

鈴木邦男と話していて不意をつかれた思いをしたのは、右翼の先輩で大日本愛国党の赤尾敏に、鈴木は会うたびに怒られていたということだった。

赤尾は「親米反共の路線を明確にし」て「日米安保の精神を尊重」した。世界の共産化を防いでいるアメリカを批判してはならないというのである。

それで日本の対米自立をめざす鈴木は「バカヤロー！　何が反米右翼だ」と怒鳴られていたというのだが、櫻井はいま赤尾の路線に近いのだろうか？　ならば赤尾よしこと名乗ってはいかがか。

親バカでなく〝親もバカ〟岸田文雄

秘書にしてしまったバカ息子が醜態をさらしても容易にはその首を切れなかった岸田を〝親バカ〟とか、〝異次元の親バカ〟と非難する人たちがいたが、私は、親バカではなく〝親もバカ〟もしくは〝親がバカ〟だと批判したい。

下半身が安倍晋三の岸田は、岸田文雄ではなく岸田晋三である。アメリカべったりの軍拡一途で、とても宏池会を名乗る資格はない。宏池会亜流どころか、安倍派の清和会亜流である。

一度スピーチを聞いたことがあるが、まったく迫力のないおそまつな話しぶりで、世襲でなければ国会議員にはなれなかっただろうなと思った。

こんな話がある。

早稲田大学法学部出身の『朝日新聞』の記者が岸田と会って、自己紹介がわりに、自分は早大法学部の後輩だと挨拶したら、岸田は、

「私は開成高校なので」

と返したという。岸田のアタマは高校で止まっているのである。

ラサール石井にその話をしたら、彼は「イヤミな人だなあ」と笑い、こう続けた。

「嘘でも『後輩かあ、嬉しいね』と言えばいいのに。ただ、あの岸田さんの顔にちょっと騙されそうになりますよね。真面目で仕事のできる経理課長みたいな感じ。ちょっとはマシかなと思うんだけど、実は全然そうじゃない。むしろ能力が低いのかもしれない。それが怖いですね」

岸田に「イヤミ」という自覚はないだろう。ラサール流に言えば、イヤミはある程度「能力」のある人間にしか言えないからである。

「ミコシは軽くてパーがいい」と言われるが、世襲代議士の岸田は「公職私有」の世襲に疑問を持たずに政治家になってしまった。そして息子にまた後を継がせようとしている。

統一教会にどっぷり染まった山際大志郎を岸田はすぐには切れなかった。山際は、大臣室でワイロを受け取った甘利明と共に麻生（太郎）派に入った人であり、山際を切るには甘利と麻生の了解が必要だった。

甘利は岸田より当選回数が多く、岸田を「チーム甘利の一員だ」などとうそぶいていた。

だから、岸田が自民党総裁になった時、甘利を幹事長にしたのである。しかし、甘利が小選挙区で落ちて辞任せざるをえなくなり、幹事長の椅子は茂木敏充に移った。

それでも岸田は甘利に遠慮し、更には麻生にも気を遣って山際の更迭（こうてつ）をズルズルと引きのばした。

その力関係がまだ続いていることは、次期衆議院選の候補者、つまり選挙区の支部長に山際がなったことで明らかだろう。岸田に統一教会との関係を清算する気などまったくないのだ。

岸田は腰抜けで、自分の子分もかばえない。それは宏池会の代貸し格だった溝手顕正を落選させたことで暴露された。例の河井克行、案里夫婦が捕まった大がかりな買収事件である。

安倍晋三に批判的だった溝手を落とそうと、安倍が河井案里を立てた。それも岸田の地元の広島にである。名目は二人当選をねらってだったが、案里側にだけ一億五千万円を投じたことから見ても、溝手を落選させようとしていたことがわかる。結果的にとんでもない買収がバレて河井夫婦逮捕となったが、岸田は案里の選挙カーに乗って応援したのである。

溝手の派閥の長として、意地でもそれだけはしないということはできなかったのか。安倍の顔色をうかがって子分無視の岸田の姿勢はアメリカに言われて兵器を爆買いする姿勢と共通する。ほんにお前は屁のような。頼むから早く消えろ！

休火山というより死火山　池上彰

池上は私との対談で筑紫哲也を「大好きで大尊敬して」いると言った。しかし私から見れば池上と筑紫は南極と北極ほども違う人間である。月とスッポン！

「筑紫哲也のＮＥＷＳ23」に呼ばれたり、『週刊金曜日』の編集委員を一緒にやったりして、私は筑紫の血がとてつもなく熱いことを知った。それに対して、池上の血は冷えている。

池上は私に、コメンテーターなら自由に意見を言ってもいいが、キャスターは「中立的な立場」を取るべきだと言った。

筑紫は、こんなどうでもいい区別はつけない。いわば筑紫は活火山だったが、池上は休火山というより死火山である。

二〇一六年に総務大臣（当時）高市早苗の停波発言に抗議して記者会見をしたテレビのキャスターやコメンテーターの中に池上の姿はなかった。

田原総一朗、鳥越俊太郎、岸井成格、大谷昭宏、金平茂紀、青木理が「私たちは怒っています！」と声をあげたのに、池上は加わらなかった。

特定秘密保護法について、同じく田原や岸井が反対の記者会見をした時も、それへの参加を断っているが、なぜかと尋ねると、池上はこう答えた。

「テレビ番組で解説する立場の者が『反対だ』と言ったら、視聴者から『ああ、この人は反対の立場から解説してるんだな』って見られてしまうことを恐れて、といいますか。『それではいけない』という思いがあって参加しなかったんです。個人的な思いはいろいろありますけど」

こういう及び腰の「中立」が高市らを思い上がらせてしまったのだろう。

「毎日新聞」記者の小国綾子が二〇二三年の四月一一日付のコラム「あした天気になあれ」で、亡くなった坂本龍一の言葉を引いていた。

「『偏っている』と批判された美術館が作品展示を取りやめたり、憲法集会で公的な施設を貸してもらえなかったりと、日本には『政治的中立を』『党派色は持ち込むな』という言い方で政治的な主張や体制批判を封じ込めようとする風潮が広がっている。押し戻さなければ、大きな失敗を繰り返します」

坂本の結びの言葉もいい。問題は池上に理解できるかである。

「政治を持ち込むな？　純粋に音楽を楽しみたい？　完全に中立的な音楽など存在しない。人間はね、ただ生きているだけでも政治的です」

生きている限り中立などありえないし、あると思っている人は「生きていない人」だと私は言ってきたので、坂本の言葉に一〇〇％同意する。

水俣病を告発して御用学者から罵倒された医師の原田正純が「変な中立主義」を怒りを込めて糾弾していたのが忘れられない。

「AとBの力関係が同じだったら中立というのは成り立ちますよ。だけど、圧倒的に被害者の方が弱いんですからね。中立ってことは『ほとんど何もせん』ってことですよね。『何もせん』ってことは結果的に、加害者に加担しているわけです。全然、中立じゃない。権力側に加担している。それこそ政治的じゃないかと思うんだけど、ところが被害者側に立つと、『政治的だ』と言われる。逆ですよね」

池上クン、おわかりですか？

要するに、中立かどうかより、被害者つまり弱者の側に立つかどうかの問題なのである。

NHKで中立を叩き込まれて池上は、弱者を見失ってしまった。私は、大学および大学教授は現実感覚を持っているナマモノではなくヒモノだと批判してきたが、解説者の池上を含めて、彼らの言説には生々しい血が通っていない。死火山と呼ぶゆえんである。

政権べったりの〝べったり平蔵〟　竹中平蔵

森功と私の共著『日本の闇と怪物たち』(平凡社新書)の第四章は「竹中平蔵と『総利権化』の構造」である。私は竹中を「大物扱いする気はないけど、経済破壊、日本破壊のいまを象徴する人物」と指弾したが、森も「官から民への民営化、あるいは何でも自由化の集大成が、国家戦略特区になっていくわけです。その旗を振っていたのももちろん竹中であり、それが安倍政権の加計学園問題へと通じる」と批判し、「竹中が社外取締役だったオリックスが関西空港の運営権を買収して、民営化を担ってきたんですね。関空の民営化のときにオリックスが手を挙げる。それは維新と組んでいる」と付け加えた。

公をなくする自由競争を強引に進めながら、竹中がベーシックインカムなどと言うのもお笑いだが、竹中は二〇二三年九月三日号の『サンデー毎日』で、日本では「維新がそういうのをやってくる」と主張する。維新のブレーンの竹中は、日本を大阪のようにしたいのだろう。病院をなくし、公務員を削減して、そこに自分が会長だったパソナが派遣社員を送り込む。それでメチャクチャになった大阪を日本に広げたいというわけである。

マイナンバーについての次の感覚も無責任で相当にズレている。

「紐付けミスへの批判はあるが、あのくらいの人為ミスは誤差の範囲内だ。システムを変える時一〇〇%なんてありえない」

「誤差の範囲内」とは言いも言ったりだが、こんな人間が国会議員や大臣をやっていたのである。

「加計問題は普通のプロセスで国家戦略特区を作った。オープンな競争をして加計が選ばれた。そのプロセスで安倍首相はやましいことは何もしていない」

やましいことばかりしている竹中には「やましい」の意味がわからないのだろうが、こうした暴言に聞き手の田原総一朗は何の反論もしていない。大体、竹中は私などとの対談には絶対に応じない。

多分、大下英治も避けられているのだと思うが、大下の『郵政大乱！ 小泉魔術』（徳間文庫）にこんな記述がある。

「アメリカは、イラク戦争で莫大な資金を投じている。そこで、日本の郵便貯金・簡易保険の三百四十五兆円を使いたいのだ。小泉首相と竹中大臣は、そのガイド役になっている。すでに日本のゴルフ場の六割から七割は、アメリカのものになっている。新生銀行、宮崎県のシーガイアなども、アメリカのものだ。数千億円の税金を投入したものが、数百億円で外資の所有になっている。さらに、簡易保険、郵便貯金も、根こそぎ持っていこうとしている。竹中大臣は、その協力をしているのだ。だが、竹中大臣は、そういうことはおくびにも出さずに、『財政投融資が公団や特殊法人に流れていくのが問題だ』と言う。それが問題なら、改正すればいい。しかも、平成十三年の財投以来、もうやっていない。あと一年我慢すれば、変なところへ行かないようになっているではないか。そのことについては、いっさい口にしない」

口八丁手八丁の竹中はクルクル変わる。それについては一時はもてはやされた渡辺喜美が「いかようにでも変われるところが最大の強みだ」と言い、「総理に知恵をつけている」と言われるが、実際は小泉をはじめとした時の首相が喜びそうな知恵を持っていくのだと指摘している。もちろん、小泉のバックのアメリカの思惑にも敏感である。

竹中の最初のスポンサーは日本マクドナルドの藤田田だった。それで私は竹中を〝マック竹中〟と命名し、その後〝パソナ平蔵〟のニックネームも進呈したが、政権べったりなので、〝べったり平蔵〟の方がいいかもしれない。

3

佐高信の視点

安倍を礼賛した佐藤優

佐藤優は安倍晋三の死を人一倍悲しんでいるだろう。『Ｈａｎａｄａ』という雑誌で、首相時代の安倍を次のように持ち上げているからだ。

「いまは非常時だ。新型コロナウイルスの嵐が去るまでは、民主的手続きによって選ばれた最高指導者である安倍晋三首相を断固支持すべきだ。客観的に見て、安倍政権の危機対応は合格点だ」

「安倍首相の指導で、首相官邸は外交にもきめ細かい目配りをしている。ただ、その実態をマスメディアが報じていないだけだ」

「安倍晋三首相の下で団結しよう」

佐藤に言わせれば、マスメディアはアベノマスクや「桜を見る会」疑惑、さらには森友・加計問題などは報じないで安倍を礼賛すべきだったということになるのだろう。

ロシアが発表した入国禁止対象者リストに岸田文雄は入っていたが、安倍、佐藤、そして鈴木宗男は入っていなかった。

「ウラジーミル、君と僕は同じ未来を見ている」とプーチンに呼びかけた安倍は、結局、彼に手玉に取られた。亡くなった安倍は別として、プーチンは、佐藤や鈴木はまだ利用できると思っているのだろう。

池上彰と佐藤優を「左翼批判で飯を食うな」と批判したが、『文藝春秋』の二〇二二年八月号で佐藤は土井たか子を「大変な尊皇家」とし、「土井さんは、新憲法は大日本帝国憲法の延長上にあり、真に守るべきは戦争放棄を謳った第九条ではなく、天皇を規定した第一条から第八条だと言うんです。つまり、象徴天皇制を変えないことが重要だと。社会民主主義者らしからぬ発言です」と攻撃している。しかし、土井は佐藤との『週刊金曜日』二〇〇八年一〇月三一日号の対談で、自分は「強いて言えば憲法主義」であり、天皇も「基本原理である『平和主義』を尊重する義務を負って」いると主張している。九条より天皇制というのは明らかに佐藤の曲解なのである。

「土井さんへのひっかけ質問では決してないんですけど、国権の最高機関である衆議院議長をやられた土井さんは天皇に対する感覚というのが、いわゆる左翼との感覚とは違ったのではないかと思うんです」と佐藤は質問を始めているが、これは「ひっかけ」以外のなにものでもないだろう。

同志社の大先輩に当たると土井にリップサービスし、最後は「土井さんの話はとても勉強になりますね」と追従している佐藤に、死後、こんなことを書かれるとは土井も思わなかったのではないか。

土井との対談の冒頭で佐藤は、「私は浦和高校の二年生のときに社青同（日本社会主義青年同盟）に入っていますから、同志社大学の神学部に行かなければ、おそらく社会党の専従か社会主義協会のオルグ（組織宣伝専門家）になっていました」と言っている。

だとしたら、いつから、権力礼賛主義者に転向したのか、また、なぜ転向したのか。

それこそが『文春』の池上との対談のテーマである「日本左翼100年の総括」をすることになるだろう。自分のことでなく他人事として「総括」しても何の意味もない。それとも、自らを顧ることは〝雑学クイズ王〟になった佐藤には恐いのか？

国を葬い国を葬る

国葬を国を葬う、もしくは国を葬ると私は読む。もう一つの国喪は国を喪うである。人間はひとりぼっちで生まれ、ひとりぼっちで死ぬ、ひとりぼっちとひとりぼっちの間を埋めるために人間は存在すると言ったのはむのたけじだった。

格差がはびこるこの国で、国葬は死にまで格差をつけるものだ。先年の国葬反対集会で私は「言論の自由を抑圧した安倍晋三が撃たれたことが民主主義の破壊なのではなく、国葬をやることが民主主義の破壊なのだ」と訴えた。

城山三郎が『粗にして野だが卑ではない』（文春文庫）で描いた石田礼助はしゃきっとしたじいさんだった。七七歳で国鉄総裁にかつぎだされた石田は生前に次のような遺言を書いた。箇条書きになっているいくつかを引くが、見事である。ママとは夫人のつゆを指す。

○死亡通知を出す必要はない。

○こちらは死んでしまったのに、第一線で働いている人がやってくる必要はない。気持ちはもういただいている。

○物産（石田は三井物産に勤めていた）や国鉄が社葬にしようと言ってくるかも知れぬが、おれは現職ではない。彼等の費用をつかうなんて、もってのほか。葬式は家族だけで営め。

○香典や花輪は一切断われ。

○祭壇は最高も最低もいやだ。下から二番目ぐらいにせよ。

○坊さんは一人でたくさんだ。

○戒名はなくてもいい。天国で戒名がないからといって差別されることもないだろう。

○葬式が終わった後、「内々で済ませました」との通知だけ出せ。

○ママは世間があるからと言うかも知れぬが、納骨以後もすべて家族だけだ。

○何回忌だからといって、親族を呼ぶな。通知をもらえば、先方は無理をする。

○それより、家族だけで寺へ行け。形見分けをするな。つゆが死んでも同じだ。

国鉄総裁として国会に呼ばれた石田は背筋をピンとのばし、議員たちを見下すようにして、「諸君！」と呼びかけた。

「生来、粗にして野だが卑ではないつもり。ていねいな言葉を使おうと思っても、生まれつきできない。無理に使うと、マンキーが裃を着たような、おかしなことになる。無礼なことがあれば、お許し願いたい」

と断った上で、

「国鉄が今日のような状態になったのは諸君たちにも責任がある」

と言い放った。赤字を構わずに選挙区に鉄道を引いたからである。我田引水ならぬ〝我田引鉄〟と言われた。もっともな批判だが、誰にでも言える言葉ではなかった。

石田は若き日に物産の先輩である山本条太郎に、「大臣になろうと思うが、君の意見は」と尋ねられ、ズバリと答えた。

「あなたの眉間にはシーメンス事件のキズがある。日本人は極めてケッペキ。おやめなさい」

山本の顔色が変わるような直言だった。石田の言うように「日本人は極めてケッペキ」かどうかは疑わしいが、石田自身は潔癖だった。

勲一等を贈ると言われた時、石田はこう言って断っている。

「おれはマンキーだよ。マンキーが勲章下げた姿見られるか。見られやせんよ、キミ」

「負けて、よかった」

ＴＢＳの「サンデーモーニング」の私の最後の出演は二〇二〇年の八月一六日だった。後から聞くと、その時の発言がネットで炎上したらしい。

それは同じ昭和二年（一九二七年）生まれの吉村昭と城山三郎の対談（城山『よみがえる力は、どこに』所収）で、吉村が、

「城山さん、あの戦争、負けてよかったですね。負けたのがいちばんの幸せ。そう思いませんか」

と語りかけ、城山がこう答えるのを紹介したものだった。

「元少年兵としては、負けてよかったとは言いたくないけどね（笑）。でも、あのまま行ったら、大変だったろうね」

それに対して吉村が、

「第一、軍人が威張ってどうしようもなかったでしょう」

と続けると、城山が、

「軍人が威張る、警官も威張る、町の警防団長も威張る」

と応ずる。

別の対談では吉村は、

「戦争中の頃を思い出すと、僕なんか、憲兵だとか警察官よりも、隣組のおばさんのほうが怖かったな。だって、長袖の着物を着た女性を贅沢だといって、婦人会の連中が駅で袖をハサミで切ってるのを見たことがあるけどね。ちょっと長いだけでも、いきりたって切ってしまう」

と述懐している。

「戦争中のそういう雰囲気が、戦後になってがらっと変わる」

と続けた吉村に、城山が、

「それも怖いよね」

と応じているのも忘れてはならないだろう。

「負けてよかった」とは思わないのが岸信介やその孫の安倍晋三であり、彼らは「愛郷心」と「愛国心」をストレートに結びつけて全国民を〝国家教〟の信者にしようとする。統一教会が喜ぶ安倍晋三の国葬をやった岸田文雄も同じである。

それに対して私は、彼らの掲げる国と私たちの求める国は違うのであり、端的に言えば「故郷は軍隊を持たない」と打ち返す。軍隊を必要とする国家が安倍や岸田の求める国家であり、だから彼らは「負けてよかった」という発言をつぶそうとする。

二〇二〇年九月二日付の『東京新聞』「大波小波」欄で「昭和の子」氏が、「ネット上で物議を醸した」私の発言を取り上げ、「負けて、よかった?」と疑問を呈している。「負けなければ、現憲法はない。一億総中流もない。本音として、否定はしない。しかし、胸中にちくちく刺すものがある。心の具合が悪い。『負けてよかった』では、戦死者の行き場所がなくなってしまうからだ」と氏は指摘し、次のように結んでいる。

「『負けてよかった』は生者本位でありすぎて、死者が浮かばれない。生者も死者もともども掬いあげる言葉を、戦後七十五年、私たちはまだ見出していないのではないか」

もっともな疑問だとも思うが、やはりリクツに走っている。「負けてよかった」と単純に言い切ったからネット右翼と国家教信者を刺激したのであり、「ともども掬いあげる言葉」では彼らに対抗できないだろう。

戦時中の雰囲気を見事に伝える『小さいおうち』（文春文庫）を書いた中島京子は私との『俳句界』二〇二三年九月号の対談で、日本が一時的に勝った時の着物の柄が戦闘機だった話を紹介している。それを聞いて私は「ええっ」と絶句してしまった。

「イヤな奴」への抗体

青木雨彦という骨っぽいコラムニストがいた。三島由紀夫の自決を「あれは諫死じゃなくて、情死だ」と言って、「貴様はそれでも日本人か！」と右翼に怒鳴られたりもした。青木の編著の『会社万葉集』（光文社）の一節が忘れられない。

青木は新聞記者だったが、会社をやめて気づいたことは、周囲に「イヤな奴」がいなくなったことだという。

仕事をもってきてくれる人やおカネをもってきてくれる「いいひと」ばかりで、おかげで、会うたびに頭を下げなければならず、だんだん息苦しくなってきた。

もちろん、ここには、青木一流の諧謔がこめられているが、「会社には、いいひととイヤな奴が程よくセットされている」と青木は言う。

だから勤めていられるので、イヤな奴がいれば、

「少なくともオレはあいつよりはマシだ」

とか、あるいは、

「いつかあいつをぶっとばして、あいつよりエラクなってやろう」

と思うことだってできる。

「そういう意味で、会社にイヤな奴は必要である。なにも、自分がイヤな奴になる必要はないけれど……」と青木は結んでいたが、確かに、会社をやめてフリーになると、イヤな奴やイヤなことに対する「抗体」がなくなるような気がする。

あるところで青木のこの本を紹介したら、「ホント、こういう形でとりあげてもらいたかったので、一筆したためています」という礼状をもらった。

「いつもながらの優しい、お心づかい」に感激したのは、むしろ私のほうである。

青木は『男の家計簿』（講談社文庫）で、サラリーマンの出す名刺を皮肉って、

「なぜ、社名の方を大きくしないのか」

と書いていた。

何々社の誰々という場合、この国では「何々社」の意味する方が大きいし、個人はその陰に隠れているよ

うな存在だから、社名の方を大きくするのが〝自然〟ではないかというのである。これにならって言えば、肩書もその人の名前より大きくした方がいいということになるかもしれない。

青木の急逝を共に悲しみたいと思ったのは山田太一だった。

山田は『ふぞろいの林檎たちⅢ』（マガジンハウス）で、ダンナの命令で自分を見張っている屈強の男に、こう詰め寄る女性を描く。

「恥知らず。いわれれば、なんでもするの？」

これに対して、男が、

「金をもらっている以上」

と言い訳すると、

「お金以外の基準はないの？　男はね、金もらったって、これだけはやらないってことがなきゃ駄目なんだよッ」

と言って張り倒す。

ともあれ、悪役が光るドラマはおもしろい。反面教師というコトバもあるが、「いい人」ばかりが出て来ては、つまらないし、息が詰まってしまうのである。「いい人」はしばしば、上に「どうでも」がつく「いい人」になる。

「薬学」をかつては「毒物学」と称したという。つまり、薬はそもそも毒なわけで、「毒を以って毒を制す」のである。毒にも薬にもならない人間ばかりでは飽きてしまうのだ。

魯迅と藤沢周平

中国の第八回魯迅文学賞の翻訳部門に藤沢周平の『小説の周辺』が選ばれたと知って、ちょっと不意をつかれた思いがした。日本人作家の作品への授賞は大江健三郎以来二人目だという。『いま、なぜ魯迅か』(集英社新書)と『司馬遼太郎と藤沢周平』(光文社知恵の森文庫)の著者の私としては喜ぶべきだが、魯迅と藤沢の結びつきに意外な気もしたのである。魯迅と大江は違和感なく結びつく。

それで、いろいろ考えてみた。すると、いくつかの重なる点が浮かび上がってきた。

魯迅には有名な「故郷」という作品があるが、藤沢の故郷への思いも強烈だった。しかし、共になつかしさだけではないものを抱えている。

藤沢は『周平独言』(中公文庫)で「初冬の鶴岡」と題してこう書いている。

「いつもそうだが、郷里では私はふだんより心が傷みやすくなっている。人にやさしくし、喜びをあたえた記憶はなく、若さにまかせて、人を傷つけた記憶が、身をよじるような悔恨をともなって甦えるからであろう。郷里はつらい土地でもある」

藤沢は同郷の最初の妻を病気で亡くし、魯迅は母親が決めた妻を故郷に置いたまま、教え子と結婚した。共に「傷み」と「つらさ」を背負わずには故郷と向き合えないのである。

魯迅の筆鋒の鋭さは有名だが、それは自分の手は白いとして斬っているのではない。

歌の文句で言えば〽一つや二つじゃないの　古傷は、で、それだけに迫力がある。

藤沢は狼が好きだと言っている。そして、子どもが小さかったころは上野の動物園に狼を見に行った、と書いている。

「私の足が動物園から遠のいたのは、狼がいなくなってからのように思う。パンダを見てもしょうがない」と、そのエッセイを結んでいる。

それを吉永みち子に話したら、

「エッ、動物園の檻の中にいる狼は狼じゃないんじゃないの」と言われて、二の句が告げなかった。やはり女はコワイ。それはともかく、魯迅も狼は好きかもしれない。

権力ぎらいとか、タバコ好きとか、両者の共通点を挙げれば他にいくつかあるだろう。

藤沢で驚いたのは閉所恐怖症だったということである。だから、地下鉄での移動ができなかった。私も八年ほど前、突然、閉所恐怖症になり、飛行機に乗れなくなった。それまでは一日に何度乗っても平気だったのにダメになったのである。いまでも乗れずに、春に小倉に行った時も新幹線を利用した。閉所恐怖症になってから飛行機に乗ったのは、照屋寛徳の選挙の応援に沖縄に行った時が最後かもしれない。あの時は安定剤を飲んで必死に耐えた。

藤沢が亡くなって山形県は県民栄誉賞を贈る。藤沢は生前、鶴岡市の名誉市民を辞退した。和子夫人は「本人は晴れがましいことが好きでなかったので辞退しようかとも思いましたが、県民の皆さまの気持ちと思って頂戴することにしました」と語って受けた。

それで私は前掲書に「泉下の藤沢はどう考えるだろうか。名誉市民を断ったと聞いて粛然とさせられた私としては、かなり割り切れないものが残る」と書いて、夫人と会えなくなった。

魯迅の夫人、許広平との違いだろうか。

原発を止めた裁判長

『原発をとめた裁判長　そして原発を止める農家たち』という映画が公開中である。

その裁判長とは『私が原発を止めた理由』（旬報社）を書いた樋口英明で、私は『俳句界』二〇二二年一〇月号で樋口と対談して、絶望的なまでに恐ろしくなった。

冒頭から信じられないような話ばかりが続く。

まず、地震の強さを示すガルという単位があるが、日本の多くの原発は耐震設計基準が六〇〇ガルから一〇〇〇ガル程度だった。しかし、地震大国の日本で地震観測網は整備されていなくて、地震計の数が少なかったから、六〇〇ガルから一〇〇〇ガルの地震が珍しいのかどうかもわからなかった。

思わず私は「え！」と驚きの声を発したが、阪神淡路大震災で初めて「九〇〇ガル」という数字が出て、とんでもなく高い数字だとわかったという。

それで全国に何千ヵ所と地震観測地点を設けるようになり、二〇〇〇年ごろに観測網が整備された。

樋口が原発の耐震性に着目したのは大飯原発の裁判で原告の訴状にわが国の地震の最高記録は四〇二二ガルと書いてあったからだった。

しかし、当時の大飯原発の耐震性は七〇〇ガルにすぎなかった。六倍近い強さの地震が起きたことがあるのに平気だったわけである。

原発の耐震基準が普通の住宅より低いことを問題にした樋口の指摘は衝撃を与えた。

「原発は六〇〇ガル余りで、新築の住宅は少なくとも一五〇〇ガルある。メーカーによっては、三〇〇〇ガルを超えるので、五倍強い。差は歴然なんです」

こう語る樋口に私は、

「殺人に近い話ですね」

と応じ、樋口も、

「国を滅ぼす気かと思います」

と怒っていた。

「脱原発派の人たちに対して電力会社がやってきたことは大金で籠絡するか、脅かすかです」

という樋口に『原発文化人50人斬り』（光文社知恵の森文庫）の著者として私は、

「原発がからむと、電力会社のお金の使い方が半端じゃないんですよね。（知事）選挙の応援で一億円使ったりするんですから。その金を設備に回せばいいのに。われわれとは感覚とか神経が違うんでしょうね」

と相づちを打つと、樋口は、

「違いますね。経営者としてすごくルーズでもやっていける。企業努力をしなくていいし、地域独占だからコマーシャルも全くやる必要がない。でもそれをやることで、テレビ局が文句を言えなくなるわけですよ」

と同調し、こんな例を挙げた。

「番組名は伏せますが、かなり著名な番組で、拙著を取り上げます、というお話がありました。何百万人の人が見ている。かなり著名な番組ですよ。本当に取り上げてもらえるのかと思いながら取材を受けました。

放送まであと四日というところで『難しくなりました』とディレクターから電話がありました。その時は延期ということでしたが、二週間ぐらいたって、ボツになりました。一応理由を聞いたら、これを放送すると電力会社から文句が来るから駄目だと、上から言われたそうです」

土井たか子の伝言

同い年の早野透と親しくなったのは土井たか子の応援団としてだった。『田中角栄』(中公新書)と共に早野のやった大事な仕事である『政治家の本棚』(朝日新聞社)で、土井は早野の問いに答えて「懐かしい本」に『日本童謡集』を挙げている。それは神戸の大空襲で焼夷弾に燃えてなくなった。

「土井たか子を支える会」というのがあり、一九九四年秋に私はその機関誌『梟(フクロウ)』に載せる対談を國弘正雄とやっている。

同会のパーティが神田一ツ橋教育会館で行なわれたのは同年の一〇月一五日だった。

故郷の酒田で講演があり、庄内空港から飛行機で帰京してギリギリの時間に駆けつけた。

司会が現世田谷区長の保坂展人で、スピーチを終えたら、時間が余ったのでカラオケをと言われ、仰天した。

渋る私に保坂は、

「サタカさんが歌えば土井さんも歌うから」

と迫る。ウーンと思ったが、冷や汗をかきながら、「惜別の歌」を歌ってしまった。

本当は女性が九割の会場で、「男の純情」をと思ったのだが、CDがなかった。

次に國弘が「瀬戸の花嫁」を歌い、土井が「夜明けの歌」を歌った。岸洋子の歌だが、岸は私の高校の先輩である。

それでお役御免と思ったら、何と、もう一曲コール。

これも、私が歌ったら土井も歌うという巧みな誘導に負けて「兄弟仁義」を歌ってしまった。

そして次に保坂が何か新しい曲を歌っている間に、土井の秘書の五島昌子がやって来て、「ジョニーへの伝言」と「誰もいない海」のどちらがいいかと尋ねる。土井の歌の相談である。

「そりゃもちろん『伝言』でしょう。『誰もいない海』ではあまりに寂しい」と私は答えた。

土井は宝塚のスターのように堂々と歌う。「夜明けの歌」に続く「ジョニーへの伝言」もすばらしかった。

『政治家の本棚』で土井は、軍国少女からの転身の契機となった石坂洋次郎の小説を読んだ体験も語っている。

「映画よりも、あの小説を読んだときのほうが、新鮮な気持ちがしましたね。母も『何処へ』とか『青い山脈』を読んで、やっぱり好きだったみたいです」

京都女子大に入った土井は、学校というものがこれほど伸びやかな雰囲気を持っている場所だということに驚き、喜ぶ。

「京大の先生が、哲学やフランス語を教えに来られたりして、勉強するのはこんなにおもしろいものかと思いましたね」

軍国主義下で窒息するような青春を送ってきたから、なおさら解放感に浸ったのだろう。

「私のころのしつけでは、男性に対して意識しないでものを言える、つき合えるというのは、考えられなかった。『青い山脈』なんて読んで、ほのぼのとした気持ちになりましたね」

そう語る土井に早野が、子どもの時は結構わんぱくだったのでしょう、と尋ねる。

「それはまあそうだったのよね。短くピチッと髪を刈り上げていたので、小学校入学のときに、近所のおばさんに、ぼっちゃんだと思っていましたなんて、言われました。幼稚園から、みんなを従えて帰ったりしましたから」

生きていれば九五歳である。

三島由紀夫と竹内好

『日本浪漫派批判序説』を書き、西郷隆盛や三島由紀夫を研究の対象にしていた橋川文三という政治学者がいた。

その橋川が『文学』の一九七七年一〇月号掲載の「竹内好と日本ロマン派のこと」で紹介しているエピソードに驚いた後で納得した。

三島が亡くなった翌日、竹内から中国語を教わるために橋川が「中国の会」の事務所に行くと、竹内がいきなり、

「おい、今日は祝杯をどうする?」

と言った。

中国語の勉強予定で頭がいっぱいだった橋川がケゲンな顔をすると、竹内は、「昨日、三島が死んじゃったじゃないか」

とにこにこしている。

竹内は盟友、武田泰淳の『森と湖の祭り』完成慰労会の発起人を三島と一緒では困ると断った。「漢語の錯綜する三島の文章を竹内は一種の人工語とみなし大変面白く思わなかった」と橋川は書いているが、竹内は文学者として三島の「文学」を認めていなかった。

それだけでなく竹内は三島の思想や生き方も否定したから、「祝杯を」と言ったのだろう。

二〇一八年に魯迅の『阿Q正伝』（増田渉訳、角川文庫）が改版発行された時、私は求められて解説を書き、それを次のように始めた。

「私は作家を、生に重心を置く人と、死に重心を置く人に分けている。私の中で前者の代表が魯迅であり、後者の代表が三島由紀夫である」

魯迅の訳者の竹内が三島を否定するのは、ある意味で当然だった。

二〇二〇年一一月二五日が没後五〇年ということで、三島についてのさまざまな特集が組まれた。没後三〇年の二〇〇〇年に出された『新潮』一一月臨時増刊号で鈴木清剛という人が、三島が好きかと問われて、キッパリと、「嫌いです」と答えている。「文章も内容も、定規を使ってカキコキと書いたような感じがするし、何よりもマッチョで一本調子な印象があるから」だという。立松和平までが「好き」と答えているアンケートで、この明確な否定は際立っている。しかし、それから二〇年余。「明確な否定」は消えかかっている。

その死の二年前に三島は安岡正篤に長文の手紙を書いた。安岡は歴代総理の指南番といわれた陽明学者であり、中国との国交回復に反対した台湾派だった。その手紙の中で三島は橋川の師である丸山真男を「左翼学者」と批判し、反面、「大衆作家の司馬遼太郎などにまじめな研究態度が見え、心強く思っております」と持ち上げている。「右翼思想家」の安岡に傾倒する「右翼作家」の三島から見れば、司馬は好ましい存在だった。

もちろん、生を絶対化すると、どんなことをしてでも生きることがいいことだとなってしまうが、そうではなくて、生に重心を置くということは日常を大切にするということである。あるいは平凡をいつくしむ。死をキイワードにした三島に対して、魯迅は生および生活をキイワードにした。

死は決して潔いものではない。死を潔いとするのはエリートの思想であり、魯迅はそれに対して、泥まみれになっても生きてやる、と打ち返した。魯迅の思想は潔くは死なないという思想である。

城山三郎という生き方

「アジアは一つ」と言って、大日本帝国は台湾やフィリピンを征服した。『炎熱商人』（文春文庫）を書いた深田祐介は、

「フィリピンはカトリックだし、ビルマ（ミャンマー）は仏教。インドネシアは回教ですからね。宗教一つとってもアジアは一つではない。あのスローガンはどれだけ誤解を生んだか」

と、ためいきをついた。

『炎熱商人』は一九七一年一一月二一日白昼、フィリピンのマニラ郊外で、ある商社の事務所長が三人組のフィリピン人にライフルを乱射されて殺された事件に材を取っている。この所長は深田によれば「たとえ日本商社の全支店長が暗殺の対象になったとしても、ただひとり銃口を向けられずにすむ筈（はず）」の理想主義者だった。「人あたりが柔らかいうえに、率直な性格で、しょっちゅう現地社員に気さくに声をかけ、昼めしに誘いだしたりする」この所長は、小説では「小寺」となっている。

彼は城山三郎と東京商大（現一橋大）で同期だった。そこで深田は、城山に〝仁義〟を切り、城山がこれについては書く気がないことを確かめて、創作にとりかかった。城山の紹介で、小寺夫人にも会っている。二人の子どもと共に赴任していただけに、夫人の心の傷はいつまでも消えなかった。

城山と深田は、ほぼ同じころ、『文学界』新人賞を受賞しており、二人は「同期生」という感覚を持っていた。先に直木賞を受賞した城山は選考委員になっていたが、それで、『炎熱商人』が同賞を受けた時の選考委員会を欠席した。

この作品について自分は公正な審査ができないと思ったのだろう。そういう経緯や関係があっても自分はフェアになれるとは思わない人なのである。

この話を私は深田から聞いた。城山はそうしたことを話す人ではない。あるいは深田は確実な一票を失ったと思ったかもしれない。

そんな厳しさを城山は持っていた。一方で、『小説新潮』に連載した『わしの眼は十年先が見える――大原孫三郎の生涯』を新潮社からではなく飛鳥新社から出すようなこともする。

城山の『落日燃ゆ』（新潮文庫）などを担当し、城山が最も信頼していた編集者の梅澤英樹を新潮社が正当に遇していないとして定年後に梅澤が移った飛鳥新社から出したのである。

そんな城山を私は『城山三郎の昭和』（角川文庫）に描いた。しかし、これも絶版となっている。それで『城山三郎という生き方』と改題し、旬報社から出してもらうことにした。「佐高信評伝選」全七巻の第一巻としてである。同じ巻に、私の本としては珍しくベストセラーとなった『逆命利君』が入る。

第二巻が『久野収からの面々授受』等の「わが思想の源流」、以下、「侵略の推進者と批判者」、「友好の井戸を掘った政治家」、「俗と濁のエネルギー」、「志操を貫いた医師と官僚と牧師夫人」と続く。

旬報社刊の『佐藤優というタブー』では佐藤に訴えられたが、これまでも何度か訴えられてきた。タブーに挑んでいる以上、ある程度は覚悟しているが、支援の意味でも、この評伝選を購入していただければ幸いである。石橋湛山や土門拳、あるいは原田正純や中村哲の生き方は必ずや読者に勇気を与えると、著者の私は信じている。

中島岳志の右往左往

アントニオ猪木が亡くなってメディアには礼賛記事があふれているが、彼について思い出すのは、青森県知事選挙で原発推進候補を応援したことだ。最初に原発一時凍結派の候補から一五〇万円で来てほしいと頼まれた猪木は行くつもりだったが、推進派のバックの電気事業連合会から一億円を提示されて、そちらに行った。

二〇二二年一〇月初めにツイッターでこうつぶやいて多大の反響を得た私には、一〇月二五日付『東京新聞』夕刊の中島岳志の「論壇時評」には強烈な違和感が残った。

中島は、外務省主任分析官だった佐藤優が猪木の外交を高く評価したことに同意する。佐藤はモスクワの日本大使館に勤めていた時に猪木のアテンド係をやったらしい。そして、猪木は「自己顕示欲が稀薄で、国家と国民のために自分しかできない仕事があるという意識を強く持ち、黒衣に徹することができる人」だったと持ち上げる。「北朝鮮は嫌いでも、日本のために金正恩の懐に飛び込」んだという猪木を礼賛する佐藤の「PRESIDENT Online」を紹介しながら、中島は「大切な人を、我が国は失った」と時評を結んでいる。

猪木の「闘魂外交」とやらを評価するためとはいえ、あまりに批評精神がなさすぎる。

中島は自らを保守と称し、保守派の中にいいところを見つける落ち穂拾いをやっているが、あっちもいい、こっちもいい、遂には何でもいい、とスタンスが定まらない。

だから、右のような猪木礼賛をやってしまう。

ちなみに、佐藤は拙著『佐藤優というタブー』(旬報社)を訴えたが、その裁判の過程での自己申告を信ずるとすれば、原発推進の広告に出て約一三〇万円をもらっている。つまり、佐藤と猪木は原発推進仲間なのだ。そうしたことを中島は知った上で、猪木および佐藤を礼賛しているのか。

中島と北海道大学で一緒にいた山口二郎も、佐藤にいいように操られている。

山口は、佐藤と『異形の政権』(祥伝社)という本を出したが、佐藤が「菅さんの周囲には人材が見あたりません。総裁選で菅陣営の選挙対策本部長を務めた吉川貴盛元農林水産大臣は収賄疑惑で、菅さんが重用していた河井克行元法務大臣も公職選挙法違反に問われ、ともに議員辞職しています」と言ったのに、「佐藤さんは、菅さんは党外に支持基盤を持つことで、脆弱な党内基盤を意に介さないと言われました。また第一章冒頭で、二階・麻生派の均衡の上に立つ構図は菅さんにとっては好都合とも言われました。いずれも、興味深い指摘です」としか反応していない。佐藤が、その河井の選挙の推薦人となり、応援演説までやったことを知らなかったのだろうか。知らなかったとすれば、政治学者としてはもちろん、対談者として、おそまつだと言わなければならないし、知っていて突っ込まなかったのだとすれば、迎合したとしか言いようがないだろう。

私は中島が師と仰ぐ西部邁と対談の番組を持ち、六冊も共著を出したが、自分の立場を譲ったことはない。その上で議論を闘わせてきた。

中島にも、自分なりのスタンスを明確にして批評活動を続けてほしい。

悪魔とでも手を結ぶ

新右翼と呼ばれる一水会の鈴木邦男と会って、右翼にも警察(公安)に取り締まられる右翼と彼らに身内扱いされる右翼があることを知った。鈴木など、右翼から罵倒されるだけでなく殴打までされている。

鎌田慧が主導した国葬反対の市民運動に一水会が加わったことに批判の声があるらしい。私は右翼までが反対していることに効果があると考えるが、そうは思わないマジメな人もいるらしい。あまり柔軟性のない人たちである。そのあたりは右の方がしたたかで、櫻井よしこが住民基本台帳ネットワークに反対した時、私は彼女から共闘を呼びかけられた。

「サタカさんと私が一緒に反対することに意義があると思うんですよう」

語尾が上がる独特の話し方の電話が来て、銀座でビラまきをした。『噂の真相』で彼女をバッサリやった後だったが、彼女の読み通り、新聞は二人の〝共闘〟を興味深く伝えた。

その少し前には盗聴法反対の運動があった。弁護士の海渡雄一などがオルガナイザーとなったこの運動で、私は彼に促されて当時の連合会長、鷲尾悦也に電話をかけた。連合主導の反対集会を開こうと思ってである。それが一九九九年七月一五日だった。一七日からイタリアに行く予定だというが、翌一六日の正午からなら会えるとのこと。

実は半年ほど前の『噂の真相』で私は鷲尾を〝腐れ連合〟の〝ふやけたタヌキ〟と斬っていた。だから、電話をかけるのも気が進まなかったのである。しかし盗聴法阻止のためには、そんなことは言っていられない。二五年のつきあいを頼りに連絡したら、「わかった。事務局長の笹森によく伝えておくから」と言われた。ただ、最後に、

「最近太ってきて、ブタみたいになったよ。サタカさんは何と言ったんだっけ」

と皮肉られたのである。

翌日会って、八月三日に日比谷の野外音楽堂で大がかりな反対集会を開くことにした。ただし、〝腐れ連合〟とまで言った佐高と組んで、なぜ集会をやらなければならないのかという連合内部からの鷲尾に対する突き上げもあり、鷲尾と私の二人が個人の資格で呼びかけて集会を開くことになった。

集会の前日の二日、国会内でアピールの記者会見をやった。

鷲尾の代わりに私の横に座った高橋均の証言によれば、記者たちから、こんな質問が飛んだ。

「あれだけ悪く言っていた鷲尾さんとなぜ一緒にやるのですか?」

それに対して五四歳の私はこう答えたらしい。

「目的達成のためには悪魔とでも手を結んで闘います」

驚いた高橋が私の腕をつつく。さすがにまずいと思った私はすぐに言い直したとか。

「もとい! あくまでも闘います」

二五年前の私のこの場面の記憶は飛んでいるのだが、五〇〇〇人の参加者を前にしたあいさつで「ご承知のように私はこれまで連合と鷲尾さんを批判してきましたが、それはそれ、これはこれであります」と居直ったのは覚えている。そしてソローの次の言葉を続けた。「足なみの合わぬ人をとがめるな。彼はあなたが聞いているのとは別の、もっと見事なリズムの太鼓に足なみを合わせているのかもしれないのだ」

相方、早野透死す

二〇二二年一一月に出した『統一教会と改憲・自民党』(作品社)はほとんどが『社会新報』や『月刊社会民主』に書いたものである。

あらためてぜひ読んでほしいが、『丸山眞男と田中角栄』『国権と民権』(共に集英社新書)、そして『寅さんの世間学入門』(KKベストブック)という語り合いの共著をもつ早野が亡くなった。同い年の早野は決して多くはない社民党応援団の貴重な同志だった。

二〇一四年六月二〇日にやったユニークな三連続対談「日本の今を問う」(早野と私の他は、三上智恵と照屋寛徳、雨宮処凛と村山富市）での二人の掛け合いを夢路いとしと喜味こいしの漫才みたいだと評した人がいる。その相方が急逝したのである。驚きが先立って、いまだに信じられない。対談では、こんなヤリトリをしている。

「田中角栄は貧乏の苦労を知っているけれども、安倍晋三は坊ちゃん育ち、つまり、ボンボンだから生活とか貧乏とかいうことがわからない。だからボンボンを首相にしてはいけないという法律を作ったらどうか」

こう問いかけた私に早野は、「そうすると国会議員はいなくなっちゃうんじゃない(笑)、右向いても左向いても二世か三世ですよ」と答える。

「そうだなあ。例えば小学校というのは、昔はいろいろな階層の子どもが一緒になるところだったでしょう。だけど、あの人らは付属小学校に早くから入る。そうすると、同じような階層の人間しかいないところで育つようになるんですよね。そういうのは政治家にしちゃいけないですよね」という私の息巻きに、早野はかわすように語った。

「僕も実は付属というところを出たことがある(笑)。でもその頃はねぇ、僕らが子どもの頃はみんな貧乏でしたよ。付属にもいろいろな連中が通っていて、うちなんかもお弁当は海苔をベタッと貼った上に鮭が乗っかっている、みんなだいたいそんな暮らしでした。みんな戦争で苦労した。あるいは親戚なんかも死んだ、町が壊れた、そしてひもじい。そういう共通体験があったから、あの時代の付属はまだいいよ。その後、高度成長したあとの付属はダメだなあ」

早野の指摘で驚いた後で納得したのは「戦後民主主義の上半身は丸山眞男、下半身は田中角栄が担っていた」だった。東大法学部の丸山ゼミで学び、『田中角栄』（中公新書）を書いた早野にしか言えない卓抜な指摘だろう。小泉純一郎（首相）の靖国神社参拝に反対して加藤紘一の実家が放火された時、厳戒態勢の中での鶴岡でのシンポジウムにも早野と私は一緒に行った。同郷の加藤と私が相談し、鈴木邦男や小森陽一も参加して開いたのである。その時のことを早野と私は『国権と民権』の中で回顧している。

「小泉の靖国参拝反対では加藤は頑として譲らなかった。毅然としてましたよね。そういう面では意外に揺るがない」

と私が言うと、早野は、

「たしかにそうだった。現実面での頼りなさと、思想面での首尾一貫性とが共存していた」

と解析する。それに対して、

「あのときの潔さは傑出していました。だいたいいま、焼き討ちまでされる政治家というのは、いない」

と私は応じたが、平野貞夫を含めての3ジジ放談は2ジジ放談になってしまう。

ノートなんかとるな

早野透への弔辞の冒頭に、古舘曹人の「人の死につまづくごとし萩芒（はぎすすき）」という句を引いた。

本名六郎の古舘は太平洋興発の副社長だったが、「おべっかを使うヤツがいるから、会社で句会をやろうとは思わない」と言っていた。

昭和一八年一二月一日、東大在学中に学徒出陣で戦争に行った古舘は、戦後、聴講生として大学に戻って、すばらしい一年間を送った。経済学部の大内兵衛以下、リベラルな教授たちがすべて大学に戻って、熱っぽい講義をしていたからである。もちろん、古舘が繰り上げ卒業させられた法学部にも、ズラリと名教授がそろいぶみをしていた。我妻栄、末弘厳太郎、穂積重遠らである。

特に印象的なのは末弘で、たとえば学生が教室でノートをとると、大きな声で叱った。

「いま、自分が言っていることを、ここで理解してもらいたいんだ。ノートなんかとるな。この場で理解すればいいんだ」

真剣勝負というべきこの姿勢に、古舘は深くうたれた。

「これが教育ですよね。私は先生にほれましたよ。いま、ここでわかってくれ、という教育ですね」

往時をなつかしむように、目を細めてこう語ってくれた古舘もいまは亡い。

末弘は学者として象牙の塔にこもるのではなく、中央労働委員会の会長として、現実に深く関わった。そういう教育者はあまりにも少ない。

大河内一男の「社会政策」の講義も魅力あるものだったが、東大紛争の時の大河内にはがっかりしたという。

「そして、いまでも大学の先生ってダメだなあと思います。大学教授だけでなく、教育者はほんとうにダメですね。生徒と満足に話せないんですから」

こう語る古舘によれば、俳句をやっている人間には教師が多いが、やはり俳句でも教師はダメだ、と続けた。

「俳句は人間が変化し、改造されていかないとダメなんです。テクニックではない。器量がなく、スケールが小さくて、自分の社会だけで殿様みたいな感じをいつまでも持っている教師はダメですね」

温顔をほころばせながら、しかし、きびしく教師のダメさ加減を指摘する古舘の言葉を聞いていて、そう言えば、教師は、いわゆるオトナと対等の立場でつきあう機会がないからなあ、と思った。生徒に対してはもちろん、親に対しても、常に「高みから」ものを言うことになる。

「われわれは、労働組合との折衝でもまれたり、販売で苦労したりして、人間改造をしてきていますが、教師はもまれるということがないのですね」

古舘の断罪は続いた。

その言葉の裏には、戦中に戦争推進の立場に立って国際法を教えた安井郁が、戦後は急転回して、原水爆禁止運動のリーダーになったりしたことに対する強い不信の念があるのだろう。

戦後すぐ太平洋炭礦に入社した古舘は、黒ダイヤといわれた石炭産業が不況になり、まさに塗炭の苦しみをなめた。そうした天地が引っくり返るようなショックを経験して、古舘は新入社員に「変化に対応する力を身につけよ」と説いた。しかし、変化する状況の中でも失ってはならない理念を貫く力も持たなければならないのではないか。

月よみの光を待ちて

同学年で対談したこともある川本三郎の『ひとり遊びぞ我はまされる』(平凡社)を題名に引かれて買い求めた。「あとがき」にあるように、この題名は良寛の「世の中にまじらぬとにはあらねども　ひとり遊びぞ我はまされる」という歌からとられている。川本によれば、『東京新聞』の投稿短歌欄に「良寛に古稀の恋あり酔芙蓉」があったとか。『東京人』に連載されたこのエッセー集では「ミステリ小説は、民主主義国家でなければ生まれない。日常的に強権による不当逮捕や拷問が行なわれているような国では、謎解きのミステリは生まれようがない」に共感のサイドラインを引いた。

前掲の良寛の歌で思い出すのは國弘正雄と宮澤喜一のやりとりである。共に英語に堪能な二人だったが、宮澤が首相になった時、國弘は宮澤の弟の弘に託してお祝いの手紙を送り、陶淵明の「園田の居に帰る」と良寛の歌を添えた。

それからしばらくして、参院議員だった國弘と宮澤が国会内でバッタリ会った。その時、宮澤が近づいて来て、耳もとで

「お互い、ひとり遊びですかな」とささやいたという。

拙著『反―憲法改正論』(角川新書)で詳述したが、宮澤は「ひとり」になることを恐れず、最期まで護憲を貫いた。

良寛の歌で私が一番好きなのは次の歌である。

月よみの光を待ちて帰りませ
　山路は栗のいがの多きに

国上山(くがみ)の五合庵に住む良寛を訪ねた友人が帰ろうとする。それを良寛は、月の光が射すのを待ってお帰りなさい、山道は栗のいがが多くて、けがをするといけないから、と引きとめる。書家の父がよく書くこの歌を詠んだ時、私はほのぼのとしたものを感じた。そして、良寛が好きになった。

良寛は七〇歳のころ、ある人に宛てた手紙に「災難に逢ふ時節には災難に逢ふがよく候。死ぬる時節には死ぬるがよく候。是はこれ災難をのがるる妙法にて候」と書いている。

日本信販の創業者で、城山三郎が『風雲に乗る』（角川文庫）のモデルとした山田光成がよくこの言葉を引いていた。

良寛は七四歳で亡くなったが、晩年に四〇歳も年下の貞心尼と交流があったらしい。

美貌のこの法弟と、良寛は贈答歌をかわしあった。

　又も来よ柴の庵をいとはずば
　　すすき尾花の露をわけわけ

　君や忘る道や隠るるこの頃は
　　待てど暮らせど訪れのなき

いずれも良寛の歌だが、あなたが道を忘れてしまったのか、それとも、道が隠れてなくなってしまったのか、このごろは少しもいらっしゃいませんね、と齢七〇の良寛が率直にその思いを吐露している。

そして——

　風は清し月は明けしいざ共に
　　踊り明かさむ老のなごりに

良寛がどんな境涯をたどって、天衣無縫のこの境地に至ったのかについて、私は知りたいとは思わない。ただ、この涼風に吹かれたいだけである。

良寛は上下貴賤の別なく人間を愛し、宗教や道徳をしかつめらしく説くことを嫌ったが、ただ、言葉の使い方についてはやかましかった。

ことばの多き。口のはやき。人の物いひきらぬうちに物いふ。己が氏素性の高きを人に語る。学者くさき話等々を戒めた。

住井すゑと日の丸

娘の増田れい子が書いた『母　住井すゑ』（海竜社）によれば、「住井家」では戦争中も日の丸を掲げなかった。長男の出征の日もそうである。それについて長男と同級生だった人が後年、クラス会の折りにこう語ったという。

「長いことキミに感謝していたことがあった。オレの家は知っての通り貧乏で、日の丸が買えなかった。だから旗日になるとどの家にも日の丸がひるがえるのに、オレは肩身がせまかった。だけど、もう一軒キミのところも日の丸をたてないことを知って、貧乏なのはウチだけじゃないんだ……となぐさめていたんだ。ほんとうにありがとう。一度礼を言いたかったんだ」

増田によれば、この話を聞いて「母は相好をくずして、かんらかんらと笑った」。

「母はこのとき、日の丸をたてないことの最大の意味と効果を知ったのであろう。自分がもし圧力に屈して日の丸をたてていたら、貧しい隣人はたった一人で非国民のそしりを受けるか、ムリ算段して日の丸を買わねばならなかったろう。いずれにしても、日の丸は、罪なき隣人を窮地におとしこんでいた。しかし母は非国民といわれようと、日の丸をあげないことによって、国家が苦しめている一介の貧しきひとを、間接とはいえ救っていたことになる。国と母とどちらが頼りになるか、なっていたか、母にとってこんなに愉快な後日譚はまたとなかったろう。ところで、日の丸を受け入れない母は、水玉模様も好まなかった」

『橋のない川』の作者、住井は教育勅語と、「全国に散在する吾が特殊部落民よ団結せよ」で始まり、「人の世に熱あれ、人間に光あれ」と結ばれる水平社宣言を並べて教えよ、と主張した。

「朕惟フニ我カ皇祖皇宗國ヲ肇ムルコト宏遠ニ徳ヲ樹ツルコト深厚ナリ我カ臣民克ク忠ニ克ク孝ニ億兆心ヲ一ニシテ世々厥ノ美ヲ済セルハ此レ我カ國體ノ精華ニシテ教育ノ淵源亦實ニ此ニ存ス」

この教育勅語と、西光万吉が起草したといわれる水平社宣言を共に教える。

「教科書に一つの方法として『教育勅語』と『水平社宣言』を並べて印刷し、表紙をめくったら『教育勅語』がある。その次には『水平社宣言』があるというような教科書をつくったらいいんじゃないか。どっちが人間的であるか、どっちが人間的真実を訴えているか、どっちがより人間的哲学を生かしているか、一目でわかると思うんですね。『教育勅語』をむざむざと葬ってしまって、今の子どもが知らないというのも、ある意味ではマイナスですね。明治、大正、昭和の敗戦まで、このような教育の名のもとに調教をやってきたんだということを、くり返しくり返しみんなで反省する必要があるんじゃないかと思いますね」

こう語った住井と西光は深い信頼関係で結ばれ、住井が西光を訪ねると、西光夫人は仏間に並べて2人の布団を敷き、住井と西光は深更まで話し合った。

あれほどはっきりと天皇制廃止を主張しながら、住井のところには不思議に右翼が糾弾に来なかった。それについて住井は

「私は来るのを待っているんですがね。もし来てくれれば帰りには左翼にして帰しますから」と笑っていたという。

戦争は外交の敗北

行きつけの喫茶店で、できるだけ『日刊スポーツ』を手に取る。その「政界地獄耳」欄がしばしば重要なヒントを与えてくれるからだ。多分、系列の『朝日新聞』の記者が書いているのだろう。

先日も、日米首脳会談について、ロシアの大統領だったメドベージェフが、これまで核兵器を使った唯一の国がアメリカであり、その被害を受けたのが日本であるのに、岸田はバイデンに謝罪を求めることもしなかったと批判しているのを紹介していて、なるほどと思った。もちろん、ウクライナとの戦争で核を使うことも辞さないと脅しているロシアの首脳に、そんなことを言う資格があるのかと退けることもできる。しかし、これは、もし、岸田が謝罪を求めた上で、ロシアに核を使うなと抗議したら、少なくともメドベージェフは耳を傾けざるをえなくなるということではないか。

『サンデー毎日』の二〇二三年一月二九日号で、元外務審議官の田中均が「戦争は外交の失敗で起こった」と言っている。私は外交の敗北の結果が戦争だと思う。

日本外交は小泉（純一郎）政権から「米国シフト」になり、安倍（晋三）政権は「米兵器の爆買いまでした」と田中は批判している。

一九六五年夏、いいだももの『アメリカの英雄』（河出書房新社）という小説が出た。

一九四五年夏、日本に原爆を投下した戦闘機のパイロットがアメリカに帰り、戦争を終らせた英雄として持ち上げられる物語である。

この若きアメリカン・ヒーローは、しばらくして、自らが原爆を落としたヒロシマにやって来る。そして、

「英雄」と呼ばれる自分がやったことは何なのかを、予想もしなかった激しい衝撃で受けとめることになる。事実を基に空想の翼を広げて、いいだはこの作品を書いた。

ヒロシマ出身のはずの岸田は何も感じず、何も考えずにバイデンに会っている。外相もやったはずだが、世襲代議士の岸田に何か求めても無駄なのか。麻生太郎もそうだが、彼らの鈍感さはすさまじい。苦悩したことなどないのだろう。そのボンボン的気楽さはアメリカと共通する。小田実はアメリカがベトナム戦争を展開していたころに書いた『アメリカ』(角川文庫)という小説で、作中人物にこう会話させている。

「あなたがたアメリカ人はわれわれの悲惨な様を見る。しかし、そいつを悲惨と受けとらずに美として受けとることを何よりも好むのだ……」

「アメリカはお人よしすぎるんだな」

「そうだよ。ときには自分の善意がどんなに他人にとってありがた迷惑であるか、他人をどんなに苦しめているか、知らないくらいお人よし……」

「アメリカは大金持の良家の坊ちゃんなのだ。善良で育ちがよくて気ップがよくてケチケチしていない。しかし、どうも貧乏人どもの苦しみがよく判らない。貧乏人どもはたいてい人をだましたり、ふんだくったりして暮しているんだが、何故彼らがそうしなければならないかが判らない」

その後、アメリカも「大金持」ではなくなり、「お人よし」でもなくなったが、独りよがりの鈍感さだけは肥大させ、日本を支配している。アメリカに盲従することが外交ではない。

右傾化とは男性化

いわゆる新右翼の鈴木邦男が亡くなった。二〇二〇年に出た邦男ガールズ編の『彼女たちの好きな鈴木邦男』(ハモニカブックス)の年譜によれば、鈴木が二〇一七年に出した『天皇陛下の味方です』(バジリコ)のオビには「人は右翼というけれど、中国人と朝鮮人をやっつけろというのが右翼なら、日本人が一番エライというのが右翼なら、核武装せよというのが右翼なら、そして『愛国』を強制するのが右翼なら、私、右翼ではありません」とある。私は「天皇の味方」ではないので、そこが違っていたが、二〇一〇年に『左翼・右翼がわかる!』(金曜日)という共著を出した。

鈴木は『週刊女性』の二〇一七年六月六日号で「右傾化って、要は男性化なんです」と言っている。これは名言だろう。

「強い日本、強い憲法を作ろう、軍備を増強しろという男性は、自分たちのテリトリーに踏み込まれるのが怖い。女性に対してもそうです。企業でも政治の世界でも女性がどんどん強くなって、活躍するのを恐れている」

こう指摘して「女性天皇反対も同じ構図でしょう」と続けた鈴木は、右傾化とは男性化だと結論づけている。

「国家が強くなったら自分まで強くなれたような錯覚を持つ。反対ですよ。国家が強く大きくなるほど、反対にひとりひとりは弱くなる」とも喝破しているが、これは女性よりカッコをつけて強がる男性にこそ読ませるべき発言である。

私は、鈴木が代表だった一水会の機関紙『レコンキスタ』(一九九四年一〇月一日号)に載った逸話が忘れられない。

一九九四年春、弁護士の遠藤誠が山口組の本部で暴力団対策法の裁判の話をしていると、当時組長だった渡辺芳則が、

「遠藤先生は左翼だから、弁護団長を頼んでいると、山口組も左翼にされてしまうのではないかと心配する者がいる。そこでお尋ねするんですが、共産主義諸国が崩壊した現在、左翼と右翼はどこが違うんですか?」

と質問してきた。それで、

「太平洋戦争の見方が一つの分かれ目で、侵略戦争と見るのが左翼で正義の戦争と見るのが右翼となってます」

と遠藤が答えたら、渡辺は、

「そりゃ、あの戦争は侵略戦争に決まってますよ。だって、日本の軍隊が、中国や東南アジアというほかの国に攻めこんだわけでしょう。ほかの国の縄張りを荒らしたら、侵略になるのは決まってますわな」

とすかさず言った。

それで遠藤が、そうしたら渡辺さんも左翼だということになりますよと続けると、渡辺は、

「それが左翼だというなら、私も左翼ですなあ」

と応じたとか。

これ以上明確な侵略と左翼の定義はないだろう。

この遠藤も鈴木も、そして私も東北出身だが、ある時、遠藤は鈴木にこう言ったという。

「われわれ東北人は天皇により何度も討伐された。ヤマトタケル、坂上田村麻呂、そして明治維新の時だ。薩長により、われわれは賊軍と言われて討たれたのだ。その怨みを忘れてはいないだろう」

「エッ?」と驚く鈴木に、

「いまこそ怨みを晴らすのだ。天皇制打倒のためにともに立ち上がろう!」と遠藤は畳みかけ、鈴木はのけぞったらしい。

さまざまな右翼

長崎市長の本島等を撃った右翼が、出獄後まもなく、神田にあった私の事務所に押しかけて来たのは二〇〇六年の秋だった。そのころ私は㈱金曜日の社長をしていて、同社がやったイベントに〝不敬〟の場面があったとして抗議に来たのである。二人連れだった。社の方にも連日、街宣車がやって来る状況だったが、二時間近く脅して帰って行った。そうした右翼を鈴木邦男は説得してまわっていたらしい。「お前は左翼の味方をするのか」と罵声を浴びながらである。その事実を私は後で他の人から聞いて知った。

二歳上のその鈴木が亡くなって、私は鈴木の『言語の覚悟　脱右翼篇』(創出版)と、私との共著『左翼・右翼がわかる!』(金曜日)を読み返した。

興味深かったのは、右翼のレジェンドの赤尾敏から、鈴木が「何が反米右翼だ、バカヤロー!」と会うたびに怒鳴られていたということである。

赤尾がつくった大日本愛国党は「親米反共の路線を明確にし」て「日米安保の精神を尊重」した。世界の共産化を防いでいるアメリカを批判するとは何事かというわけである。

一九四二年に赤尾は衆議院議員に当選したが、対英米開戦に反対して翼賛政治会から除名処分を受けている。ナチスと組んでアメリカと戦うことに反対であって非戦論ではない。ソ連（現ロシア）と戦えと主張した。戦後は「日韓連帯の邪魔になるなら、竹島などダイナマイトで爆破してしまえ」と発言してもいる。

私と鈴木は竹中労の影響を受けている点で一致していたが、歌についての次のような指摘にも、なるほどと思った。

「右翼の集まりでは、よく軍歌を歌う。街宣車でも大音量で流す。集まり、特に飲み会になると皆、軍歌を歌う。そういう雰囲気は僕は大嫌いだった。一水会代表だったときは、軍歌は一切禁止にした。軍歌は、戦争で命を賭けて戦った軍人が歌った。何ら戦わないで酒を飲みながら歌うなんて、失礼な話だ。死んだ軍人たちに申し訳ない。そう思っていた」

「自由のない自主憲法」よりは「自由のある押しつけ憲法」を選ぶという鈴木の宣言も、右翼周辺では物議を醸したらしい。次のようにも言い切るからなおさらである。

「ネット右翼みたいな人たちが、匿名で顔を隠して集団でやる。それは右翼じゃないんですよ。右翼は本来、もっと潔い。自分の名前を出して主張し、何かあったら、自分で責任をとって死ぬ。それが本来の右翼ですよ」

共著の後記に鈴木は、「佐高信の右翼度」を引きずり出してやるか、と思って対談に臨んだ、と書いている。

大体、一〇〇％の右翼も左翼もいないのだし、左翼と思われている佐高の中にも愛郷心や伝統・文化への愛着といった保守的心情はある。それが五〇%を超えたら、もう右翼なので、そこまで引き出せたら自分の勝ちだと鈴木は思っていたらしい。

しかし、「あわや返り討ちかという場面が多かった」と鈴木は述懐している。「そこまで言って大丈夫?」と逆に私が心配する場面もあったが、「同じ東北人だからと安心しきっていたのが悪かった」とも鈴木は振り返っていた。

侵略の推進者と批判者

旬報社から刊行中の「佐高信評伝選」の第三巻が『侵略の推進者と批判者』で、「石原莞爾の夢と罪」と「良日本主義の石橋湛山」を収めている。

『文藝春秋』が一九九九年一二月号で「二十世紀日本の戦争」という座談会を行なった。出席者は阿川弘之、秦郁彦、中西輝政、福田和也に猪瀬直樹だが、その「満州事変」の見出しが、石橋湛山の「小日本」か、石原莞爾の「満州」かとなっている。

それからおよそ二五年経って、石原莞爾か石橋湛山かの選択はますます険しさを増し、湛山を選ぶ道はかなり狭くなっていると言わざるをえない。

しかし、莞爾の道は破滅をもたらすことは歴史が証明しているのに、その座談会の論者たちは「小日本主義は成り立たない」として湛山を否定し、莞爾に軍配を挙げる。たとえば秦は「結果として、満州事変はケインズ理論を先取りしたようなかたちになった。戦争というのは究極の公共事業です。あの大不況を脱出するために、高橋是清蔵相はじめみんな苦労して、試行錯誤でやってみたが、どれもうまくいかない。不況脱出にはある程度の規模の戦争が有効なんですが、いったんそれを始めると、どんどん拡大していってとまらないというのが、満州事変であり日中戦争ではなかったかと思います」と言っている。

「戦争というのは究極の公共事業」ということの驚くべき（ある意味では率直な）秦の発言に、猪瀬は「そうすると、満州事変はアメリカのニューディール政策と一緒だということになりますね、極端に言えば」と粗雑な相づちを打っている。

しかし、戦争を前提とした「公共事業」と、それを前提としないニューディール政策を一緒にされては、ルーズベルトが憤慨するだろう。

座談会出席者は湛山の小日本主義をまったく理解しないどころか、理解しようともしていない。経済に明るい湛山は、軍事費の膨張が予算を圧迫していることも知っていた。貧困ゆえに満州への進出を夢見たのではなく、軍事国家の大日本主義の道を歩んだがゆえに貧困となり、他人の土地を奪って、そこに「王道楽土」を建設するという勝手な夢を見ざるをえなくなったことを批判して小日本主義を主張したのである。

ソ連（現ロシア）がチェコに侵入した一九六八年も現在のように自衛力強化の声が高まった。それに対して湛山は「しかし、軍隊をもって防衛をはかるということは、ほとんど世界中の軍隊を引き受けてもやれるということでなければならぬ」とし、「軍隊でもって日本を防衛することは不可能」と説いた。

そんな湛山が自民党の総裁になり、病のために早々にその座を去らねばならなくなったとはいえ、戦争放棄の日本国憲法九条に「痛快極まりなく感じた」と拍手を送り、「深き満足」を表明したのである。いまこそ自民党は湛山を復権させなければならない。湛山に還れだ。

二〇二二年七月八日付『朝日新聞』の「ひと」欄に、七七歳で「悲劇の宰相」湛山の著作を英訳しているリチャード・ダイクという人が登場した。彼は「米国の学者は、日本の民主主義は米国の占領がもたらしたと考えがち」だと言い、米国の日本理解を深めるためにも湛山の著作の翻訳が必要だと力説している。湛山復権は日本でこそ必要である。

息子を射殺したマテオ

メリメに「マテオ・ファルコネ」という短編がある。杉捷夫訳で『エトルリヤの壺』（岩波文庫）に入っている。コルシカに、軍や警察に追われることになった者が逃げ込むマキ（雑木山）があった。マテオ・ファルコネの息子が留守番をしていると、父親の友人が追われて、かくまってくれと言ってきた。銀貨をもらって枯れ草の山の中に隠すと、兵士たちがやって来る。

銀時計を首にかけたくないかという誘惑に負けて、息子は友人の居場所を教えてしまう。

それがわかってマテオは「情けないことをしゃがった！」とうなり、「おれの血筋で裏切りをやったやつはこいつが初めてだ」と怒って息子を射殺した。

この作品を羽仁五郎や小島直記が忘れられない一篇として挙げている。

いわゆる左の羽仁がほめていると言ったら、保守の小島は苦い顔をしていたが、左右を問わず、人間のおきてを示しているとして推す作品である。

この意味が、岸田文雄や麻生太郎、あるいは河野太郎や岸信夫には理解できないだろう。

世襲に何の疑問も持たずに、岸田はハク付けのために息子を首相秘書官にした。岸は安倍晋三のおいでもある息子の信千世を自分が辞職した後の補選に立候補させ、信千世はホームページに家系図を載せる始末。

河野一郎から数えれば三代目の太郎は脱原発を言わなくなったことを質問されて、エネルギー政策は「所管外」と繰り返した。こんな男が首相候補の上位にランクされる。

まちがって首相になってしまった麻生太郎も同じである。

「憲法はある日、気づいたらワイマール憲法が変わってナチス憲法に変わっていたんですよ。誰も気づかないで変わった。あの手口に学んだらどうかね」

麻生のこのナチス発言が問題になった時、『週刊新潮』の二〇一三年八月一五日、二二日合併号で、元愛人が麻生を「人の痛みがわからない人」と言った。

「太郎さんのナチス発言は結局、あの人の人間性の問題。相手の立場を思いやることができず、自分に何が欠落しているのかもわからない、そういう人なのです」

彼女は八年間の付き合いの中で、二度、子どもを堕ろした。

「僕の子どもは産まないでくれ」と繰り返し言われていたからである。

別れた後に麻布の飲食店で偶然出会った時も、彼女が声をかけたのに麻生はこの上なく迷惑そうな顔で無視して離れて行ったとか。

「人の痛みや苦しみがわからないから、〃ナチス発言〃も撤回こそしていますが、本音では〃なにがいけないんだい〃って世間が騒ぐことを理解できていないはずです」

生涯、わがままなボンボンから脱皮できないだろう麻生を追及する彼女の言は鋭い。

それにしても、とりわけ自民党の政治家が迷うことなく息子や、あるいは女婿を後継者にするのは、よほどいいことがあるからに違いない。たとえば私の郷里の山形では、農業には未来がないからと、子どもに別の職業を選ばせる親が多い。中小企業でもそうした親が多いと聞くが、政治家だけは後を継がせる。そんな世襲議員の排除から始めなければならない。

改憲論者の宮台真司

襲われたことは気の毒に思うが、宮台の上から目線と改憲論を私は前から批判してきた。

それに対して彼は『創』の二〇〇九年九月、一〇月合併号で、こう〝反論〟している。佐藤優との対談だが、例によって、かなりエラそうである。

「佐高信さんは単なる『左翼芸者』なので反論に値しないが、やりましょう。まず僕は『我々に感染を引き起こすスゴイ奴はたいてい利他的だ』と書いたけれど、『成績のいい奴は品性がいい』などと書いた覚えはなく、むしろ僕はいろんな所で『成績のいい奴は〝勉強田吾作〟が多い』とも書いてきた。劣等感ゆえに嫉妬する佐高みたいな人のことです(笑)。

重武装化とは『対地攻撃を軸とした反撃能力の獲得』です。僕は沖縄の地上戦が頭にあるので、残酷な地上戦をいかに戦わないかを戦略的に考えてきました。専守防衛思想は『地上戦の思想』なので、憲法改正で『反撃可能性による抑止の思想』を実現する必要があります。ただし核武装は考えません。NPTとIAE

Aのスキーム内にある日本は、国連脱退を許さない限り到底無理だからです」

宮台のものを読んだことのない人のために要約せずに引いたが、「左翼」も「芸者」も私にとっては何の批判にもならない。「左翼」とかいう呼び方は他人がつけるわけで、そう呼びたいならどうぞと言うだけである。「芸者」も「無芸者」よりはいいだろう。

大体、「反論に値しない」などと前置きをつけてゴチャゴチャと言うこと自体が臆病者の特徴である。私はそう思ったら反論しない。

次に「我々に感染を引き起こすスゴイ奴は」と理屈をこねているが、私が引用した宮台の『日本の難点』（幻冬舎新書）の次の箇所と、それは合致しないだろう。

「僕は東大経済学部や東大法学部の首席の人たちを何人か知っています。興味深いのは、そういうレベルの人たちになると、多くがパブリックマインドに溢れていることです。実はこのことは一九八七年から九一年まで東大助手を務めた後、九二年から九六年まで東大で非常勤講師をしたときに気付きました」

これは事実に反するし、宮台の深いコンプレックスを表すものでしかない。あの大蔵省（現財務省）のスキャンダルで辞めざるをえなくなった長野厖士や中島義雄は、それこそ「東大法学部の首席の人たち」と言っていいエリートだった。

憲法を変えて重武装で対米中立を主張する宮台は「困ったことに、日本には安全保障を軍事面でだけ考える馬鹿が多い」と批判しているが、私には「重武装」を掲げる宮台こそが「安全保障を軍事面でだけ考える馬鹿」に見える。宮台は、自分は田母神俊雄や櫻井よしこのような「馬鹿」ではないと言いたいのだろう。

しかし、憲法を変えて重武装という主張はかわりがないのである。

宮台は「口から先に生まれてきた僕」と言っているが、テレビ朝日の番組で、西部邁と宮台が議論になった場に同席していて、相手に口を開かせないようにしゃべりまくるのだなと思った。それは反論されるのが恐いからでしかない。口先だけの男を山形では「べロ（舌）屋」という。宮台はとりわけ軽いペラペラのべロ屋である。

殺された狙撃手、鶴彬

どうやって、わかりやすく権力を撃つかを考えていて、この言葉の狙撃手に行き当たった。

そして書いたのが『反戦川柳人　鶴彬の獄死』（集英社新書）である。

○万歳とあげて行った手を大陸においで来た

○手と足をもいだ丸太にしてかへし

○修身にない孝行で淫売婦

これらの刺し貫くような鶴の川柳が国家権力はよほど恐かったのだろう。鶴は捕えられて、一九三八年九月一四日、二九歳で獄死した。

その死については、元七三一部隊の一員で伝染病棟の医師だった湯浅謙の、こんな証言がある。当時、「丸太」は傷病兵に対する隠語だった。

「留置場で普通の赤痢で死亡することは皆無である。とても考えられない特異な例だ。赤痢菌添加物を食べさせ実験してから、赤痢菌多量接種して死亡させる、は考えられる。——皇軍による罪科の殆どは証言者が現れ解明されているが、特高関係については未だに誰も証言して呉れない。だから特高の本当の任務内容が闇の侭である。証言者が現れたら赤痢菌を接種されたかどうか見当がつくのだが――。鶴彬は（七三一部隊用語の）マルタ一号にされたのではないでしょうか」

この証言は岡田一杜、山田文子編著の『川柳人 鬼才 鶴彬の生涯』（日本機関紙出版センター）から引いたが、官憲による鶴への赤痢菌注射説に確証はない。ただ、うわさとしては死亡当時からあった。もし、「マルタ一号」にされたというのなら、意味は違え、「手と足をもいだ丸太にしてかへし」が、また、異なった色彩を帯びてくる。

自ら謀反人となることを恐れなかった鶴のある日の姿が、横山林二によって『俳句研究』一九六五年二月号に描かれている。

横山は悪名高き警視庁の特高に捕まった鶴が、陰険な刑事の深瀬五郎に、

「ふてえ野郎だ、川柳屋のくせに戦争に反対しやがって」

と罵倒されたことを知った。

しかし、横山も指摘するように、「『川柳屋』だからこそ、いち早く、民衆の立場から戦争を批判した」のではないか。

「川柳リアリズム宣言！　昂然（こうぜん）と言い切った鶴彬は、その宣言のとおり、自分をも民衆をも偽らずに、リアリズムを武器としたがために、敵階級に囚われ」てしまった。

そして横山はこう結ぶ。

「二・二六事件を契機に、『王道川柳』を提唱、民衆派柳人からファッショ柳人へ、変り身の早さを見せた

師・剣花坊にくらべ、弟子鶴彬は終始変らず民衆柳人の節をまげなかった。川柳の光栄ある歴史は、彼によって守られたといっていい」

『アンブレイカブル』（角川文庫）に鶴を登場させた作家の柳広司は拙著を「鶴と接点のある人物を縦横に論じた異色の評論集」と評し、次のような最近の川柳を紹介する。

○反戦ト護憲ヲ危険思想トス
○沖縄を踏みつけ福島をこけにする
○非正規にジングルベルは聞こえない

最初の作者は「笑い茸」、後の二首は「乱鬼龍」である。

鶴の「万歳とあげて行った手を」に注釈を加えれば、万歳の前に略されているのは「テンノーヘイカ」であることは言うまでもないだろう。

無教会派の納税拒否

クリスチャンとして内村鑑三は洗礼・聖餐（せいさん）の儀礼と牧師制度を無用とする無教会主義を唱えた。統一教会にしても創価学会にしても個人の祈りを大事にするのではなく、組織の拡大を目的にするようになって腐敗する。いまこそあらためて無教会主義が見直されなければならないと思うが、その無教会派には矢内原忠雄らの他に山形県は小国町の山奥に基督教独立学園を創った鈴木弼美（すけよし）がいる。

「外国人宣教師が入ったことのない山奥の農村へ伝道に行きたい」と言った内村の教えを受けて鈴木はそ

こに自労自活の学校を設立した。私も行ったことがあるが、広い敷地の中を川が流れ、生徒が世話をする牛の鳴き声が聞こえる、まさに別天地のような世界だった。しかし、冬には一転、雪に閉ざされる。

鈴木は一九八〇年八月二〇日に国を相手取って山形地方裁判所米沢支部に軍事費相当分の納税拒否訴訟を起こした。訴状にはこう書かれている。

「日本国憲法は、第九条一項において戦争を放棄し、同第二項において一切の戦力を保持しない旨規定している。にも拘らず被告国は右憲法違反に当たる陸海空その他の戦力を保持し、そのために要する軍事費用を国民から徴収した税金によって賄っているが、被告国がその軍事費用として国民から徴収した税金を消費することも、国民から軍事費に使用することになる税金を徴収することも憲法第九条に違反すると言わなければならない。若し原告が軍事費分の税金を納入すれば原告としても日本国の滅亡を助長することであり、原告の愛国心が許さない」

真の愛国者は軍備拡張を望まないということだろう。

これに対して山形地裁は、当裁判所が審判しうる対象ではない、として逃げた。

それを詭弁（きべん）として鈴木は一九八三年六月の公判まで、前後九回にわたって法廷に立ったけれども、反論の機会を与えられなかった。裁判所は憲法問題を避けて結審しようとしたのである。

それではと、鈴木は一九八五年には、納入した税金のうち、軍事費分（五・八%）の「不当利得返還請求訴訟」を起こす。

これに対しても政府は真正面からは反論せず、裁判所も逃げの姿勢に終始した。

鈴木は八年間にわたるこの軍事費納税拒否訴訟を弁護士の助けも借りずに一人でやりぬいたが、それについては同じような訴訟を起こしていた「軍事費拒否訴訟原告団」の人たちから、どうして一緒にやらないのかという不満の声もあがったとか。

しかし鈴木は「ただ神にのみ依り頼み、神以外の一切から自由である」という信念から孤軍奮闘の道を選んだ。

鈴木は戦中の一九四四年六月一二日早朝、治安維持法違反の容疑で山形警察署に検挙され、八ヵ月間も留め置かれた。その獄中で次のように証言している。

「私は天皇を超人間的な方とは思いません。私共と同じ人間でいらっしゃいます。病気もなさるし、食物を召し上がらなければ御飢えにもなられると思って居ります。併し之は天皇に対する愛と尊敬を少しも減じは致しません。否神として敬遠するよりも強いのであります」

現人神とされた天皇が「人間宣言」をするより前にこう言ったわけである。

戦争が否定するもの

アメリカ海兵隊に入隊したことのある津田塾大学教授、C・ダグラス・ラミスと対談したのは『世界』の二〇〇〇年一二月号でだった。それは私の編著『日本国憲法の逆襲』（岩波書店）に入っているが、『なぜアメリカはこんなに戦争をするのか』（晶文社）の著者のラミスは、「人を殺せない人間」を「人を殺せる人間」につくり変える訓練について語った。

そのポイントは母親の権威、女性の権威を否定し、女性的なものを殺すことだという。

だから、兵士たちがちょっとでも弱い部分を見せると、

「おまえたちは女か」

と侮辱したり、

「お母さんのところへ泣いて帰るのか」

とヤユした。すると兵士たちは、ねらい通りに、

「泣くもんか、ここでがんばる」となってしまう。

「その一方で、軍隊は男性の組織でありながら、女性のことばかり考えているのですね。女性へのあこがれと蔑視が混ざり合っていて、私がいた時代の海兵隊でも、兵隊たちは朝から晩まで女性の話をしていた。戦争という暴力と、女性に対する暴力とは、潜在的な部分でどこか心理的につながっているような気がします」


ラミスはこう語っていたが、彼によれば、ベトナム戦争が終わった後、ベトナム戦争シンドローム（症候群）が出てきたりして、アメリカ社会の中に国家が戦争を起こすことに対しての疑問が広がっていった。それを払拭（ふっしょく）するために、アメリカはグレナダ（一九八三年）やパナマ（八九年）に侵攻した。そして九三年にパパ・ブッシュの最後の命令でクリントンがイラクへの空爆を指示することになる。戦争体験の継承という意味で、シンドロームというのは、むしろ尊重されるべきものである。ベトナム戦争以降、戦争はイヤだ、人を殺すのはイヤだ、と素直に思う男性のイメージが認められつつあったのに、それをシンドロームと名づけて病気のように扱い、逆の方向に〝克服〟させた。

ラミスは、これは日本における「核アレルギー」と同じだと指摘する。アレルギーをもつ人間こそ正常なのに、あたかもそれが異常であるように決めつけて、逆の方向に世論を導く。その結果がイラク戦争であり、

自衛隊の派遣だった。

「朝まで生テレビ」に一度だけ出たラミスは、スタジオに来ていた若者たちへのアンケートで、「憲法を変えるべきか、いまのまま非武装中立をめざすか」という問いに、後者に少数ながら女性たちが手を挙げたのを見た。すると、西部邁が「みんな強姦されたいんだね」と言って、それを聞いた周囲の人間が大笑いしたという。

ラミスは「押しつけ憲法」論に「世界中のどの憲法も押しつけ憲法だ」と反論する。

「憲法とは政府の権力を抑えるためのものです。従って政府に押しつけなければいけない。自分で自分の権力を小さくしようとした政府など、歴史上存在しません。イギリスのマグナ・カルタから、フランス人権宣言、アメリカ独立宣言……みんなそうです。人びとの人権を守るために、政府に『これをやってはいけない』『手続きをきちんと踏め』『戦争をするな』と制約を課すのが憲法で、すべて下から上へ押しつけるものなのです」

その人は別の機会に

城山三郎が先だったか、岸井成格が先だったかは思い出せないのだが、二人から同じセリフを聞かされたことがある。

「その人はまた別の機会に、と言われたよ」

大学時代のゼミの同期生の岸井の場合はこうだった。

ある時、電話がかかってきて、某日の夜、空いていないかという。

トヨタの役員が上京して来るので飲もうということになり、誰か一緒にと誘われたらしい。空いていたので、ＯＫと返事をしたら、しばらくして、また電話がかかってきた。私を連れて行くと言ったら、あわてたように、

「その人はまた別の機会に」

と断られたとのこと。

大トヨタの役員に率直に批判を聞く度量はないのである。非公式の場でも逃げる。役員だけでなく、社長でも同じだろう。

城山三郎に言われたのは二〇〇二年の春である。当時、個人情報保護という名の権力者疑惑隠し法案が問題になっており、その反対運動に城山を誘った私に、ある時、城山が「公明党が説明したいと言ってきたから一緒に行こう」と電話をかけてきた。「わかりました」と返事をすると、再びの電話で、

「その人はまた別の機会に」

と言われたという。私だけを断ってきたのは公明党の国会対策委員長（当時）の太田昭宏だった。京都大学相撲部出身で、押しが得意だという太田に私と〝相撲〟を取る自信はなかったらしい。二〇〇〇年に私はテリー伊藤と組んで『お笑い創価学会　信じる者は救われない』（光文社）を出し、ベストセラーとなった。以来、私は〝仏敵〟扱いされているとか。

二〇〇二年四月二六日付の『朝日新聞』にこんな記事がある。

〈二四日、東京のホテルで公明党の太田昭宏国対委員長ら二人の代議士と、作家の城山三郎氏、吉岡忍氏が会った。法案に反対する城山氏らに公明党側が「説明したい」と言ってきたという。

太田氏らは「心配されているような『メディア規制法』ではありません。なんとかご理解を」「拡大解釈されないように努力します」と従来の主張を繰り返した。城山氏が口を開いた。

「もし法案が通ったら私は『言論の死』の碑を建てる。そこに法案に賛成した議員全員の名前を記すつもりだ」

太田氏ら二人は沈黙するほかなかった〉

その唯我独尊の閉鎖的体質でトヨタと公明党（創価学会）が私には重なって見える。要するに討論する自信がないのである。批判した私を訴えた佐藤優が後者の絶対弁護人となっているのも体質が似ているからだろう。

先日亡くなった新右翼の鈴木邦男は著書に自宅の住所と電話番号を記していた。その覚悟には及ばないが、私も批判はあるものと思っている。それで、鈴木のお別れの会で、次のように主張した。

佐藤は小林よしのりに〝言論封殺魔〟と名づけられたが、司法権力に助けを求めて訴訟を起こすということは言論人として自殺行為だろう。そんな言論人失格の佐藤に訴えられた私を応援しなかった言論人を私はホンモノとは認めない。最近、佐藤と共著を出した田原総一朗も来ていたが、主催者の『創』編集長、篠田博之を含めて、彼らはそれをどう聞いたのか。

人の世に許されざるは

一九八七年一二月に出た時実新子の川柳集『有夫恋』（朝日新聞社）は意外なベストセラーとなった。拙著

『反戦川柳人　鶴彬の獄死』（集英社新書）がすぐに増刷となったのを機に読み返すと、「川柳は反逆である」ことがわかる。

○人の世に許されざるは美しき

○まだ咲いているのは夾竹桃のバカ

○子を寝かせやっと私の私なり

鶴の川柳と違って新子のそれには愛の砂糖がかかっている。

○強がりを言う瞳を唇でふさがれる

○自らを削るほかなき思慕である

○去ってゆく足に乱れのない憎さ

その新子が「私の遺書」とした『花の結び目』（朝日文庫）に俳句と川柳の違いが次のように書いてある。

「俳句では人物（主観）が遠景に在り、川柳ではクローズアップされる。それだけにアクも強く品下る感はまぬがれないだろう。俳句が十の力を七に抑えて余情をたのしむに較べて川柳は十の力を時には十二にも出そうとする。まさかに答は出さないが、言い切った切り口の鮮やかさを身上とする。俳句の静に対するとき川柳は動である。俳句の曲に対すれば川柳は直である。スパッと切った次の瞬間の動きが句の中に感じられる」

村長の息子に悪さをされながら、皆勤賞や優等賞を受けた新子は、校門の二宮金次郎にツバを吐いて小学校を出たという。

鶴より二〇歳年下だが、「修身にない孝行で淫売婦」と詠んだ鶴の反逆の精神を新子も受け継いだのだろう。

戦時中の女学校で新子は「チャーチル、ルーズベルトの藁人形を竹槍で突く」訓練をさせられ、「生めよ殖やせよに応じられるよう、本物の赤ン坊を学校が借りての育児教育」も受けた。

一六歳で敗戦のラジオを聞き、「呆然としたのは束の間で、うれしさがこみ上げて来た」。

「まっとうすぎる人とは生理的に合わない」新子だから、「無性にうれしかった」のだろう。

新子の川柳は不倫とか不貞とか騒がれたが、常識にとどまっては社会は動かない。そもそも常識とか良識とかは何なのか。

花は大体好きだが、ヒマワリとカンナは嫌いらしい。

「一番好きな花は罌粟(けし)、阿片という甘美な毒を持ち、茎に針を持ち、風にさえ散るかと思わせるうすいうすい花びらの勁さ。これが私の答である。ノンフィクションかフィクションか、それこそ誰に迷惑かけるものでもなかろうではないか」

○沖をゆく船あり思慕が載せきれぬ

○診察台人を愛した女なり

○指の傷吸うて烈しく君を恋う

こうした新子の句に嚀雀たちはかまびすしかったのだろう。

新子は川柳に必要なものの一つに「意外性」を挙げる。

「たとえば狂気よりも正気のほうがよほど怖いとする考え方、尾を振る犬よりも振らぬ犬のほうが人に忠実であるとする見方、子供は純粋でかわいいというが本当にそうだろうかという疑問。要するに自分だけの眼をもつこと」が必要で、「意外性とは個性の発見でもある」という。川柳をツービートの漫才にたとえられて新子は怒った。たけしのことだろうが、「あの、眉のうすい男が大嫌い」という新子に拍手である。

田中角栄の母フメ

旬報社刊の私の評伝選も全七巻の四巻まで出た。『友好の井戸を掘った政治家』と題した四巻には、田中角栄に始まって、中国との友好のフロンティア・松村謙三や、保守にあって護憲を貫いた宮澤喜一や後藤田正晴の小伝を収めている。

文藝春秋などの大手出版社が池上彰や佐藤優の体制翼賛本を出しているのに抗して、私の評伝選を出版してくれている旬報社を応援する意味でも、一巻に二冊か三冊分入っているこれを購読してほしい。よく、「がんばって下さい」と言われるが、声援だけでなく、実質的支援もしてもらいたいと思うのである。佐藤優に訴えられた時も裁判費用は自分でまかなった。カンパという形はとりたくないので、あらためて評伝選の購入をお願いする次第である。

さて、田中角栄伝だが、私はそれを、田中が首相就任の日、記者会見で汗を流しているのを見て、新潟にいる母がテレビの画面に手をのばし、ハンカチで汗をふく場面から始めた。

「困っている人を見た時、何でもいいから力になってあげたいという気持ちが湧かないヤツは、政治家になるべきではない」

田中は秘書に、口癖のようにこう言っていたらしい。

「戦後民主主義の上半身は丸山真男が担い、下半身は田中角栄が支えた」というのは名著『田中角栄』（中公新書）の著者、早野透の至言だが、早野は私との共著『丸山真男と田中角栄』（集英社新書）で、丸山が級長で田中はガキ大将だったとも言っている。

「ガキ大将は乱暴も働くし、親の財布からカネをくすねることもある。周囲から反感を招くことが多いけれども、クラスの弱い子をかばったりもするでしょう。その点、丸山先生は級長だと思う。級長ではあるが、単に先生の言いつけをよく守るのではなく、ガキ大将に一目置いているような級長だ」

と早野が卓抜な指摘をするのに私も

「裏ではガキ大将とも通じている級長。お互いが認め合っている級長とガキ大将。そんなイメージがありますね」

と応じた。二人に直接の関係はないけれども、戦後日本という大きな舞台の中では、そういうたとえは成り立つと思うという早野の洞察は早野ならではの深みがあった。

早野は先年亡くなったので過去形にしなければならないのが口惜しい。

早野と私は前掲書でこんな問答もした。

「丸山真男と田中角栄は、実は同じ側にいる人間じゃないか」

「ふたりとも軍隊でぶん殴られて、ファシズムは嫌いだからね」

「丸山先生が生まれた四年後に角栄が生まれた。角栄が死んだ三年後に丸山先生が死んでいる。つまり七五年間は日本の空の下でともに生きていた。本人たちは、お互い会ったこともないし、まったく違う世界に住んでいると思っていただろうけど」

中曽根康弘と角栄は同じ一九一八年生まれだが、いきなり海軍主計将校となった中曽根と角栄は軍隊観、戦争観がまったく違っていた。

ちなみに翌一九年生まれに宮澤喜一がいる。あまり知られていないが、宮澤は叙勲を辞退している。それだけでも私は宮澤を評価する。

純粋病患者が嫌ううそ

福島県の石川町に講演に行き、参加者から、前に聞いた時に、ウソをつくおばあさんの話が印象に残ったと言われた。山代巴が『民話を生む人々』(岩波新書)に書いているものだ。

ある村に役人がやって来て、

「酒を造っていないか」

と尋ねる。それにばあさんが

「はい、造ってます」

と答える。そこへ案内せいと言われた彼女はゆっくりと米をとぎ始める。役人はいら立って、

「早う案内せんか」

と急き立てるが、息子が腹をすかせて戻って来るのでと言いながらご飯を炊く。炊き上がって案内する前に、彼女は、

「ちょっと待ってつかあさいよ、留守を頼んで来ますから」

と隣家へ行き、役人が来たから酒を隠せ、うちのも隠しておいてくれ、と伝える。そして役人を二里ほど奥の炭焼き釜の所へ連れて行く。それもゆっくりゆっくりである。ようやく着いて、役人が、

「酒はどこにあるのか」

と聞くと、ばあさんは竹を指差しながら、こう答える。

「見えませんかいのう、あの高いところのが、うちの竹です」

「竹じゃあない、酒だ」

と怒る役人に彼女は悠然と、

「私は耳が遠いもんでござんすけえ、竹じゃと聞きました」

と返す。さらには帰りは歩けないからと言って、役人に自分を背負わせるのである。

山代は「役人達に酒を造っている家はないか、と聞かれて、いかにも知っているらしくよそおって、山の裾の酒の醸造元までつれて行って、ここが酒を造っている家でござんすといった話もあります」と書いている。

したたかな民衆の知恵というべきだろう。山代は、わが師、久野収の盟友、武谷三男の『文化論』(勁草書房)の解説に、「苦難の時期をささえたもの」として、「秘密を守るふところがなければ民主主義は育たない」という立場から、武谷の「うそをついてはいけないか」という論に共感し、こう指摘する。

「権力者は昔からうそをついてきた。人民には『うそをつくな』という教育をすれば、人民は『人はうそをつかないものだ』と思いこみ、どんなうそでも信じることになる。そして人民は権力者に対してうそをつ

かないことになるから、まことに支配しよくなるのは当然だ。『うそをつくな』という教育は支配者にのみ都合のよい教育だ。これに対して被支配者のための教育は『うそを見破れ』という教育だということになる。これは科学的精神とか、合理的精神とか、独立心とかいうものである。このような人々の間ではだました方が損をし、相手にされないのでかえってうそが少なくなる…と」

戦時中に抵抗運動をして捕えられた山代の夫、吉宗は「刑務所の中で勉強してきたのは自分の考えを人に押しつけるのは絶対にいけないということだ」と言い、「相手の質問に答えるのでなければ人を説得できない」と続けて、「純粋な人」がダラ幹（堕落した幹部）を糾弾すると、笑みを浮かべながら、

「いくらこちらの純粋を振りかざしても、ダラ幹は追放できんよ。純粋を振りかざすのも一種の押し売りだからな。押し売りでは人の心は変わらんよ」

といなしたという。「純粋な人」がうそを嫌って、権力者の術中にはまってしまう。

山之口貘と中野好夫

アメリカから徹底的に嫌われた那覇市長の瀬長亀次郎を中心に詩人の山之口貘と評論家の中野好夫を配して沖縄を重層的に描いたのが柳広司の『南風（まぜ）に乗る』（小学館）である。

フォークシンガーの高田渡がメロディをつけて歌った「生活の柄」の他に山之口貘には「博学と無学」と題した詩がある。

あれを読んだか

これを読んだかと
さんざん無学にされてしまった揚句
ぼくはその人にいった
しかしヴァレリーさんでも
ぼくのなんぞ
読んでない筈だ

貘の「ねずみ」という詩がフランスの雑誌に掲載されて、彼が毎日のように通っていた東京は池袋の泡盛屋「おもろ」で大騒ぎになった。

やれヴァレリーだ、ボードレールだ、アポリネールだと文学談義になり、

「貘さん、知ってるよね？」

と尋ねられて、彼は無言で肩をすくめた。そして、この詩をつくったのである。

『南風に乗る』でユニークなのは中野好夫を登場させたことだろう。「大学教授では飯が食えぬ」と言って東大を辞めた中野は、「戦争犯罪者は誰だと思うか」と問われて「中野好夫」と書く一方で「ぼくの最も嫌いなものは善意と純情の二つに尽きる」と偽悪的なセリフを吐く人でもあった。

坊主頭で知られるが、小料理屋にこんな色紙も残している。

金もいらなきゃ名もいらぬ
酒も女もいらないけれど
はげた頭に毛がほしい

私は一九九九年に『新・代表的日本人』（小学館文庫）を編んだが、巻頭に中野の「伊庭貞剛」を置いた。〝住友の西郷隆盛〟といわれた伊庭を中野は「高風の財界人」と評して、伊庭の「事業の進歩発達に最も害をなすのは、青年の過失ではなくて、老人の跋扈（ばっこ）である」を引いている。伊庭は自らが喝破したとおりに潔くその座を退いた。しかし森喜朗をはじめ、政財界にいかに潔くない人間の多いことか。中野はこんなエピソードも記している。

「筆者自身は、財界人などというお偉方とはまず完全に無縁だが、それでも共通の知人ということもあり、年に一、二度くらいは財界人まじりのパーティー類に出ることもある。あるときこんなことがあった。会場の一隅で数人、さかんに大声で気焔を上げている老人群がいた。聞くともなく聞いていると、果してこれ、若いものなんぞに負けるもんかの連発であり、そう怒鳴っては肩を叩き合っているのだ。老醜見るにたえなかった」

『南風に乗る』に柳は、沖縄地上戦や住民を置き去りにして軍が先に逃げた敗戦が明らかにしたのは次の現実だと指摘する。

一、軍は住民を守らない。
二、軍が守るのは軍（国家は抽象概念にすぎない。軍が現実に守るのは軍そのもの）。
三、住民は真っ先に切り捨てられる。

中野好夫の友人の臼井吉見は戦争の末期、小隊長として召集され、敗戦に直面する。部下の兵たちにそれを知らせ、ポツダム宣言についても説明すると、「隊長殿！」と呼びかけられた。
「その基本的人権というのは、イヌやネコよりは、いくらかましな取り扱いをするということでありますか？」

核廃絶のヤルヤル詐欺

被爆者のサーロー節子が「死者に対する侮辱だ」と怒った。茶番の広島サミットに対してである。「自国の核兵器は肯定し、対立する国の核兵器を非難するばかりの発信を被爆地からするのは許されない」

これはアメリカとそれに盲従する日本の首相に向けられたものだろう。核を落とした唯一の国のアメリカに対して、落とされた唯一の国の日本が謝罪も求めずして核廃絶ができるはずがない。その根本問題を棚に上げて核軍縮だとか言うのは〝ヤルヤル詐欺〟である。

私は岸田文雄を下半身が安倍晋三の岸田晋三だと言っているが、岸田は来日した首脳の中で最初にイタリアの首相、メローニと会談した。彼女は極右に近い思想の持ち主で、彼女とケミストリーが合うというのは、岸田もネット右翼に近いということである。

大平正芳や宮澤喜一の派閥、宏池会を受け継いだと自己宣伝するが、リベラル色はまったくない。第一、その伝統の護憲をかなぐり捨てている。岸田晋三どころか、岸田の仮面をかぶった安倍晋三だ。安倍政権で長く外相をやっていたのだから、安倍色にどっぷり染まったのだろう。安倍がそうであったように統一教会ウイルスと同じ改憲ウイルスの感染者である。

萩生田光一を筆頭に統一教会に近い自民党議員がとりわけ熱心に改憲を主張する。維新はもちろん、国民民主党の玉木雄一郎や離党した前原誠司など、統一教会に親近性をもつ議員が改憲派なのがそれを証明している。つまり、改憲を強調する政治家は統一教会ウイルスにおかされていると見て間違いないのである。だから、統一教会問題を徹底的に追及することが必要なのだ。

私は旬報社刊の『評伝選』の第四巻で、自民党の中にいた後藤田正晴や野中広務などの護憲派を取り上げたが、現在の自民党には護憲派はいない。統一教会に汚染されていなくなった。

二〇〇四年の一二月八日に開いた「憲法行脚の会」の集会で、土井たか子と対談した野中は、「情報統制が戦前と似ている」と指摘し、こう続けた。

「テレビに出ている人は本当に恐い話をしている。厳しい意見をいう評論家などはいつの間にかテレビを降ろされている。雑誌でも同じです。なぜアメリカが始めた戦闘（イラク爆撃）を日本が支持しなければならないのか」

二〇〇三年一一月二九日、奥克彦ら二人の外交官が殺された。その前に韓国の人とスペインの人が殺され、イラク人が犯行声明を出したが、奥らについてそれはない。米軍の発表も買いもの中に殺されたとか、走行中に殺されたとか二転三転する中で、一二月八日にイラク特措法が閣議決定され、翌年一月には自衛隊が出かけて行った。派遣ありきで進んでいたとしか思えないと野中は憤慨する。そしてまもなく、オランダ軍に迫撃砲が撃ち込まれ、マスコミは自衛隊と協定を結んだ。

「特派員の取材の自由と生命を助けたいというのはわかる。しかし、百歩譲っても内閣官房と協定を結ぶべきでした。内閣府が自衛隊を統括しているのです。シビリアンコントロールの大切さに気づかなかったのか。それとも気づいていながら、そうしたのか」と野中は語気を強めた。

柳宗悦と読売新聞

一九一九年の三・一運動で朝鮮独立の気運が盛り上がった時、日本の新聞はほとんどそれを暴動だと非難した。

しかし、『読売新聞』はその一方で柳宗悦の「朝鮮人を想ふ」を載せたのである。要約すると次のようなものだった。

「私は朝鮮について知識のある日本の識者の思想が、深みも温かみもないのを知り、隣人のためにしばし涙ぐんだ。日本の古美術は朝鮮に恩を受けたのである。法隆寺や奈良の博物館を訪れた人はその事実を熟知している。我々が今国宝として海外に誇るものは、ほとんど中国や朝鮮の恩恵を受けないものはないだろう。しかし今日の日本はこれに報いるのに朝鮮芸術の破壊をもってしたのである。私は世界芸術に立派な位置を占める朝鮮の名誉を保留するのが日本の行なうべき正当な人道であると思う」

大日本帝国支配下の暗黒の時代にも、こう書いた日本人と、それを載せた日本の新聞があった。そして時代は飛んで一九九五年六月二一日、『朝日新聞』が社説でワールドカップの日韓共催を主張する。七月一四日に再び、「友好のキックオフにならぬか」と重ねて共催論を展開した。

それに応じたのが『読売新聞』社長（当時）の渡辺恒雄だった。渡辺は『毎日新聞』系の『スポーツニッポン』に投稿し、同紙は本紙に届いた〝爆弾提言〟として渡辺の共催論を大々的に取り上げた。そこで渡辺は「朝日の憲法論には反対だが、これには賛成だ」と言っている。「スポーツは国際平和のためにあるのであって、国家間の対立要因になるほどばかげたことはない」というのも正論だろう。

いま、渡辺がこうした柔軟性を持っているかはわからない。

一九九六年三月五日に開かれた法律扶助のシンポジウムの予告で、こんなことがあった。櫻井よしこと私の他は主催者側の弁護士たちで、それを伝える『読売』は櫻井と私の双方の名前を並べたのに対し、『朝日』は「佐高信ら」、逆に『産経』は「櫻井よしこら」と報じた。

現在は『読売』も私の名をはずすだろう。渡辺に反逆した清武英利と私は二〇一二年に『メディアの破壊者　読売新聞』（七つ森書館）という共著を出したからである。

戦後まもなく、「老いらくの恋」と騒がれた川田順をモデルに志賀直哉が戯曲を書いた。それに対して川田は「自分は気にしていません」という返事を書いたのだが、その中に痛烈な読売評が出てくる。「刑事上りの社長」とは正力松太郎である。

「前略　大変気持のいい御手紙を頂きました。御宅に伺ったといふ新聞は恐らく読売だらうと思ひます。宇野（千代）北原（武夫）氏等の事を問題に作り上げたのも読売で、私は半年程前から読売には一切書かぬといふ宣言をしてゐるので此度読売はあの作品で問題を作り上げようとするだらうと考へ、若しさういふ場合は読売或は読売の一部の記者に対し宣戦してもいいと考へてゐましたが、貴方のよく分った御返事で面倒な事もなく済み、ありがたく思ひました。社長の馬場（恒吾）氏は好きな人ですし、記者にもお宅へ伺ったやうな人も沢山ゐるのですが、刑事上りの前の社長から伝はった悪い伝統があり、兎角平地に波瀾を起したがる赤新聞的下等さが濃厚にあります」

最初に覚えた「無実」

二〇二三年六月一三日付の『毎日新聞』に「署名　異例の51万筆」という記事が載っている。狭山事件の再審を求め、支援団体が東京高裁へ提出したというものだが、鎌田慧に声をかけられて私も落合恵子、古今亭菊千代、そして被告とされた石川一雄の夫人、早智子と共にそれを届けた。

明らかな誤審だから、「異例の」署名が集まったのである。

被差別部落に生まれ、六畳一間に家族七人が暮らす生活で、一雄はろくに小学校に通えなかった。彼が『解放新聞』に寄せた「短歌に託して」によれば、小学校二年ころから百姓仕事をやり、四年では父親と一緒に近所の家の百姓仕事。「仕事が主で、学校は片手間だった」という。小学校に上がった途端に、「汚い」と言われて殴られた。部落外の子どもにである。

それで、一九六三年に女子高生を殺害したとして逮捕された二四歳の時には満足に読み書きができなかった。その彼に脅迫文が書けるはずがない。

勤めていた製菓会社も字が書けないことがわかってやめているのである。

「（殺害を）自白すれば一〇年で出してやる」という警察官にだまされてウソの自白をし、収監されて死刑判決を受けた。

そんな一雄を担当した看守は彼より三歳下の二二歳だった。彼の話を聞き、一週間ほど経ってから「勉強して文字を覚えて文字を力に無実を訴えなさい」とその看守は言い、一生懸命に文字を教えてくれた。

これは規則違反であり、わかったら首になるかもしれない。

「看守さんのお連れ合いさんが筆記用具や紙などを、私の家族のふりをして長いこと差し入れてくれた。私は黙って、希望を胸に耐えたんだ。絶対に私の無実は伝わる。文字を覚えようって」と一雄は書いている。

そして最初に習った漢字が「無実」だった。一九九四年に仮釈放されるまでいた千葉刑務所の房には「臥薪嘗胆」と書いて貼っていたとか。逮捕から六〇年経って青年は八四歳になった。

死刑囚には小鳥を飼う者が多かった。彼の記憶では七人の死刑囚が文鳥を飼っていたという。

彼は段ボールにミカンの入っていた網をかぶせてゴキブリを飼っていた。

「ゴキブリは強い。意志が強い。いつもガサガサ動き回っていた。私はその音が気に入っていたんだね。ゴキブリの主張みたいに思えた。元気に動き回る姿が大好きだった。ゴキブリに自分を重ねていたのかなあ」

こう述懐する一雄に土井たか子が面会に来る。七回ほど来てくれたと思うが、そのたびに彼は新しい服に着替えさせられた。ふだんは洗いざらしの服なのにである。

土井は誰にでも言いたいことをバンバン言う。彼が立会人にいつも世話になっているので、「今日もよろしくお願いします」と頭を下げたら、とたんに机をたたいて怒られた。

「石川さん、あんたは無実なんだから、ペコペコするんじゃない」

最初は驚いたが、土井はいつも「無実なんだから、前を向いて堂々としなさい」と励ました。その声を聞いて彼は負けちゃいけない、絶対に勝つと決意した。

「人権を尊重して闘っていた土井さんに文句を言われないように清潔な服に着替えさせたのかな」と彼は回想している。

司馬遼太郎と藤沢周平

司馬遼太郎生誕一〇〇年ということで二〇二三年六月一八日付の『毎日新聞』に「『国民作家』は何を外したのか」を書いた。（上）は肯定的司馬論で（下）の私は否定的内容である。

ちなみに司馬の同い年には池波正太郎や三波春夫、ヘンリー・キッシンジャーや佐藤愛子がいる。

私の司馬論を読んだ友人から「ほとんど同意見で快哉を叫んだけど、『毎日』はよく載せたね」とメールが来た。

司馬もいい、藤沢周平もいいという井上ひさしに、二人は本質的に違うと私が異論を唱えた話から入り、知りあいの『産経』の記者に、司馬は『産経』出身だよね、と言ったら、彼は、「『朝日』も『産経』も、あるいは『朝日』の宿敵の『文春』も、みんな自分のところが一番近いと強調するのが司馬遼太郎ですよね」と答えて、ニヤリと笑った。

その話を引きながら、私は、「なるほど、『国民作家』か、それは果たして、この国にとって幸せなのか？」と結んだ。

旬報社から現在刊行中の「佐高信評伝選」第五巻が『歴史の勝者と敗者』で、『司馬遼太郎と藤沢周平』および『西郷隆盛伝説』を収めている。

前者で私は「江戸城は誰がつくったか」というある種のジョークを紹介しながら、こう指摘した。「太田道灌と答えると正解で、大工と左官がつくったというと笑われるのだが、しかし、藤沢（周平）は笑わないだろう。井上（ひさし）も笑わないのではないか。太田道灌と答えることにためらうのが藤沢であり、ためらわないのが司馬遼太郎だろう。そこに経営者たちは乗り、〝社畜〟たちも盲従する。サラリーマンは、自分たちは大工や左官ではないと思っているのである。その錯覚を与えることに司馬は貢献してきた」

無責任な政治家や経営者、それに野党のリーダーや労働組合の幹部までが愛読書に司馬作品を挙げるが、藤沢作品を挙げる人はほとんどいない。

つまり、司馬はこの国の能天気な〝指導者〟に致死量の毒を盛っていないのである。

また、藤沢作品には女性のファンが多いが、司馬作品に女性の読者は少ない。

西洋史家の会田雄次は明治前半の「楽天的な時代」を書いた司馬に、こう注文をつけている。

「楽天性もいいけれども、もうちょっと悪人を書いてもらいたかった気がする。司馬作品には本質的な悪人がまったく出てこないでしょう」

これは司馬に対する根源的な批判だろう。人間観が深くない、と会田は言っているのである。

私が最も納得できなかったのは、司馬の次の発言だった。

「日本の歴史をみるときに、天皇の問題をはずすと、物事がよく見えるね。天皇という問題にこだわると、ぜんぜん歴史が見えなくなる。だから、天皇というものからきわめて鈍感に、それを無視して眺めると、幕末もよく見えるし、明治も見えると思っている」

藤岡信勝らの自由主義史観、すなわち日本バンザイ史観論者が司馬をかつぐ理由がやはりあったのだと私は思う。

司馬より四歳下で藤沢と同い年の吉村昭は、第一回司馬遼太郎賞を受けることを断っている。司馬の愛読者はそれを知っているのだろうか。

竹中平蔵と維新の関係

大阪府知事の吉村洋文はサラ金の武富士の弁護をした。つまり、銀行がスポンサーの自民党を仮に銀行とするなら維新はサラ金なのである。あこぎな銀行以上に行儀が悪い。あるいは自民党をヤクザとすれば維新は半グレである。その維新の本拠地の大阪にこんな話がある。

釜ヶ崎で暴動があった時のこと。警官隊と住人が押しあいへしあいひしめきあって、互いに血の雨を降らしあっている中を、四〇がらみの女が、左手で娘の手を引き、右手に風呂敷包みを抱えて、「どうだ、どうだ、石どうだ。一コ一〇エンでっせ。石買いはりませんか。ええ石でっせ。一コ一〇エンでっせ」と叫びながら石を売って歩いた。人びとは殴りあいをやめ、一〇エン払って女から石を買い、それを投げて、また殴りあったというが、女は翌日も乱闘の現場に現われて石を売った。しかし、その〝ええ石〟は一夜明けると一コ一五エンになっていたという。

これは開高健の『日本人の遊び場』（朝日新聞社）に紹介されている話だが、開高は「まるで西鶴の『世間胸算用』を地でいったような話だが、事実あったことである。この短い挿話のなかに〝大阪〟が煮つめられ、濃縮されて、その精髄のすべてがいきいきと語られている」と書いている。

開高によれば、こうした光景は大阪でしか見られず、九州や東京のどん底でも見られないだろう。もし、この女が東京の山谷に現われて同じことをしたら、どうなるか。おそらく警官隊と住人の双方から「ナメるな」と言って袋だたきにされるに違いない。

そこに「〝東京〟気質と〝大阪〟気質の決定的なちがいがある」と指摘して開高は次のように続ける。

「そして、私はといえば、血まみれになって狂ったように走りまわりながらもちゃんとポケットから一〇エンだして女から石を買ってやった釜ヶ崎住人たちが好きである。その寛容さとその優しさにうたれる。また、その徹底ぶりと、なんとも人を食ったそのユーモアに、うたれる。〝ええ石でっせ〟というのはいいじゃないか。当意即妙、闇夜に閃めく匕首のように鋭い笑いがあるではないか」

しかし、大阪を根拠地とする維新には何よりも笑いがない。

私は今度、森功と『日本の闇と怪物たち』（平凡社新書）を出し、怪物の一人に竹中平蔵を挙げたが、維新と竹中、そして維新と統一教会の深い関係が見逃されている。森が語る。

「竹中と維新の結びつきには、菅（義偉）が噛んでいるんじゃないですかね。要するに、菅が橋下（徹）や松井一郎を見出して、維新を引き立てていくと同時に、維新のブレーンとして竹中先生を紹介するというようなことですかね」

竹中は大阪府や大阪市の顧問にもなっていた。また維新の候補者選定委員長とかもやっている。橋下と竹中を表舞台に登場させたのは堺屋太一だが、橋下は原発再稼働反対から容認に簡単に変わっている。森友学園問題でも認可したのは当時の府知事の松井一郎であり、松井がその関門を開かなければ安倍晋三はそれに乗っかることができなかった。大阪カジノを進めているのも維新と維新亜流の菅である。私は統一教会は維新を応援しているとにらんでいる。

軍拡無用の宇都宮徳馬

自民党の政治家ながら宇都宮は容共議員として統一教会の激しい攻撃を受けた。しかし、一歩も退かずに軍縮運動の先頭に立ち続けた。いまは絶滅してしまったが、自民党にもこういう政治家はいたのである。宇都宮は石橋湛山に傾倒し、〝最後の石橋派〟などとも言われた。

「核兵器で殺されるよりも核兵器に反対して殺される方を私は選ぶ」と主張した宇都宮が二〇〇〇年に九三歳で亡くなった時、弔辞を読んだ土井たか子はこんなエピソードを披露している。社会党の議員だった土井の選挙の応援に兵庫県まで来た宇都宮は「私は金大中事件やロッキード事件で示された自民党の腐敗ぶりに絶望して先日（一九七六年一〇月一二日）離党し、議員も辞職（一〇月二八日）しました。だから、晴れて、おたかさんの応援ができる。タカ派はいやだけど、おたかさんはいいから」と演説したのである。

激戦区といわれた厳しい選挙だった。土井は「尊敬する大先輩の宇都宮先生がかけつけて下さったことに、私は本当にびっくりすると同時に、どれほど励まされたことか、いま思い出しても熱いものがこみあげてまいります」と語っている。

引退した宇都宮を市民グループは放っておかなかった。一九八〇年の参議院議員選挙の東京地方区に反軍拡の一点でかつぎだし、圧勝させたのである。

宇都宮には『軍拡無用』（すずさわ書店）という本があるが、アメリカの言うがままに軍拡に走る岸田自公政権に対抗して、いまこそ「軍拡無用」と叫ばなければならない。

宇都宮は選挙公約に掲げた国際軍縮議員連盟の設立と軍縮研究室の創設に邁進した。それは鬼気迫るものがあり、何万冊もの原爆の写真集を携えて「軍縮行脚」を続けたのである。反長州の佐賀出身だった父、宇都宮太郎（元陸軍大将）譲りの反骨精神旺盛で毒舌も激しかった。

『毎日新聞』記者だった岩見隆夫によれば、三島由紀夫の自決で自民党のタカ派が勢いづいていたころ、宇都宮は「タカ派じゃなくてブタ派ですよ。彼らは米国のタカ派が食い残した獲物をあさっているだけの、つまりブタです。こんなこと言うとブタが怒るだろうが」と口を極めて罵っていたという。ブタ派には統一教会のレッテルが入墨のようにべったりと貼られているということだろう。

拙著『湛山除名』（旬報社刊、佐高信評伝選第三巻所収）でも引用したが、宇都宮は『朝日ジャーナル』一九六三年一月二七日号で、こう発言している。

「いまの自民党の中には、歴史的にいうと二つの流れがあると思う。一つの流れは明治の近代政治が始まったころに自由民権運動をやり、その後、護憲三派運動をやり、戦争になると翼賛政治会に属さないで野党的だった、そういう流れ。

もう一つは、自由民権運動は反国家的な逆賊的なものだ、普通選挙運動はアカだといい、戦争中は軍人政治、ファッショを謳歌し、戦後になって極端に米外交に追従するというもの」

前者を代表するのが民権派の湛山であり、後者のそれが国権派の岸信介だった。水と油の二つの流れが保守合同で一緒になってしまったのだが、宇都宮は「腐敗政治の元凶となるファシズムに通ずる」として、それに反対した。

学者のモノ知らず

中野美奈子、菊間千乃、内田恭子、伊藤聡子といったアナウンサーから、元アイドルで自民党の参院議員となった生稲晃子まで、この国の会社ではイエスマンならぬイエスウーマンが社外取締役となっている。もちろん、男性のそれも含めて、彼らは経営陣に異議を唱えることはあるまい。そんなことをしたらすぐに社外取締役からはずされるだろう。つまり、彼らはうなずき人形なのだ。〝無銭飲食〟ならぬ〝無口飲食〟と言ったら言い過ぎだろうか。

それほどに社長たちはチェックされることを嫌う。だから、トヨタをはじめ社長世襲が疑われることなく続いている。政界も経済界も世襲社会なのだ。

そんな実態を知らずに東大名誉教授の岩井克人が『週刊現代』の二〇二三年七月一五日・二二日号で「『モノ言う株主』が日本企業をダメにした」と見当違いのことをほざいている。「世界的経済学者」だと言うが、この妄言に最も喜ぶのはこの国のダメな経営者たちだろう。ロングセラーとなっている『ルワンダ中央銀行総裁日記』（中公新書）の著者、服部正也は、労働組合の力の強いイギリスなどの経営者の方がほとんどもの言わぬ組合を相手にしている日本の経営者よりずっと優れていると喝破していた。

「モノ言う株主」や「モノ言う労働組合」、そして「モノ言うメディア」こそ、この国に決定的に欠けているものではないか。モノ言われる弱みを抱えているから、経営者はモノ言う株主を煙たがるのである。それを抱えていなければ、何も彼らを恐れる必要はない。

こんな簡単なこともわからない岩井が『会社はこれからどうなるのか』で小林秀雄賞を受賞したというの

だからあきれる。

学者のモノ知らずについて、三菱重工爆破事件を起こして死刑判決を受けた大道寺将司が『最終獄中通信』(河出書房新社)で、明治学院大学教授だった加藤典洋を例に批判している。

大道寺によれば、加藤は二〇〇二年に九・一一と三菱重工爆破を対比させ、約三〇年前は「世界のあり方への洞察は、そのままでは思い込み、幻想と一緒だった」が、今は世界の矛盾が一望になっているから現実が幻想に追いついたと言い、三菱重工を爆破した者たちは「無関係の人を殺傷するのは許せないとの批判には、丸の内を通行しているような日本人は多かれ少なかれ同罪だと答えた」と記している。

爆破後の声明文を根拠にしての断罪なのだろう。確かに当時、大道寺たちは爆破を正当化しようとして居直りの声明文を公表したが、それが誤りであったことを、多数の人たちを殺傷したことの誤りとともに認め、自己批判している。そして大道寺は口ごもりがちに言う。

「加藤典洋氏は、自らの言説を成立させるためにぼくたちの誤りをダシに使ったわけですが、学者としても評論家としても安易で不誠実だとのそしりを免れないでしょう。また、氏は、三菱重工爆破を『第三世界人民』が賛同したことはなかったとも書いていますが、韓国など日本の植民地支配下にあった地の少なからぬ人々が支持や賛同を表明してくれたようです。三菱重工爆破は、思い込みと幻想の産物だと決めつけたいのでしょうが、もっとよく調べてほしいものです」

維新不祥事列伝

西谷文和の『打倒維新へ。あきらめへん大阪!』（せせらぎ出版）は繰り返し読まれるべき本である。一家に一冊必要な本と言ってもいい。そこには驚くべき維新の実態がバクロされている。

まず、「維新不祥事ワースト10」のトップに挙げられるのが成松圭太。死亡したスリランカのウィシュマさんを「ハンストによる体調不良で亡くなったのかもしれない」と言った参院議員の梅村みずほの公設第一秘書だった男である。

二〇二一年春に成松は殺人未遂容疑で逮捕されたが、記者会見した梅村は何と「日頃の勤務態度も真面目で人付き合いもよかった」などと釈明した。

西谷はこれに怒って「ふだんから人付き合いがよかったヤツが殺人未遂を起こすか! 誰かもっと突っ込めよ」と突っ込んでいる。

さすがに成松は解雇されたが、その後、被害者と示談が成立して殺人未遂容疑が傷害事件に格下げされ、不起訴になった。そして、二〇二二年六月には日本維新の会の党職員に再雇用されたという。維新はこうしたアブナイ人間ばかりを集めているのか。

なぜ、成松は再雇用されたのか? 西谷の解釈を引く。

「成松は維新の府議会議員で大阪市西区から出ている横倉廉幸の娘婿なのだ。松井（一郎）はこの横倉の世話になっていて頭が上がらないと言われている。これは究極の縁故資本主義である。公務員や生活保護受給者、在日韓国・朝鮮人に厳しく、身内に甘い。知人を殴り車で轢いた人物を、党の職員にする。それが現在の維新の会である」

大阪府知事の吉村洋文はサラ金の武富士の弁護をしていた。㈱金曜日の社長をしていたころ、武富士を批判して訴えられたので吉村とは敵対関係だが、私は維新がカジノに躍起になるのは、それに狂った人たちがサラ金やヤミ金に駆け込んで彼らをもうけさせるからではないかと疑っている。

大阪万博にしてもキナ臭い匂いがプンプンする。万博パビリオンの責任者の森下竜一が特にウサン臭い。森下は安倍晋三のゴルフ仲間で、加計孝太郎とも一緒にゴルフをしていた。

もう忘れられているが、吉村はコロナにイソジンが効果があると言って大騒ぎさせただけでなく、突然、テレビで「大阪産ワクチン」ができるなどとドヤ顔で言った。アンジェスという森下の会社がつくるという話だったが、結局ダメだった。

しかし、それによって株価は急騰したのである。もうけた奴が必ずいるわけで、吉村や森下がその責任を免れているのはおかしいだろう。

この本に登場している日本城タクシー社長の坂本篤紀の指摘が鋭い。ここのタクシーは「ヘイトスピーチ許さない」というステッカーを貼って走っているとか。維新の創業者の橋下徹が同席を嫌がる天敵らしい。維新は「小さな政府」と言うが、坂本によれば「全労働者に占める公務員の割合って、OECD諸国の中でぶっちぎりの最下位」である。要するに維新にパブリック（公）という観念はない。維新がリストラして病院のベッドがまったく足りない。「万博は何のためにやってるの？　お友だちがもうけるためにやってるわけ」と坂本は追及する。

角栄の孫と岸信介の孫

田中角栄がもてあましたジャジャ馬娘の真紀子と私は二〇〇七年に『問答有用』（朝日新聞社）という共著を出した。気ままな彼女との対話を本にするのは無理だと思ったのだが、練達の編集者の矢部万紀子が粘って出版にこぎつけた。

それはともかく、彼女を「多面性のある主婦。この一言がすべて！　他に表現のしようもなし」と評している息子の雄一郎は公認会計士になって政治家にはならなかった。母はすすめたらしいが断り続けたのである。

岸信介の孫の安倍晋三とはあまりにも違う。いや、吉田茂の孫の麻生太郎や河野一郎の孫の太郎を含むすべての世襲政治家と違って、田中雄一郎がとびぬけて屹立（きつりつ）しているのである。

松元ヒロが私との対話『安倍政権を笑い倒す』（角川新書）で、「前自民党総裁・前内閣総理大臣の安倍晋三衆議院議員と行く国会見学ツアー」に参加した時のことを語っている。第一次政権放棄の後である。

質問タイムになって小学校高学年か中学生ぐらいの子どもが

「安倍さんはどうして国会議員という職業に就いたんですか」

と尋ねた。すると安倍は、

「それはですね、私の父もこの仕事をやりました。私のおじいちゃんもこの仕事をやりました。だからこの職に就きました」

と答えたのである。その瞬間、

「これは正真正銘のバカだ」

とヒロは確信したという。

孫の差はつまりは親および祖父の差なのだろう。

田中真紀子の『父と私』(日刊工業新聞社) によれば、一九九二年夏、田中角栄は二〇年ぶりに中国を訪れた。言語の不自由な角栄に代わって真紀子があいさつを読みあげ、大学四年生になっていた雄一郎がそれを中国語に通訳した。終わった途端、当時の首相の李鵬が、

「お孫さんの今の中国語を採点して差し上げましょう」

と言い、厳しくつけると七五点、甘くつけると八〇点と続けた。

李鵬の「下手なお世辞や外交辞令を言わぬ、率直なお人柄」に真紀子夫婦は感心し、雄一郎はテレて頭をかいていた。

「お兄ちゃま、あと二五点分勉強しなくちゃね」

と二人の妹は笑っていたとか。

こうしたことがあっても政治家にはならなかったのである。

安倍晋三よりは田中雄一郎にその道を進んでほしかったなどと思うのは私だけだろうか。

『父と私』にはこんな一節もある。

「土井たか子先生は私が尊敬する女性政治家である。先生は日本社会党出身の衆議院議員。私は早稲田の大学生の頃から、なぜか土井先生のことを好もしく思っていた。議員になってから、土井先生からお声がかかって二人きりで食事をしたり、お酒を楽しんだりする機会に恵まれるようになった」

角栄が亡くなった時、衆院議長だった土井はすぐに目白台の角栄宅へ弔問に訪れた。まだ議員になったばかりだった真紀子は尊敬する人物の登場に驚いたという。親しくなってからの食事会で土井は告白した。

「あなたのお父様は、とっても素敵な方だったのよ！　一人の男性としてすごく魅力的。政党には関係なく、国会には色々な人がいるけれど、田中先生は特別、魅力的な男性でした」

娘だから女性から言われるのは嫌かもしれないがという注釈つきでである。

アメリカの原罪

いいだももの『アメリカの英雄』（河出書房新社）という小説がある。日本に原子爆弾を落とした戦闘機のパイロットが、アメリカに帰って戦争を終らせた英雄としてもてはやされる物語である。しかし、この若きアメリカン・ヒーローは、しばらくしてヒロシマにやって来て、「英雄」と呼ばれる自分がやったことは何なのかを、予想もしなかった激しい衝撃で受けとめることになった。

もちろんオバマは歴代のアメリカ大統領の中ではマシな大統領だったが、ヒロシマを訪れた時、原爆資料館は一〇分のぞいただけだった。

その後の次の演説を日本のメディアは手放しで礼讃した。

「私の国の物語は（独立宣言の）簡単な言葉で始まります。『すべての人類は平等に創造され、創造主によって奪うことのできない権利を与えられている。それは生命、自由、幸福追求の権利である』。しかしその理想を実現することは、米国内や米国民の間であっても、決して簡単ではありません」

河谷史夫の『読んだ、知った、考えた』（弦書房）によれば、唯幻論の岸田秀はこれを壮大な虚構だと排斥し、次のように指弾した。

「独立宣言に表明されている自由、平等、民主の共同幻想の背後には、アメリカ大陸の『発見』当時に北米に一〇〇万はいたと推定される原住民が二〇万を下回るに至った大量虐殺の経験があった。アメリカの共同幻想はこの経験の抑圧と正当化に支えられている」

この時、『朝日新聞』は塩野七生に「日本が原爆投下への謝罪を求めない、としたことの意味は大きい」と言わせた。「品位の高さを強く印象づけることになる」からだという。私は塩野を女司馬遼太郎だと思って相手にしないが、河谷は古巣の『朝日』に怒って、こう書いている。

「無惨に殺された者の無念さは生者には分かるまい。死者に口がきければ、『あの日、原爆を落としたことをどう思うか』と大統領に質したに違いない」

ただし、『アメリカの世紀と日本』の著者、ケネス・パイルは日本に対しても次のように釘を刺す。

「日本自らが帝国主義体制確立の野望を抱いたことを否定できるわけではない。戦争末期に連合国が民間人を標的にしたことは確かだが、それは国民に甚大な犠牲を強いる戦争の続行という無責任な決定を日本の指導者が下したことを打ち消すものではない」

つまり、小型東条英機のような安倍晋三や岸田文雄を首相にしたこととの責任は問われるということである。

河谷は安倍についてこう書く。

「ヒラリーへ、トランプへ、オバマへ、プーチンへと、こけつまろびつ座敷犬のように駆け回る我らが宰相の外交の真髄は『地球を俯瞰する外交』だそうだが、座敷犬に俯瞰などできるのか。年明け、さっそく東南アジアから豪州歴訪に出かけて行ったが、外遊ごとにあちらこちらへ、ただ金をばらまいているだけのように見受けられる」

二〇一七年の『フォーブス』によれば「世界で最も影響力のある人物」の一位がプーチンで、以下、トランプ、メルケル、習近平と続く。安倍が三七位で、豊田章男が二九位である。私なら「誇れる日本人」として中村哲を挙げたい。挙げ続けたい。

産経反共文化人、佐藤優

性懲りもなく池上彰と共に『日本左翼史』の四冊目を出した佐藤優は『産経新聞』シンパの反共すなわち反左翼論者である。自らも告白しているように、かつては社会主義青年同盟、いわゆる社青同の一員だったらしいが、体制擁護の『産経』や『文藝春秋』の常連執筆者となっては権力への批判精神は捨てたと言わなければならない。原発賛成論者となって原発推進の広告にも出ている。

つまりは早々に「日和った」ということだが、それなのに平気で次のように言うのは、現在の位置への自覚がないからか、それとももともと鈍感なのか。

「だいたい民権派サイドも大隈（重信）は穏健派であるのに対して板垣（退助）は急進派と温度差があったわけですけれど、急進派の板垣にしても比較的早い段階で日和ってしまいましたからね」

佐藤がしたり顔でこう言うと

「自由民権運動末期における板垣の立ち居振る舞いは、たしかに往年の維新志士にしては卑怯かもしれませんね」

と池上が受けている。しかし、もちろん大隈や板垣と二人を並べるわけではないが、「比較的早い段階で日和って」卑怯なのはお前たちだろうと怒鳴りつけたくなる。反左翼の佐藤と違って、日和らずに左翼を通した大道寺将司が『最終獄中通信』（河出書房新社）で佐藤を痛烈に批判している。言うまでもなく大道寺は三菱重工爆破事件を起こして逮捕され、死刑判決を受けたが、執行前に病死した。

二〇一六年一月一四日の日記に大道寺はこう書いている。

「佐藤と池上彰の共著が何十万部も売れているらしいので、安倍政権の支持率四〇％と同様におかしいなと思ってきました。そうしたら佐藤は創価学会と公明党にくっついているだけでなく、年号に皇紀を使うなどウルトラ右翼だったとは。何のことはない安倍政権の別動隊です。メディアは使い勝手がいいから多用しているのだけれど、しっかりしてくれよと言いたい」

公明党の代表代行だった浜四津敏子は自民党の腐敗を批判してきたので、自民党との連立に苦しんだらしい。自衛隊のイラク派遣にも「平和の党が戦争に賛成するなんてできない」と明言し、『朝日新聞』の記者に「連立で公明党らしさを失った一番の原因はイラク戦争への対応だった」と語ったという。彼女の死が二年以上も公表されなかったのは、あらためて公明党の変質が語られるからだろう。

ゴッドファーザー

二〇一六年一月二三日付『朝日新聞』「天声人語」は「民主党は『立憲民主党』と党名を改めてはどうか。

評論家の佐高信さんが提案した」と始まる。その三日前の一九日に憲法学者の樋口陽一や小林節らと発足させた「立憲政治を取り戻す国民運動委員会」の記者会見の席で私が「民主党は自由民主党と紛らわしいから『立憲民主党』という名前にしたらどうか」と提案したと二一日付の『日刊ゲンダイ』に出ている。ゴッドファーザー（名づけ親）というわけだが、誰でも思いつく名前なので別に〝特許〟を申請するつもりはない。名前より中身だろう。それも政策より人なのではないか。現在の立憲の体たらくを見ていると、そう考えざるをえない。

秋田に栗林三郎という日本社会党の議員がいた。その「人と運動」を追った『米と出稼ぎ』によれば、県会議員時代、栗林は懲罰動議を出された。

「社会党や共産党の議員はどんどん懲罰にかかるようでなければだめだ」

彼は常々そう主張していたが現実になったのである。

一九五二年のその当時はレッドパージの嵐が吹き荒れ、県庁の共産党系の職員がクビを切られた。社会党県議団はそれに反対し、台湾の警察出身の総務部長に抗議していた。

口の悪い栗林は、この男のことを〝お粗末部長〟と呼んでいたが、クビ切り問題に触れて、

「無能で仕事ができなくて辞めさせるというのならわかるが、ものの考え方がこうだからというのでクビを切るとは何事か。むしろ無能な者を整理したらどうだ」

と発言し、

「無能な者は平職員ばかりでなく大幹部にもいる。ここに〝お粗末部長〟がいる」

と総務部長を名指しした。

それに対して、自民党議員が
「直接に人身攻撃をするのは職員の品位を汚し、議会の品位を損なうものだ」

と騒いで懲罰動議を出した。

「お粗末だからお粗末だと言った。しかも敬称の〝お〟の字をつけた。何が非礼なんだ」

と栗林は反論したが、採決ということになる。

しかし、自民党の中にも、

「そんなことで懲罰とは」

と考える良識派がいて、採決しても立つ人、立たない人がまぎらわしい状況だった。

議長は自民党だったが栗林とは案外気が合う人物で、一応、

「採決しましょうか」

と言い、すぐに、

「可否同数」

と叫んだ。多分、数えなかったのだろう。そして、

「可否同数ですから、扱いは議長に任せてもらえませんか」

と言って引き取ってしまった。栗林によれば「ずいぶん粋な計らい」である。

栗林は農民運動家の野溝勝が好きだったが、勲章をもらったのには本当にがっかりした。

「社会主義者ともあろうものが、と腹が立ってしかたがなかった。国民の名で出されるものならともかく、太政官令で天皇の名で出されるものを受け取るべきではない、というのが私の考え方である。表だって天皇

制反対といわないにしても、思想としては天皇制を否定しているのが社会主義者のはずである」と主張する栗林に私は全面的に賛成である。立憲民主党を「立憲反骨党」にしたら、誰もいなくなってしまうだろうか？

竹中平蔵を弾劾する

『サンデー毎日』の二〇二三年九月三日号で竹中平蔵が問わず語りに己の罪を自白している。

公をなくする自由競争を進めながら、竹中がベーシックインカムなどと言うのも笑わせるが、日本では「維新がそういうのをやってくる」と主張する。つまりは維新とつるんで日本を大阪のようにしたいのだ。病院をなくし、公務員を削減して、そこに自分が会長だったパソナが派遣社員を送り込む。それでメチャクチャになった大阪を日本に広げるというわけである。

やましいこととそうでないことの区別が竹中にはつかない。それで、こんなことを言う。

「加計問題は普通のプロセスで国家戦略特区を作った。オープンな競争をして加計が選ばれた。そのプロセスで安倍首相はやましいことは何もしていない」

マイナンバーについての感覚もやはり相当にズレている。

「ひも付けミスへの批判はあるが、あのくらいの人為ミスは誤差の範囲内だ。システムを変える時一〇〇％なんてあり得ない。マイナを使って、国税庁と年金機構を一緒にしてデジタル歳入庁にすればいい。税金や保険料をどう払っていて、どの程度の社会保障を受給しているかが個人で全部分かるようになる」

拙著『竹中平蔵への退場勧告』(旬報社)で追及したが、竹中には住民税を払わなかったという〝逃税疑惑〟がある。皮肉って言えば、そうしたことが分かってもいいのか。それにしても「あのくらいの人為ミスは誤差の範囲内」とは言いも言ったりだ。こんな人間が議員や大臣をやっていたのである。

竹下登の秘書で田中(角栄)派の系譜に属しながら、田中に反逆する小泉と組んだ青木幹雄は、二〇〇三年秋の自民党総裁選挙を前に、野中広務や古賀誠を呼んで「静かにしてくれないか」と頭を下げたという。

「とにかく小泉に約束させるから。もう道路公団の民営化はやらない。郵政民営化はやらない。川口順子外相や、竹中平蔵経済財政政策・金融担当相を辞めさせる。小泉に一筆書かせる。今度の総裁選が終わったらやらせる。書面にする」

そして付け加えた。

「オレの言うことだけでは信用できないだろうから、森喜朗を立会人にしてもいい」

小泉が郵政民営化ならぬ会社化をやらないわけがない。青木はまた野中と古賀を呼んで

「書面にすると言ったけど、できなかった。でも、小泉に道路や郵政は絶対にやらせないから。約束はちゃんと果たす」

と言った。

松田賢弥の『逆臣　青木幹雄』(講談社)によれば、野中は、

「青木は結局、『口約束』でオレをずっと引っぱっていた」

と憤った。だまされたのだ。

「そうかもしれんなあ。青木は別の場で『竹下とオレがつくった派閥を、オレが壊してどこが悪い』と

言ったらしいけど、オレに面と向かっては言わんさ」

小泉や青木、そして竹中に比べれば、田中や野中の方がずっと公を考えていた。やはり青木にだまされた村上正邦が怒る。

「大問題になっている『後期高齢者医療制度』は小泉の『郵政解散』で三分の二の議席を奪い、数の力で強行採決したものだ。力を貸したのは青木だ」

鈴木宗男の定年延長

「私は政治家は六五歳で引退すべきという考えなんですよ。年金をもらうようになったとき、政治家は退くべきです」

二〇〇八年に出された高須基仁の『私は貝になりたい』（モッツ出版）で、こう宣言しているのは、現在は維新に所属する鈴木宗男である。その鈴木は現在七五歳だから、勝手に定年延長して一〇年も経つ。

『貝になりたい』で高須は宗男の選挙応援に札幌に行った時のことを書いている。

宗男と高須の縁は、表向き高須が宗男の秘書のムルアカの本をつくったからとなっているが、「ホントは裏の筋からの依頼によるものだ」という。

宗男の選挙の応援演説をする高須の写真も入っていて、高須はこんな注釈をつけている。

「他の（応援）メンバーは松山千春、ポール牧、大仁田厚。宗男は胃の三分の二を取ってる。私も四分の三を取ってる。それに二人とも小柄だし、なんとなく親近感を感じる。だが、宗男の目は飛んでるな。精神のゆがみが感じられた」

高須の演説の主旨は「宗男よ、黄色のネクタイをつけろ」だった。アメリカでは黄色いネクタイはパワータイで、ここぞという時につける。

宗男も辻元清美や田中真紀子とやりあった時は黄色のネクタイだった。

しかし、高須が応援に行った参議院議員選挙ではブルーのネクタイをしていた。

松山千春の『大空と大地のナントカ』という歌のイメージでクリーンをアピールしたかったらしい。

それについて高須は「宗男がクリーンなわけないいんだから」と指摘し、「東京に出て来た時はまた黄色でやれ」と訴えたという。そして、こう付け加えたら大拍手だったとか。

「日本ではこの人は犯罪者だけど、北海道では犯罪者ではない」

応援しているのか、けなしているのかわからないスピーチだが、高須は宗男のこんな田原総一朗批判も引き出している。

「自己中心的人物以外の何者でもない。司会者は、人がしゃべっている間に口をはさんではいけません。政治家は、彼らに協力する必要はないんです。あんな番組（『朝まで生テレビ！』）に出る政治家はバカですよ」

また、小泉純一郎に対しても次のように糾弾している。

「二〇世紀は科学技術の発展の世紀でしたが、二一世紀は心の時代だと思ってるんですよ。限りない郷土愛が祖国愛につながっていく。さらにその根っこにあるのは、家族愛だと思うんです。小泉さんは、自分の三番目の息子に会わない。息子が会いたがっているのに。この一点だけでも、人間として大きなものが欠けてると思いますよ。自分の子どもに責任持たずして、なんで政治に責任が持てるのかと言いたいですよ。彼はマスコミが当初言っていた通り『変人』ですね」

小泉は息子、宗男は娘を世襲的に政治家にしている点に於て私は同じだと思うが、この小泉評も現在は変わっているかもしれない。

「六五歳で引退すべき」と主張しながら、七五歳になっても引退しないことでわかるように、宗男の言うことはクルクル変わるからである。日替わり宗男だ。一時は私と付き合って幅が広がったと言っていたのだが……。

俗と濁のエネルギー

旬報社から刊行中の「佐高信評伝選」第六巻の題名を『俗と濁のエネルギー』としたのは、それらを軽視してはならないとの思いからである。

林達夫は、わが師の久野収との対話『思想のドラマトゥルギー』(平凡社)で、「雅俗のどっちを取るかというと、僕は何のためらいもなく、断然『俗』を取る」と宣言している。また、柳田国男の「笑いの研究」を批評して「上品な笑い　健康な笑い」を書き、柳田の笑いの関心は、上品や高雅なものに限られ、俗の方のエロの笑いについては省略していると指摘している。

とりわけセンセイは俗を排しがちだが、林は講演が長くなって止まらなくなったことを反省しながら、「永年の教師商売が僕をこんな精神硬直症にしてしまっている」と嘆いた。

久野の次の述懐も心にとめておいた方がいいだろう。

「竹内(好)とか埴谷(雄高)とか花田(清輝)とか僕はまったく同年に近い年代で『ならず者』世代です。

この四人は結婚も野合で、嫁さんや子供のことは誰も語らないし、それを文章のタネにしたりしない。戦争の太鼓もたたかなかった。生活がどんなに苦しくとも学校の先生にあまりなりたがらない。学校の先生をした竹内と僕は、その点では駄目な方です」

教える生徒や学生は年々若くなる。ということは反発や反論もどんどん弱くなるわけで、チェックを失った先生の言説はムダにカゲキになって現実から離れる。空転するということだが、私はたとえば柄谷行人にそんな臭いを強く感ずる。

俗より聖を高しとするインテリ批判から教師批判に流れてしまった。

『俗と濁のエネルギー』には古賀政男、土門拳、そして徳間康快の評伝を収めている。

それぞれの解題が「古賀メロディーをどう克服するか」「裏日本の反骨の系譜」に「濁々併せ呑む男」である。演劇評論家の渡辺保は徳間伝について、「三分に一度笑える爆笑映画」というコピーがあったが、この本は一ページに一度笑える、と書いてくれた。何よりも破天荒な徳間の魅力である。

先日亡くなった森村誠一は、私との対談でこう語った。

「徳間社長の生涯をたどってみますと、あえて火中の栗を拾う性格です。それから、一点にとどまらず常に上昇志向、拡大精神がありますね。

徳間社長と二人だけになったとき、何気なく『森村さん、ジンギスカンについて書いてみないか』って言われたことがあるんです。ジンギスカンは『地果て海尽きるまで』どんどん拡大していった人です。家来にも人材、豪傑が揃っています。徳間社長の人脈は、ジンギスカンの人脈に非常によく似ていると思いました。『雲より高く』『海より遠く』という精神の原形質があるんじゃないでしょうか」

渡辺の書評の結びを引こう。

「彼の口癖は『カネは銀行にいくらでもある』であり、『お札は紙に過ぎない』であった。収支はトントンになればいい。問題はその先を続けられるかどうかだ」

映画の『敦煌』を撮る時、絶対に損するからと部下たちがどんなに止めても、徳間は、

「中国からもうけちゃいかん。日本人はさんざん悪いことをしたんだから」と言って、反対を押し切った。

中村哲を紙幣の顔に

「日本に軍事力を持たせることはアルコール中毒患者にウィスキーを与えるようなものだ」と言ったアジアの指導者がいた。それは言い過ぎたと反発する者がいたら、次の小学生の声を聞いてほしい。満州事変の翌年の一九三二年に東京の小学五、六年生が『アサヒグラフ』でやった座談会のものである。

「満州事変てどういふ事?」と問いかける記者にK君が、

「支那人が日本人に対して大変無礼であるから、吾々日本の軍人はこれを懲らしめるために満州で支那と戦って居る」

と答える。「国際連盟をどう思ふか」という問いには、

「世界の臆病が集って相談する所です」

と、やはりK君が答え、「外務大臣になったらどうする」と問われて、N君とH君が次々に答える。

「国際連盟の事は相手にしない。国際連盟は偏頗ですから」

「僕は外務大臣になったら、しつこく言ふやうな奴（国際連盟）は吹っ飛ばして了ふ（笑）」

まことに勇ましいが、「日米戦争が起ると思ふか」には、F君、K君、そしてFさんが声をそろえる。

「僕は起ると思ふ。アメリカ人は威張りくさって居るから一度負かして見たい」

「米国人の高慢な鼻をへシ折るために一度撃滅して見たい」

「私もそうして見たいわ」

読んでいて肌寒くなるが、当時の日本はまさに現在の北朝鮮だったのである。

こうした日本のイメージを払拭（ふっしょく）するオススメの方法がある。それは中村哲を紙幣の顔にすることである。

アメリカに求められたイラクへの自衛隊派遣に中村は国会でこう断言した。

「自衛隊派遣は有害無益。飢餓状態の解消こそが最大の問題です」

フランス出身の日本文学研究家、マブソン青眼と対談して、フランスでは『星の王子さま』で知られる詩人のサン＝テグジュペリが五〇フラン札になったと言われてハッとした。彼の国では戦争に反対して逮捕、投獄された人たちは、戦後、石碑を建てられたり、学校の名前になったりして称えられているという。

そう言ってマブソンは、

「渡辺白泉の顔を千円札の顔にすれば、どれだけ国際的に日本が評価されるか」

と続けた。

「戦争が廊下の奥に立ってゐた」という句をつくった白泉の名を知っている人は、残念ながら多くはない。だから、千円札の顔にと言っても賛成する人はほとんどいないだろう。

しかし、中村を紙幣の顔にと言ったら、確かな人は賛成するのではないか。そして、もし実現したら、

「どれだけ日本が国際的に評価されるか」わからない。中村が亡くなった時、私は二〇一九年一二月一二日付の『西日本新聞』に追悼文を書き、それをこう結んだ。

「中村が撃たれたと知った時、日本国憲法が撃たれたのだと私は思った。現在の自公政権は憲法を改めるというより壊そうとしているが、中村が求めたように、胸を張って憲法を世界に広める努力をしていれば、中村は撃たれなかったと私は思う。中村の死は日本国憲法の無力を意味しない。中村はその存在と行動によって憲法の理念を体現していたからだ」

『噂の真相』の変読者

二〇〇四年に黒字休刊した『噂の真相』は本当にタブーに挑む雑誌だった。だから、右翼に襲撃されたり、スキャンダルを暴かれた政治家や検事や作家から訴えられたりもしている。

しかし、ジャニーズ疑惑などとっくに取り上げていた。その『噂の真相』の変な読者ではなく変わった読者に、安倍晋太郎の異父弟で日本興業銀行の頭取をやった西村正雄がいた。

当時の首相、小泉純一郎の靖国参拝を痛烈に批判していた西村は二〇〇六年八月一日に急逝する。その死の直前のインタビューが八月一六日付の『東京新聞』に掲載された。そこで西村は、小泉が「(靖国という)一つの問題で意見が違うから首脳会談を開かないことは理解できない」と中国を批判したのに対し、「首相も郵政民営化という一つの問題で、意見が違う政治家を追い出した。同じ『一つの問題』でも中国にとっての靖国問題の方が深刻だ」と切り返した。西村は「現役財界人は右翼が怖くて取材に応じないと聞き、『そんなにだらしねぇのか、今の現役のやつらは』と反骨精神に火がついた」と発言の動機を説明しているが、明らかに小泉の靖国参拝はその右翼を元気づけた。それなのに小泉は加藤紘一の実家が焼かれた時に直ちにそれを遺憾とする発言はしなかった。西村はおいの安倍晋三が早々に首相になることに反対し、安倍の周囲に「過去の戦争を肯定するなど歴史認識が欠如している」若手議員や、調子がいいだけで無責任な学者や自称ジャーナリストしかいないことを憂えていた。

そんな西村と私は交友があり、ある時もらった手紙にはこんなことが書いてあった。

「実はかつては『噂の真相』はスキャンダルを載せるブラック誌程度と思っていましたが、十数年前、当時大蔵省官房長であった篠沢恭助氏（現国際協力銀行総裁）から『噂の真相』を毎号読んでいると聞き、情報収集が重要な職務の一つである大蔵省官房長の必読の雑誌であるなら読む価値のある雑誌と思い、以後私も読むようになりました。従って廃刊は誠に残念と思っております」

城山三郎は大岡昇平が熱心な読者だと知って読むようになったと言っていた。

西村が急逝して三日後の新聞に安倍晋三が四月に靖国神社にこっそり参拝していたことが報じられた。安倍は頭の上がらない叔父の西村に、こっそり参拝は隠していたのだろう。西村が亡くなった後に、そのニュースが流れた。数少ない気骨ある財界人の西村は、拙著『小泉よ　日本を潰す気か！』（KKベストセラーズ）にもていねいな読後感を寄せてくれたが、特に次の指摘に共感したという。

「戦前、電力の鬼といわれた松永安左エ門氏は『革新』を叫ぶ近衛首相を『浮かれ革新めが！』と一刀両断の下に斬り捨てた。案の定、近衛は軍部を抑えられずに電力の国家管理を推し進め、軍部独走への道を開いた。やはり国民の人気の高い小泉も思慮分別のないタカ派として、同じ露払い役を果たす可能性がある」

「浮かれ革新」は現在で言えば「浮かれ維新」だろう。西村は手紙の最後を「この本のお陰で、小泉・竹中改革が郵政民営化も含めて実はアメリカの指示によるもの」と気づくことができれば、と結んでいる。

大道寺将司の句と手紙

共に気難しい詩人と俳人だから、辺見庸と斎藤慎爾は深い交流はなかっただろう。あるいは、会ったこともないかもしれない。その二人が『友へ』（ぱる出版）という大道寺将司の句集で辺見が「序にかえて」を書き、斎藤が巻末で、けっこう長い解説を書いている。

一九四八年に釧路に生まれた大道寺は東アジア反日武装戦線「狼」を名乗り、一九七四年に三菱重工ビル爆破事件を起こした。その大道寺を、豆腐屋から作家に転じた松下竜一が『狼煙を見よ』（河出書房新社）に描いたが、極めて無口な松下が、大道寺の母親に会いに行っても黙ったままなので、たまりかねた母親が、

「松下さん、トランプでもしましょうか」

と言ったという逸話がある。

それはともかく、死刑判決を受けた獄中で大道寺が松下の『豆腐屋の四季』（講談社文芸文庫）を読み、感銘を受けて、こんな手紙を書いた。

「ぼくがガチガチにイキがっていた頃、ぼくは〝人民〟や〝大衆〟という言葉を無頓着に使ってきました。それは、十代後半から左翼運動に入って、そういった表現に麻痺していたんでしょうね。……ところで〝人民〟や〝大衆〟といってしまう時、個々の生活者の特殊性などは見えなくなってしまいます。……ぼくが

『豆腐屋の四季』に感動し涙を流したのは、決して〝大衆〟としてくくってしまうことのできない生活をみせてもらったからだと思います。ぼくが人民とか大衆とくくってしまう中に松下青年（当時）の生活があった訳だし、三菱で死傷した人たちも含まれます。ぼくはそういったものが全然見えなかったのじゃないかと思いました。その反省と、見せてもらった喜びがありました」

大道寺は死刑執行前に獄中死したが、年譜によれば爆破事件の後、大道寺らは青酸カリのカプセルを所持し始めたという。死者への償いはできないが、せめて自分たちも死を賭して活動するとの思いからだった。

解説を書いている斎藤は山形県酒田市の飛島に生まれ、私の高校の先輩だった。彼をしのんで私は郷里の『荘内日報』に「〝孤島のランボー〟斎藤慎爾逝く」という追悼文を書いたが、斎藤は「『大道寺将司句集』を読もうとする読者に希望したいのは、あらゆる予断や先験的な倫理の枷を棄却したところで直截に虚心に対峙してほしいということである」と述べている。

私もそれにうなずいて、以下、大道寺の句を引く。

○初雪や
　濁世の底に
　救ひあり
○刑場の
　入口に立つ
　松飾り
○変転の

世に背を向くる
寒鴉
○生きてまた
迎へてをりし
今朝の春
○常闇（とこやみ）の
真中貫く
春の雷
○雹（ひょう）叩く
監獄に吾れ
生きてをり
○狼や
見果てぬ夢を
追ひ続け

責任回避の両論併記

まぐまぐのメルマガで「『噂の真相』人名録」を連載しているので、同誌に「ペログリ日記」を書いていた田中康夫との対談を読み返した。私が編んだ『日本国憲法の逆襲』（岩波書店）に収録されているもので、二〇〇一年春の発行である。田中が長野県知事選に立候補する直前の対談だった。盗聴法反対運動とかを一緒にやって、私は彼の偽悪的な仮面に隠された律儀さを知っている。この時も、速射砲のように繰り出す冗舌に共感することが多かった。現在に通ずる話を引く。

「なぜ『朝日』と『毎日』は自分を見失っていると言うのかというと、たとえば佐高信や田中康夫を『読売』も『産経』も、社会面でコメントぐらいは取るけれど、政治面や主張の欄に登場させはしないでしょ。ところが『毎日』や『朝日』は、田中明彦（東京大学）や北岡伸一（東京大学）、中西輝政（京都大学）、五百旗頭真（神戸大学）に書かせることがバランスだと勘違いしている。実は憲法に関しても、鳩山由紀夫と加藤紘一の意見を最も大きく載せたのはどこかと言えば、今年（二〇〇〇年）一月の『読売』の一面ですよ。中曽根（康弘）とその二人で鼎談をやって、もちろん中曽根に花をもたせるためにやっているにせよ、結果的には鳩山や加藤の憲法観を長文で知らしめた。では、『毎日』や『朝日』はどうだったのか。憲法記念日に、学者三人の意見を並べた記事の一番右に田中明彦の発言を載せているような『朝日』のバランス感覚は、ブチックの時代において敗北している」

何でもありの百貨店の時代に対するブチックの時代である。

「読者は一体どこにいるのか。自分のお客がわからないような連中に力なんか持ちえないということです」

田中の論難はこう続くが、「安倍国葬一年」とか、最近、『毎日』の主張欄に登場することの多い私は、二〇年余り経って、『朝日』と『毎日』の違いが大きくなってきたなと思わざるをえない。勘違いのバランス感覚からか、『朝日』は保守派の佐伯啓思のまったく刺激を受けることのない評論をズーッと載せている。

田中は限定したアイテムを扱うユニクロのような「カテゴリー・キラー」の時代だとして、次のように続ける。

「『産経』や『読売』はカテゴリー・キラーになっているわけですよ。あるいは『日経』の場合、最後まで小選挙区制反対を主張し得たのは、仮に小沢一郎を支持していた人でも購読を止めない経済新聞というカテゴリー・キラーのブチックだったからでしょ。ひるがえって、國弘正雄さんや鯨岡兵輔さんが愛読している『東京新聞』に至るまで、小選挙区制が参議院で否決された時に、『原点に戻って政治改革を』なんて駄文を佐々木毅（東京大学）に一面に書かせてしまった。その自信のなさは何なのかってことですよ」

國弘の主導で、私は三木睦子や田中と共に小選挙区制反対の記者会見をしたが、残念ながら少数派だった。

責任回避の両論併記は主張をつぶす。賛成反対を言わずに解説とやらに徹するという池上彰を私は休火山どころか死火山だと酷評したが、解説者は知ったかぶりの解説者を生みだすだけである。『朝日』の大幅な部数減は明確な主張を失った結果だとしか思えない。

泣かせる評伝選第七巻

「佐高信評伝選」全七巻が完結した。最終巻の『志操を貫いた医師と官僚と牧師夫人』を受け取って、採算に合わないかもしれない評伝選を出してくれた旬報社の社長、木内洋育にお礼を言ったら、「今度の巻が一番泣かせますね」と言われた。

確かに〝歩く日本国憲法〟の中村哲に始まって、水俣病と闘った原田正純、そして腐敗せざる官僚として自殺を選んだ山内豊徳や、非武装中立を貫いた異色官僚の佐橋滋など、私自身がその出会いに感謝しながら評伝を書いただけに、その思いは、少なくとも木内には伝わったのだろう。

しかし、木内が最も感激してくれたのは「ある牧師の妻の昭和史」の斎藤たまいにだったかもしれない。朝日歌壇に載った斎藤の「伝道者の寂しき極み夫に見ぬ　人賢くて神を求めず」という歌に引かれて、私は斎藤に会いに行った。

第一巻の城山三郎や、第二巻の久野収、あるいは第三巻の石原莞爾や石橋湛山と違って、無名のひとである。それだけに読者を得るのか、不安だった。

それを拭ってくれたのは、文庫に入る時に解説を頼んだ作家の中山あい子である。

中山は私が仕事場にしていた神田錦町の隣のビルの管理人でもあり、面倒見のいい姐御のような人だった。

その中山がこう書いてくれたのである。

「朝日歌壇を見て、心打たれたにしても、普通、これいいなぁ、と思うだけの私とちがって佐高さんはその感動を、実作者に直接伝える人なのだ」

中山は「そのことに感動する」とし、こう続ける。

「人賢くて神を求めず――は確かにこの牧師の妻である斎藤さんの実人生の報告だけれど、これを書いた佐高さん自身の心の状態が実によく分かり、私だけかも知れないが随所に涙がこみあげて来る。こんなふうに生きた人と、そのことに感動するこんな人がいる、と思うだけであたたかい気持ちになる」

涙と言えば、中山が亡くなった後のお別れ会でスピーチを求められ、こみあげてくるものがあって途中で三度も絶句した。

みっともないままに引き上げて来たら、隣席の作家の北原亜以子に「鬼の眼にも涙ね」と言われたのが忘れられない。辛口評論家も形無しだった。

中山も簡単に泣くようなひとではなかったが、解説ではこんな心境を吐露している。

「この、ほっとする気持ちが彼の物を読んだ時にあたたかく広がる。私のような雑ぱくな人間が感動の瞬間を待つなんて実に珍しいことだ。結構心身共に衰弱しているのかも知れないが、私はかなり満足している。この年になってまるで知らなかった色んな人に会えたのだ。本の中で人に出会うというだけで、私は相手をしなくて勝手にその人の生き方を見ることが出来るのだから実に気楽である」

中山は石橋湛山の評伝もおもしろがって読んでくれた。

共に猫好きで、野良猫に餌をやる中山のそばで猫たちを手招きしていたが、その私を見て、「少数派の悲哀みたいな、でも立ち向かう前の身ぶるいのようなものの充満している背中を見て、一瞬、私は成長した息子の背を押す激情を覚えるのである」と中山は解説を結んでいる。ぜひ、全巻を購読してほしい。

世襲の岩盤にドリルを

「父（の遺体）が家に戻ってきて、顔を見た時に、後を継いでやっていこうと決めました」

これが小渕優子の立候補の弁である。しかし、言うまでもなく政治家は家業ではない。決めるのは彼女ではなく有権者である。そんな初歩的なこともわからない小渕が自民党の選対委員長となって長崎の衆議院補選の応援に出かけ、公明党（創価学会）がシャカリキになって後押しして、やはり世襲の金子某は当選してしまった。あえて某と書くのは金子という看板だけが必要だからだ。

その世襲の岩盤にドリルを向けて、ホームラン性の大ファウルを放ったのは社民党党首（当時）の吉田忠智である。

二〇一四年一一月四日の参議院予算委員会で吉田は次のように詰め寄り、首相だった安倍晋三は激高した。

「二〇〇七年九月に安倍晋三相続税三億円脱税疑惑が報道されております。故安倍晋太郎が生前に指定政治団体に晋太郎氏の個人名義で寄付した六億円を超える政治資金を全国六六の政治団体ごと引き継ぎ、相続税三億円を脱税したという疑惑であります。指定政治団体制度は、一九九三年に政治改革の一環として脱税の温床になるとして廃止されました。安倍事務所は、収支報告には第三者からの寄付を故晋太郎氏名義で記載しているにすぎないと説明したそうですが、それが事実であれば、偽名による政治資金報告書への虚偽記載ではありませんか。脱税額三億円について、確かに時効になっています。是非、時効の利益を放棄していただいて、自発的に納税してはいかがかと思いますが」

こう尋ねられて安倍は動揺し、それを隠すように居丈高になって、「全くの捏造」と決めつけた。

「ただいまの質問は、私、見逃すことはできませんよ。重大な名誉毀損ですよ。吉田さんはその事実をどこで確かめたんですか。まさか週刊誌の記事だけではないでしょうね。週刊誌の記事だけで私を誹謗中傷するというのは、議員として恥ずかしいと思いますよ」

この週刊誌は二〇〇七年九月二九日号の『週刊現代』である。同年九月一二日付『毎日新聞』は夕刊で、突然辞任した安倍について、その理由を「今週末発売の一部週刊誌が安倍首相に関連するスキャンダルを報じる予定だったとの情報がある」と書いた。「一部週刊誌」とは失礼だが、それを説明するように『週刊現代』は「このスクープで総理は職をなげだした！」と見出しをつけ、「本誌が追い詰めた」疑惑とタイトルに掲げている。

そして、この記事の中で、政治団体を通じた巨額の資産相続に違法性はないのか、と財務省主税局の幹部に尋ね、「政治団体に個人献金した資金が使われずに相続されれば、それは相続税法上の課税対象資産に該当します。政治団体がいくつもある場合は、合算した資産残高のうち献金された分が課税対象になります。たとえ首相でも、法律の適用は同じです」と語らせている。さらに連結収支報告書の数字を見せて「このとおりなら脱税ですね」と断言させているのである。小渕優子事務所が帳簿にドリルで穴をあけた理由がわかるだろう。吉田の質問をファウルと言うのは、そこでひるんでしまったためである。

宮澤喜一に驚く

戦時中に二〇代だった宮澤喜一は電車の中で英字新聞を読んでいてとがめられたという。当時、英語は鬼畜米英の「敵性語」だった。しかし、「意地っ張り」だったので、あえてそうしたと回想する宮澤に私は共感する。高校で読んだ本では石坂洋次郎の『若い人』に強烈な印象があるという宮澤は、フランクフルトで堤清二や大岡信と共に一緒になった大江健三郎に、

「『万延元年のフットボール』を読みましたが、さっぱりわからなくて閉口しました」

と率直に感想を告げて、大江を困惑させてもいる。

「悪いこと言ったと反省しています」と宮澤は振り返っているが、私もあの本は途中で読むのをやめた。

「佐高信評伝選」の第四巻『友好の井戸を掘った政治家』（旬報社）に収録した「護憲派列伝」で取り上げたので、わかったつもりになっていた宮澤で驚いたのは、首相をやめた後に『ビッグ・コミック・スピリッツ』にコラムを連載したということである。題して「21世紀への委任状」。マンガずくめの同誌にそのコラムが登場したのは一九九五年春。岩見隆夫が『毎日新聞』に連載していた「近聞遠見」の一九九五年五月三〇日付のそれで紹介されているところによれば宮澤は「憲法、自衛隊、小選挙区、自由、政党、世界と日本」などについて平易に書き、こんな秘話も披露している。

「佐藤栄作さんは人脈に通じ、早耳でした。政敵で、動脈瘤破裂で亡くなった河野一郎さんが、腹に非常に大きな瘤（こぶ）ができたことをマッサージ師から聞いて知っていたほどです……」

連載を担当したのは同誌デスクの倉持太一だった。連載の前に「95年の予言」という特集に登場してもらった。とてもダメだと思ったが、宮澤の遠縁の同期生に頼んで会うことができて実現した。倉持が、

「よくOKして下さいましたね」

と言ったら、宮澤は答えた。

「別にぼくはいいと思ったんだよ」

別れ際に宮澤の若い秘書が、

「『スピリッツ』の世代の若い人たちに伝えたいですよね、先生の話を」

と声をかけるので、倉持は、

「（『スピリッツ』を）読んでるんですか」

と上ずった声で尋ねた。

「読んでます」と言われて、

「実は連載なんか……」

と腹案をぶつけたら、

「いや、ぼくらはとてもこわくて言えませんよ。直接言ってくれませんか。あらためて時間をとりますから」

と話が進み、年明けにあらためて宮澤を訪ねた。

「ぜひ連載を」と切り出すと、

「へっ」

という表情をしてから、

「私みたいなもんができるかなあ。まあ、テストでやってみますか」

と応じた。倉持が回顧する。

「あまり予想外のことを言われると断りにくいということがあるでしょ。それだと思いますね。(中略)もう一人、若い人も一緒にと思って、船田元さんにも頼んだんですが、秘書の方から、『コミック誌ではねぇ』と断られました」

団塊の世代以後にとっては総合週刊誌であることがわかっていない、と倉持は続けている。

松下竜一の艶笑譚

艶っぽい話をし合えるかどうかが男性同士の親密度を測る分岐点となる。あくまでも私の場合だが、『ルイズ』や『狼煙を見よ』の作者の松下とも周囲をヒンシュクさせるほど盛り上がったことがあった。その松下の『右眼にホロリ』（径書房）を読み返していて、次の松下の告白にあぜんとなった。松下が四九歳の時の話である。「草の根の会」の新年会でのあいさつだった。最初は薄くなった髪を嘆く話だったが、急降下する。

「いまや松下センセの深刻な悩みは頭の方からずーっと下降してきまして、へそあたりよりまだくだって、そのう、つまりですね……男性能力の問題といいますか、俗にいう精力の減退といいますか……そういうことをひしひしと感じ始めてきたのであります（爆笑）。いや、誤解されないように急いでつけ加えておかねばなりませんが、まったくもうダメとか、そんな深刻なことでは決してないのでありまして（爆笑）……やや衰えを感じるかなあという（爆笑）」

「赤裸々なる範を示した」松下の告白は「チマタでは、スッポンがいいの、マムシドリンクがいいの、やれオットセイのナニがいいのとか、いろいろあるようですが、高いわりにあんなのはホントに効くという保証がないんですよねぇ（爆笑）」と続く。これに対して思いがけない反論をして会場の空気を一瞬にしてさらったのは松下の細君だった。

「さっき、うちのおとうさんは精力が衰えたとかいっていましたが（爆笑）……これまで、わたしは少し愛され過ぎていたと思います（一瞬の間の後に爆笑）……いまくらいの愛され方で充分だと思います（爆笑）」

私も会ったことがあるが、細君はむしろ引っ込み思案で笑わせようと企図する人ではない。だから、その時も、全員が笑いころげている中で、ひとりだけ笑っていなかったという。

松下によれば「ごく大真面な挨拶のつもり」だった。

「ねぇねぇ、おかあさん。どうしておかあさんがしゃべったとき、あんなにみんなして笑ったの？」

娘にこう尋ねられた細君は、

「さあ、どうしてなんかなあ」

と首をかしげていたとか。

そんな松下も思春期には性器コンプレックスに悩んでいた。中学・高校を通じて常に学年で一番小さな身体だったので、どこもかしこも人並みではないという劣等感にさいなまれていた。その松下の息子がやはり悩んで母親に「おれのものは普通より小さいごたる」と打ち明けた。

それに細君はこう答えたのである。

「なんにも心配しなくていいんよ。あんたのは立派なものよ。三人の中で一番小さいのは、おとうさんなんやから。——そういったら、ケンちゃん少し安心したようでね。ほんとなの、ほんとにおとうさんのはおれより小さいのちゅうて聞くんよ。ほんとちゃ。あんたのよりずーっと小さいんやからちゅうたら、ニヤニヤして……」

松下はこれをちょっとした名回答ではないかと思ったのだが、笑っていたケンがアーッと大声をあげて細君に尋ねた。

「おかあさんは、いつおれのを見たんで？　おとうさんの方が小さいちゅうことは、おれのも見たちゅうことやないの」

エスペラント人脈

『城山三郎の昭和』拝読しました。先生のアドレス、土井たか子さんから教えてもらいました。今後ともよろしく」という坂井尚美（弁護士）のメモつきの「長谷川テル」編集委員会編『長谷川テル――日中戦争下で反戦放送をした日本女性』（せせらぎ出版）を開く。この本に坂井は「非戦平和に生きた長谷川テル」を書いている。オビに日中合作ドラマ『望郷の星』でテル役を演じた栗原小巻の推薦文。私がこれを再び手にしたのは「エスペラント人脈とその思想」という講演をする準備のためだった。一九一二年生まれのテルは金日成や木下恵介、そしてヒトラーの愛人だったエヴァ・ブラウンと同い年である。中国に渡ったテルは三四歳で亡くなったが、ラジオで前線の日本兵に、「あなた方の敵はこちら側にはおりません。無意味な戦争はやめましょう」と呼びかけた。夫の劉仁とはエスペラントが縁で結ばれている。彼女で有名なのは次の宣言である。

「お望みとあれば、どうぞ私を売国奴と呼んでくださっても結構です。私は決しておそれません。他国を侵略するばかりか、罪のない難民の上にこの世の地獄をもたらして平然としている人たちと同じ国民に属していることのほうを、私はより大きな恥としています」

「この戦争において中国の勝利は、中国民族だけではなく、日本を含めた極東の全被圧迫民族の解放を意味するのです。それは、全アジアの、そして全人類の明日への鍵です。この瞬間なにもしないことも許すべからざる罪悪であることを記憶してください」

一九三八年一一月一日付の『都新聞』（『東京新聞』の前身）に「〝嬌声売国奴〟の正体」として大きくテルが取り上げられた時、父親の幸之助は次のような談話を寄せなければならなかった。

「私としては私の子である照子が断じて祖国に弓引くような女ではないと思いますが、もしそうだったら私は日本臣民の名誉にかけて立派に自決する覚悟をしております」

それからしばらく経ってテルと会った周恩来は彼女にこう言った。

「日本帝国主義者が貴女を嬌声売国奴と罵りましたが、実際は、貴女は日本人民の忠実な娘であり、真の愛国者です」

それに対してテルも答えた。

「私は喜んで中日両国の忠実な娘になりたいと思います」

エスペラントは帝政ロシアの支配下のポーランドに生まれた眼科医、ザメンホフによってつくられたが、その八〇周年生誕祭に寄せて、テルは訴えた。

「エスペラントは人類平和のための言語である。私たちの言語は強盗や人殺しの使う言語ではない。同志諸君、私たちは連帯して立ち上がり、彼らを攻撃し、その仮面を剝ぎ取ろう」

私はエスペラントのサポーターにすぎないが、大と言っていいスポンサーが大本（教）である。大本は一九二一年には不敬罪で、一九三五年には治安維持法等違反で徹底的な弾圧を受けた。なぜ、天皇制ファシズムは大本を恐れたのか？　大本は教主が代々女性がなることとその国際性が気に入らなかったのだと私は思う。二代目教主、出口すみの夫、王仁三郎は監房の中で珍宝を玩具にして遊び、「七年間も玩具なしでは日が経たん」と笑っていたとか。

もたれかからない

叱咤されることの多かったわが師の久野収に、一度だけ、

「君はもたれかからないからいい」

と言われたことがある。

自立を説く師に就職などを頼んだりしなかったからだろう。

創価学会名誉会長の池田大作の最大の罪は、助け合いという名で集団的もたれかかりを勧め、疑うことの大切さを消していったことではないか。

「大逆事件」という天皇暗殺事件をでっちあげられ、〝えん罪〟でありながら仲間に殉じて死んだ幸徳秋水は、獄中で次の漢詩をつくった。

仮名まじり文にすれば、

昨の非は皆我に在り
何ぞ楚囚の身を怨まん
才拙なくして惟命に任す
途窮すれど未だ神に祈らず
死生は長夜の夢
栄辱は太虚の塵
一笑す幽窓の底
乾坤眼に入って新なり

中野好夫は、これを「道窮まれり、されど我れ、いまだ神に祈らず」と要約して「勇気ある言葉」に挙げ

ていた。

「道窮まった」と感じた時、人は「神に祈る」ものなのかどうか、本格的に祈ったことのない私にはわからない。

ただ、すべてを預けて、もたれかかるように信仰するようなことはしたくない。

牧師の妻でありながら、神は存在するのかという疑いを捨て切れずに最期まで迷った斎藤たまいに親近感をおぼえて、私は彼女の生涯を『ある牧師の妻の昭和史』に書いた。それは旬報社刊の「佐高信評伝選」第七巻に入っている。副題が彼女のつくった歌の「伝道者の寂しき極み夫に見ぬ人賢くて神を求めず」である。

「朝日歌壇」にこの歌を見たのは、一九七四年八月一一日だった。後で知ったのだが、一九一四年一月三〇日生まれの斎藤はこの歌をよんだ時、ちょうど六〇歳。それを「見た」私は二九歳だった。「見た」というのは、とりわけ、「人賢くて神を求めず」の下の七七が目にとびこんでくるような感じだったからである。

多分、私はその一途なる相聞と、悟りすましていない率直さに引かれたのだろう。私などからは〝徒労〟とも思える伝道に従事する牧師と、それを支える夫人。

私は、祈りはあくまでも個人的なもので集団でやるものではないと思うが、この歌は無神論のある種の傲慢さを衝いている。

いのちある限り、ついてまわる迷いに引かれて書いた「牧師の妻の昭和史」だった。牧師の妻はもちろん、牧師でさえ迷うのである。比較するのも愚かなことだが、池田大作と彼を信奉する創価学会員には、あまりにも迷いがない。公明党という政党をつくって、ご都合主義はさらにひどくなった。

自分を絶対化しないために神や超越者を設定するのではないのか。自分を絶対者にしてしまった点で、私は池田大作は宗教者ではなかったと思う。

公明党幹事長の石井啓一は自民党に対して「信頼関係は地に落ちた」と発言したが、もともと「信頼関係ではなく利害関係だった」と前川喜平は指摘した。その利害集団のオルガナイザーが池田大作だったのである。

二月八日と九月一八日

『転がる香港に苔は生えない』（文春文庫）で大宅壮一ノンフィクション賞を、『世界は五反田から始まった』（ゲンロン叢書）で大佛次郎賞を受賞した星野博美と『俳句界』で対談した。戸越銀座にある町工場の社長の娘として育った星野は、休日に父親が母親をねぎらうために家族を横浜の中華街へ連れて行ったので中国が親しかった。それに小学校に上がるか上がらないかの時にテレビで見た中国残留孤児の映像が重なってショックを受ける。

「日本人なのに、どうして日本語を話せず、人民服を着ているんだろう」

そうした疑問から、ＮＨＫの中国語講座とかを見始め、国際基督教大学では交換留学生として香港に渡る。

「中国と対極の、ごりごりの資本主義の所に留学しちゃったわけ」だが、徐々に中国も知り、その「謎の多い国」に引かれていった。残留孤児については、侵略者である日本人の子どもをそのまま養っていたというのが衝撃的だった。

「もちろん善意の人ばかりではなく、いろんな人がいたでしょうけど、例えば同じことが日本で起きた時、中国人の子どもを育てられるかというと絶対できないですよね。そういう、中国人の鷹揚さというか、懐の深さに、私は深く興味を持っていました」

そんな星野が香港で「戦争について知らなさすぎる」と罵倒される。まず、一二月八日である。日本軍がハワイのパールハーバーを攻撃した日としか認識していなかったが、香港、シンガポール襲撃の日でもあった。それをまったく知らなくて怒られ、一九四五年八月一五日まで香港も占領されていたことを知らなくて罵倒される。星野は「すみません、すみません」と謝罪を繰り返した。

「香港の年輩の人は特に日本軍に恨みを持っている人が多くて。路上で刀を振り回して辻斬りみたいなことをやって、赤ん坊を突き刺したとか、そういう話をされるわけですよね。当時、香港映画最盛期だったんですけれど、ハリウッドでナチスが悪者なのと同じで、香港映画は全て日本が悪者でした」

それは、つらい留学生活だったね、と応ずるしかない。

「寮のお世話をする寮母さんとか寮父さんの機嫌を損ねると、すぐ攻撃されるんですよ（笑）。でも、欧米人にはぺこぺこして、やっぱ植民地だなと感じました。植民地というのは罪深いですよね。もちろん侵略した日本が悪いんですが、イギリスだって侵略したじゃないですか。それなのにこんなにこびへつらっちゃうんだというのが、結構衝撃でしたね」

日本人は九月一八日も忘れている。中国侵略の発端となった柳条湖事件の日だ。星野が語る。

「中国では『国辱の日』ですからね。ＳＮＳでも、九月一八日が近づくと注意喚起が流れてきますよ。とにかく日本人は目立つ行動を一切しないように、と。すごく敏感になる時期なので、日本人で宴会とか会合を一切しないでくれって。特に今年は処理水のことで中国国民がぴりぴりしているところに、九・一八が来るので、絶対に静かに過ごしてくれって言っていました」

星野のデビュー作は中国の華南地方を旅した『謝々！　チャイニーズ』（文春文庫）という生活体験記である。

鈍感ダラ幹と五五五兆円

あれは何年前の夏になるのか、長崎大学に一週間ほど集中講義に行ったことがあった。過労死やサービス残業などについて話し、日本の企業は封建社会だと断定したら、ある学生が立ち上がり、

「労働組合はないんですか」

と質問した。

不意をつかれた感じで私は一瞬詰まり、一呼吸おいて、

「あるけど、ない」

と答えた。

あることはあるけれども、ほとんど機能していないからだ。

しかし、私はいま同じことを聞かれたら、こう答えようと思っている。

「あるけど、ないより悪い」

二〇二二年度末の日本企業の内部留保は五五五兆円である。一一年連続で過去最高を更新している。

法人税率の引き下げが続いた結果でもあるが、何よりも連合が本気で賃上げの闘いをしないからだろう。腐った労働組合の幹部を労働貴族と言ったり、堕落した幹部をダラ幹と呼んだりするが、ほぼ一〇年間で倍増した内部留保の額が、彼らの弁解を許さぬ怠惰と無能を突きつけている。しかし、鈍感な彼らは「ないより悪い」とは思っていないだろう。

さすがに自民党税制調査会でも法人税率の引き上げ論が浮上している。これには経団連などの強い反発が予想されるが、完全に自民党の応援団となっている連合はどうするのか。

統一教会と同じ反共路線を取り、共産党より自民党にずっと親近感を持つ連合会長の芳野友子が労働運動をダメにしている。

『月刊社会民主』一二月号の福島みずほ対談で、労働弁護士の棗一郎が「(労働)組合の活動が見えないのは、街頭宣伝やストライキをやらないからだと言いましたが、その結果、日本の労働者の賃金はもうこの三〇年ほとんど上がってない。むしろ目減りしているのは、組合がストライキを打たないから。欧米ではしっかりストを打って、賃上げを勝ち取っているわけです」と指摘している。そして、久しぶりのそごう・西武のストライキに迷惑だという声が出るかと心配したら、「みんなストが珍しくて集まってきて、記念写真を撮っている」、さらに「ニコニコして、頑張ってくださいと言ってくる」と報告しているのである。

これを芳野たち連合の幹部はどう受けとめるのか。

その一方で、私も支援している関西生コン労組への弾圧は信じられないほどひどい状況が続いている。

何と、検事が取り調べの最中に組合からの脱退を迫ったりしているのである。

普通の労働組合運動をやった幹部や組合員が次々と逮捕され、裁判所で実刑判決を下されたりしている。

私は裁判所に行って

「裁判官は労働法を一から勉強し直せ」

と叫んだが、これも連合が闘いを放棄してしまっているからだろう。

原発推進の電力総連や電機連合には期待しない。問題は自治労や日教組である。たとえば日教組加盟の教師たちは、生徒に不当なことには黙っているなと教えるだろう。しかし、自らは闘わない連合を突き上げもせず、原発賛成の電力総連などと一緒になっていては言行不一致のそしりをまぬがれないのではないか。アア五五五兆円である。

4

徹底抗戦日記——日々に読書あり

最低の知事で作家、猪瀬直樹

［二〇二〇年一一月］

●川崎五郎編『鳩になった川柳人　一叩人作品集』（西田書店）命という字を分解すると一叩人になる。反戦川柳作家・鶴彬を、文字通り命懸けで後世に遺そうとしたのは一叩人こと命尾小太郎だった。

一日、辛淑玉さんが主宰する八王子のこぎつねの家へ。

●元木昌彦編著『知られざる出版「裏面」史』（出版人）

インタビューされる人に知り合いが多いだけに興味深い。小板橋二郎さんのところに傍線を引く箇所が多かった。たとえば——

本田靖春さんが読売新聞をやめてフリーになった時、小板橋さんが、

「俺、新聞記者嫌いだから」

と言ったら、本田さんは、

「コイタちゃん、あんたの言う通りだよ」

と認めた上で、

「でも、一つだけ質問していいかい？〝最低の新聞記者〟と〝最低の週刊誌記者〟とではどっちが最低だと思う？」

と返したとか。

小板橋さんは息子を猪瀬直樹に預けた。猪瀬はその息子に自分のパンツを洗わせた。

「馬鹿野郎、他人のパンツなんか洗うな！」

と息子を怒ったら、息子は、

「俺は猪瀬が女流作家の何とかと寝た時にコンドームまで買いにやらされたよ」

と言ったという。

元『群像』編集長の徳島高義さんは「戦前の講談社は、知識人の目からすれば俗悪低級な出版社にすぎなかった」として、「豊多摩刑務所は、月刊誌の閲読はすべて禁止していたが、『キング』『講談倶楽部』『雄弁』などの講談社刊行物は安全無害なので例外だった」と言っている。

〝無害〟ねぇ。誰にとっての有害か無害かが問われなければならない。誰にとっての安全か不安かも…。

四日、昼に寺島実郎さんと会食。

五日は夕刻に佐久市長の柳田清二さん、田中秀征さんと会う。
●田中優子『江戸から見ると』一、二（青土社）
『俳句界』に「放哉を演じたかった寅さん」を寄稿。

〈脚本家の早坂暁に、渥美清が尾崎放哉の役をやりたいと言ってきた、と本誌の対談で述懐された時は不意をつかれた感じがした。渥美が自分から演じたいと言ったのは放哉だけだという。共に結核を病んでいる。

「役者さんというのは、演じる人物のどこかに、自分の肉体的な共通点を見つけると『できる』という手ごたえを感じるらしい」

早坂はこう振り返ったが、その脚本を書くために渥美と二人で、放哉ゆかりの鳥取や小豆島を歩いた。そのころ、もう寅さんは始まっていて、そのイメージが渥美に定着しつつあった。

結局、いろいろな理由で放哉ではなく山頭火を撮ることになり、渥美なら山頭火もいいとなって話は進んだ。しかし、そこで渥美がためらい始める。

たとえば山頭火の「うしろ姿のしぐれてゆくか」のシーンで顔を上げて自分の顔が出たら、「あっ、寅さんだ」と観客は笑うのではないかと言い出したのである。

そして、フランキー堺の山頭火になり、渥美の放哉は幻に終わった。

○咳をしても一人

放哉にはこんな壮絶な句がある。

渥美自身も、風天という俳号で句をつくったが、

○ゆうべの台風どこにいたちょうちょ

○貸しぶとん運ぶ踊り子悲しい

などの句には、やはり、放哉の影がさしている。

旧友の小沢昭一が「渥美清さんと」というエッセイを書いていて、その骨壺の話に胸を衝かれた。

小沢は渥美の結婚祝いに、長崎三彩の壺を贈ったという。実はそれは新式の骨壺で、小沢はシャレで献上したのだが、生前、渥美はキャンディなどを入れて使っていた。そして、死後、夫人が骨壺として使うことになる。

変哲と号して、やはり、句をつくる小沢は渥美を偲んで、

○この家の主留守らし燕の巣

と一首献じている。

渥美は本名の田所康雄と俳優の渥美を、それほどまでといわれるくらいに峻別していた。息子の結婚式にも、渥美としての自分の関係者は一切呼んでいない。

浅草での売れない役者時代からの仲間の谷幹一や関敬六さえ、目黒の自宅には入れなかった。お茶を飲み

たいという谷に、渥美はこう言った。

「あのなあ、おまえとおれとは兄弟分。だけど、うちの女房とお前とは関係ない。わかるだろう。じゃあな、帰んな」

私は一度、地下鉄丸の内線の車内で渥美を見かけたことがある。池袋に向かう車両の出口の所に乗客に背を向けるように立ち、人を寄せつけない雰囲気で外を見ていた。その時、渥美は田所康雄だったのである。彼はある種の寂寥感を身にまとっていたが、結核で生死の境をさまよった渥美には孤独がむしろ〝友〟だったのかもしれない。

『男はつらいよ』のロケで岡山に行った渥美は仏壇屋の前で車を止めて位牌をつくった。「田所康雄霊」と書かれたそれには昭和五十八年十月二日の日付があるという〉。
●西谷文和『安倍、菅、維新。8年間のウソを暴く』（日本機関紙出版センター）
「路上のラジオ」で話したものの活字化。

小出裕章さんと私のところだけ読む。

六日は古賀茂明さんと平凡社新書で出す予定の『官僚と国家』の締めの対談を神田の学士会館で。終わって、揚子江で中華料理。若き日の周恩来が通った店である。

一六日、新田産業奨励賞記念講演のため、酒田へ。寺島実郎さんと一緒なり。

寺島さんとは特に竹中平蔵批判で一致するが、佐々木実著『竹中平蔵　市場と権力』（講談社文庫）を『日刊ゲンダイ』の「オススメ本ミシュラン」で推した。「日本を陰湿な統制国家にする『三悪人』」と題したそれは一〇月一二日付の同紙に載った。「三悪人」とは菅義偉、竹中平蔵、そして橋下徹である。

〈先日、「菅内閣は竹中内閣」と題して講演した。小泉（純一郎）内閣で、総務大臣となった竹中平蔵に副大臣として仕えて以来、菅のアタマは竹中に占領されている。

その竹中を丸裸にしたこの本が、文庫化された。この中にこんな逸話が出てくる。

小渕（恵三）内閣で経済企画庁長官となった堺屋太一に推されて、竹中は「経済戦略会議」の委員に就任した。あるとき、その事務局長の三宅純一に竹中が声をかける。

「三宅さん、官房機密費を使ってアメリカに出張したいんです」

竹中は「三〇〇万円」という金額まで口にした。三宅は驚いて、こう返した。

「竹中先生、官房機密費がどんなものかわかってそんなことをいっているんですか。個人的にアメリカに行くというのなら止めませんけど、公務で行くから官房機密費を使わせてくれなんていう話を官邸につなぐことはできませんよ。官邸だってそんな話は認めないと思います」

しかし、その後、菅が官房長官になって、竹中のこの種の話はほとんど通ったのではないか。菅が首相になったから、あるいは、その額もどんどん膨らむかもしれない。

竹中のいわゆる新自由主義は、会社の活動についての規制をはずして、働く者（社員）を貧しくする〝社富員貧〟だと私は批判してきたが、その結果、会社の内部留保は四五〇兆円にもなってしまった。竹中が会長をしているパソナをとりわけ儲けさせる派遣労働についての規制を緩和した結果である。

菅は維新の橋下徹とも極めて親しい。

竹中は小泉と橋下を重ねて、どちらも原理原則を貫いて、自分の言葉で国民に語りかけていると橋下を持ち上げ、橋下は竹中を、自分の基本的な価値観、哲学は竹中の考え方だとまで言っている。おぞましいエールの交換である。

菅、竹中、そして橋下という我利我利亡者の三悪人によって、この国はますます陰湿な統制国家になっていくのだろう。そして、弱肉強食のジャングルの自由が強調され、住みにくい国になってしまう。

私も二〇一〇年に『竹中平蔵こそ証人喚問を』を出し、国会で竹中の責任を追及しろと指摘した。その増補新版を『竹中平蔵への退場勧告（レッドカード）』と題して今月下旬に旬報社から出す。併せて読んで竹中糾弾の火の手をあげてほしい〉。

●大島祐介『半グレと芸能人』（文春新書）

安倍から菅へのバトンタッチはヤクザから半グレへの交代だと書いてから読んだ。

●青木雄二、佐高信『「腐れ資本主義」の世を生き抜け』（光文社）

「ナニワ金融道」の青木さんと私の対談は平井康嗣君が企画して、最初、『週刊金曜日』で行なわれた。平井君が『日刊ゲンダイ』に移り、臨時特別号で青木夫人も登場させると聞いて、これを読み返す。私へのインタビューもあり、こんな話から始めた。

「まず言いたいことは、米国司法省が一〇月に反トラスト法（米国の独占禁止法）違反だとグーグルを提訴したことだ。そもそも独禁法はグーグルのように大きくなりすぎた会社を分割するためにある。米国では一九七〇年代にＡＴ＆Ｔも分割するという話があった。企業が競争することで製品がよくなり、社会に活力をもたらす。だから独禁法というのは『資本主義の憲法』と呼ばれるわけだ。競争がなくなったら、もう一度スタートラインを引き直すのが企業分割なんだよ。だけど日本政府がトヨタ自動車を分割すると言ったら、えって話になるだろ。だから日本は、半分、資本主義じゃないんだよ。日本はＮＴＴがＮＴＴドコモを合併しちゃう。あれはふつう独禁法にひっかかる話だ」

●佐藤優『池田大作研究』（朝日新聞出版）

池田大作著とされる『人間革命』の無批判な引き写し。佐藤も最低の作家だ。

信用金庫は銀行に成り下がるな

［二〇二〇年一二月］

●佐高信『平民宰相　原敬伝説』（角川学芸出版）

石川好より電話あり。まだ読んでいなかった『原敬伝説』を読み、「佐高らしい本だと思った」と。『西郷隆盛伝説』（角川ソフィア文庫）や『福沢諭吉と日本人』（角川文庫）に比して残念ながら売れず、文庫化もされなかった。それだけに時期遅れの友の励ましはうれしい。ある意味で「大逆事件論」である。一日は「デモクラシータイムス」で早野透と共に福島みずほを激励。

●刑部芳則『古関裕而』（中公新書）

いま書いている鶴彬と古関が同い年で、古関が脚光を浴び始めた時に鶴は大日本帝国に殺された。五日は盛岡で佐高塾の予定だったが、コロナおさまらず、家からのリモートにする。佐々木敏男さんが鶴の墓などに再度案内してくれる予定も順延。

●村山治『安倍・菅政権vs検察庁』（文藝春秋）

七日付の『日刊ゲンダイ』「オススメ本ミシュラン」へ、次の原稿を寄せる。

〈「検察庁法改正案に抗議します」という笛美の抗議文がツィッターに投稿され、それが拡散して、〝官邸の守護神〟と呼ばれる黒川弘務を検事総長にする「改正」が阻止されたのは今年の春だった。

いま、河井克行、案里の買収事件や安倍晋三の「桜を見る会」前夜祭問題、そして『週刊ポスト』が一二月一一日号で暴いた菅義偉の疑惑がクローズアップされているが、黒川が〝健在〟だったら、これらは闇に葬られたかもしれない。二階（俊博）派事務総長で、自民党の総裁選で菅陣営の選対事務局長を務めた吉川貴盛の収賄疑惑も日の目をみなかった危険性がある。

黒川と現検事総長の林真琴は検察三五期の同期生だった。林がプリンスであり、黒川は汚れ役にまわる。政権が汚れれば汚れるほど黒川は重用され、林が退けられる関係にある。

その「暗闘のクロニクル」を村山はダイナミックに描いていく。

安倍政権は今井（尚哉）政権だと皮肉られるほど、安倍は経産官僚の今井を信頼したが、菅はそれに対抗して黒川を知恵袋とする。

「ただ、これで、黒川はつらい立場になった。法務・検察で居場所がなくなった。官邸は、検察という役所のメンタリティを理解していない。黒川に対する論功行賞で検事総長に、と考えるだろうが、逆に、検察現場や法務省は反発する」

検察の元首脳はこう語ったという。しかし、一連の官邸の人事介入で検察が負った傷も深く、復元力も弱くなっている。菅が上川陽子を法相にして、いま、法務と検察の間に亀裂が生じているともいわれる。菅の手足の官房副長官の杉田和博や安全保障局長の北村滋ら警察官僚が、これからも林検察の足を引っ張り続けるだろう。なにしろ、官邸は河井を法相にしたわけだからである。

検察にも、厚生労働省の局長だった村木厚子を証拠改ざんしてまで罪に問おうとしたような弱みもある。

そもそも検察には、経済警察の系譜の特捜検察と、思想検察の流れの公安検察があるという。いずれにせよ、両刃の剣の検察を、まっとうな方向に導くのは国民の声である。

私は『平民宰相　原敬伝説』（角川学芸出版）を書いたが、原が政党政治の発達を妨げるものとして警戒したのが軍部と検察だった。

いま、林は「政治との一定の距離を保って職務を遂行すべき」と言っている。〉

●池上彰、竹内政明『書く力』（朝日新書）

朝堂院大覚さんと会う。平井康嗣君が一緒。

●小森陽一、佐高信『誰が憲法を壊したか』(五月書房)

どうも旧作を読み返すことが多くなっている。退行現象かな?

●亀石倫子『刑事弁護人』(講談社現代新書)

一五日、『俳句界』の対談を亀石さんと。彼女を立憲民主党の候補者として口説いたのは辻元清美とか。そのために実家のある小樽に飛び、両親と会ったというから、福島みずほも見習うべきだろう。リライトしたのは新田匡央。

大学卒業後に入った会社の三年目の研修で会ったラガーマンに亀石さんが「この人と家族になったら、一生笑って過ごせるんじゃないか」と思って、

「すみません、結婚してくれませんか?」

と告白し、

「無理」

と即答された話に吹き出してしまった。

しかし、その反応はまともだと、かえって闘志を燃やし、ねばりにねばって結婚にこぎつけたという。そして、二〇年。「亀石は、追い込まれたときに諦めるメンタルの持ち主ではない」と新田は書いているが、確かにそうでなければ刑事弁護人はやれないだろう。

私の娘より三歳下だった。

●桜木紫乃『家族じまい』(集英社)

一時はハマッたが、桜木紫乃の世界にはちょっと飽きてきた感じ。話題作もあまり余韻あらず。

●三井マリ子『さよなら！　一強政治』（旬報社）

『佐高信の徹底抗戦』『竹中平蔵への退場勧告』と続けて出した旬報社の本。

国会議員の女性の少なさは世界一九三ヵ国中一六六位と。小選挙区制でなく比例代表制にすれば女性は増える。現在の小選挙区比例代表並立制は小選挙区制であり、社会党はそれに賛成して自分の首を自分で締めてしまった。反対した人間を除名したのだから、つけるクスリがない。

一九日、名古屋へ。朝日カルチャーセンターの講義である。帰りに美濃忠本店に寄ってようかんを買う。しつこくない味で虎屋のよりいい。

●朝堂院大覚『朝堂院大覚の生き様』（説話社）

二一日、再び朝堂院さんと会う。対談の第二弾を説話社から出すため。

●三上智恵『沖戦スパイ戦史』（集英社新書）

二二日は三上智恵さんの城山三郎賞受賞を祝う内輪の会。市ヶ谷の中国飯店に出かけたら、私と同年で集英社新書創設者の鈴木力さんも。鈴木さんが三上さんを集英社につないだらしい。耕という筆名の力さんは秋田出身。

二五日は西谷さんの路上のラジオ出演。大阪在住の西谷さんがわざわざ東京に来た。「菅義偉10の大罪」を話す。

●寺脇研、前川喜平、吉原毅『この国の「公共」はどこへゆく』（花伝社）

前川さんと吉原さんは麻布学園で同じラグビー部だった。これは寺脇さんから贈られた本だが、城南信用金庫と吉原さん、そして、小原鐵五郎のことが書ける。小原は「信用金庫は銀行に成り下がるな」と言っていたという。

●平野貞夫『衆議院事務局』（白秋社）

二九日、今年最後の3ジジ放談。

平野さんが参院議員をやめる時、野中広務さんが訪ねてきて、後藤田正晴さんからの要請を伝えた。

「平野が国政選挙に出ず、自分の生き方を目指すらしいが、なんとか止めてくれと頼まれた」

理由はこうだった。

「小泉（純一郎）首相の政治は、アメリカ従属だ。一〇年先の日本を考えると、政治だけでなく、経済も社会も劣化して、どうしようもなくなるだろう。小泉首相が、最も嫌いな政治家は、平野だと分かっている。だから国会議員を続け、小泉首相や竹中平蔵氏の政治を攻撃し、しっかりと日本の良さを護るように説得してくれ、といわれたんだ」

平野さんは残念ながらその依頼を受けなかったが、「それから一五年以上の歳月が流れた。後藤田氏には先見の明があったということだろう」と述懐している。

●森田実『志帥会の挑戦』（論創社）

●森田実『二階俊博幹事長論』（論創社）

クズ本。志帥会とは二階派の名前だが、よくここまでゴマをすれるなと思うほど、二階と派の面々を持ち上げている。捕まった吉川貴盛を「さらなる活躍を願っている」と結んでいるのだから、マンガである。

「人が見ていないところで汗をかくのが吉川だ、と古くから吉川を知る人たちは語る」と森田は書いているが、「人が見ていないところで」ワイロを受け取っていたのが吉川ではないのか。

「これをやっちゃおしまいよ」だよ、森田クン。二階と二階派はこの本をどのくらい買い取ったのだろうか。

かつての全学連の闘士がいまや二階と公明党（創価学会）の番犬に成り下がった。共著を出した斎藤貴男クンは悲しんでいるに違いない。

●木村勝美『高山若頭からの警告』（かや書房）

副題が「続・弘道会の野望」。次の箇所を書きぬく。

「金融ビッグバンによって政府は、株式市場に限りない自由をあたえた。証券会社は免許制から登録制となり、株式や社債などの発行条件がゆるくなって、東証マザーズ、ジャスダックといった新興市場が創設されていった。自由度が高くなれば、それに反比例するように、参入障壁はもちろん規律やモラルも低くなる。そこへ目をつけたのが市場マフィアなどと呼ばれる極道たちだった。中でも弘道会の動きが活発だ。企業舎弟を使って浸食をはかるのである」

バブルは必然的にダーティ化し、ダーティ・バブルとなる。竹中平蔵流規制緩和主義が極道を招待したのだ。

●佐高信『総理大臣菅義偉の大罪』（河出書房新社）

「はじめに」は「加藤陽子と田中優子」と題して、学術会議問題を書く。安倍晋三から菅へは「ヤクザから半グレへ」のバトンタッチだ、を序とし、一〇の大罪を暴く。オビには、「一見凡庸な首相、菅義偉は、恐ろしい闇を抱えていた。かつてない独裁者と対決して仮面を剝ぎ、菅政権が破壊する日本の運命を論じる。過激な論客による渾身（こんしん）の一撃」と。

●椎名誠『遺言未満、』（集英社）

椎名夫妻との会食もしばらくやっていない。

コロナはこうした語らいも封じる。息をひそめるような年も暮れるが、年が明けても展望は見えない。オソマツな政治が混迷に拍車をかける。

[二〇二一年一月]

雪の白さは欺きやすい

●吉野弘『妻と娘二人が選んだ「吉野弘の詩」』(青土社)

今年の読み初めは、同じ酒田出身の吉野さんの詩集を。長女の奈々子さんが選んだ「雪の日に」はこうである。

雪がはげしく　ふりつづける
雪の白さを　こらえながら
欺きやすい　雪の白さ
誰もが信じる　雪の白さ
信じられている雪は　せつない
どこに　純白な心など　あろう
どこに　汚れぬ雪など　あろう
雪がはげしく　ふりつづける
うわべの白さで　輝きながら
うわべの白さを　こらえながら

以下は略とするが、「信じられている雪はせつない」と書くのは、やはり、並の詩人ではない。

コロナの一年がまた明ける。六日は青山の歯科へ。

やった医師である。

●熊坂義裕『駆けて来た手紙』（幻冬舎）

菅原文太さんと共に応援に行った福島県知事選の候補者。熊坂さんは福島出身で、岩手県の宮古市長をやった医師である。

●武建一『大資本はなぜ私たちを恐れるのか』（旬報社）

『日刊ゲンダイ』のオススメ本へ。

〈現在、日本の企業の内部留保は四七五兆円もある。竹中平蔵らが唱導する新自由主義によって企業の自由勝手度が強まると共に法人税の相次ぐ引き下げの結果である。しかし、何よりも労働組合の結集体である連合が、まったくと言っていいほど闘わなくなったためだろう。

こうした状況下では、ごく当たり前の労組の運動が目立ってしまい、警察国家となった現政権の集中砲火を浴びることになる。

『朝日新聞』までがドンなどと呼ぶ関西生コン支部委員長の武建一は、裁判所もグルとなった権力から目の敵にされ、何と六四一日にも及ぶ長期勾留をされた。労働法学会所属の七八人の学者が「組合活動に対する信じがたい刑事弾圧を見過ごすことはできない」という声明を出したほどである。しかし、日本経営者団体連盟、いわゆる日経連の講師は講演会等で「法律など守っていたら組合をつぶすことはできない。われわれのバックには警察がついている」と公言していた。

一九九五年の阪神淡路大震災で鉄筋コンクリートが無残に折れたシーンを記憶している人も多いだろう。水を混ぜて薄くしたシャブコンが使われていたからだった。「安かろう、悪かろう」のそうしたコンクリートを使わないために、二〇一〇年六月二七日、労働組合と生コン業者が一緒になって総決起集会を開いた。大阪市内のホテルに近畿一円から集まった参加者が二三〇〇人。全国生コン協同組合近畿地区本部の久貝博司がこうあいさつした。

「ゼネコンによって生コンの価格が果てしなく下げられるなか、過当競争の行き着く先は原価割れだ。もはや自助努力ではどうにもならなくなった」。

そして、「労使が心をひとつにして」出荷拒否のストライキに突入する。

これがゼネコンやセメントメーカーという大資本を震撼させ、武たちに対する無法極まりない弾圧が始まった。

彼らはヤクザを雇い、ヤクザによって武は拉致されたこともある。ガムテープでぐるぐる巻きにされ、車のトランクに放り込まれた。その時、武は「鳴海のようにしてやる」と言われたという。鳴海とは山口組組長の田岡一雄を銃撃して逆に報復のために殺された鳴海清のことである。この時は実行犯の組の幹部が武と同じ徳之島の出身だったため、奇跡的に助かった。いずれにせよ、いま、異常が普通になってしまっている〉

同じ旬報社から出た私の『竹中平蔵への退場勧告』も版を重ねているが、『週刊ポスト』(二〇二〇年一二月二五日号)で森永卓郎さんが次のように推薦してくれたのはうれしかった。

〈最近、竹中平蔵氏のプレゼンスが高まっている。言うまでもなく、菅政権のブレーンとして、竹中氏が復権しているからだ。本書が緊急出版されたのは、そうしたことが背景にあるのだろう。

本書は、全編にわたって竹中批判で埋め尽くされている。これまで一貫して竹中批判を繰り返してきた著者の蓄積が生かされた形だ。その舌鋒は鋭く、読んでいて痛快そのものだ。そして、ネーミングがうまいのも著者の特長だ。「マック竹中」、「パソナ平蔵」というのは著者の造語だ。日本マクドナルドの創業者である藤田田氏に取り入ることで、傘下のフジタ未来経営研究所の理事長に就任し、マクドナルドの未公開株を譲り受けた。パソナの南部靖之代表に取り入り、会長職に就任し、報酬は一億円と言われると本書は指摘する。有価証券報告書に報酬の記載がないので、報酬が一億円を下回ることは確実だが、一流企業の会長なのだから、それなりの報酬を得ていることは間違いないだろう。

竹中氏本人によると、南部代表とは、たまたま飛行機で隣り合せになったことで知り合い、同じ関西人として意気投合したということなのだが、本書も権力者に取り入る稀有な才能を指摘している。

竹中氏本人が私腹を肥やすだけならまだよいのだが、竹中氏は国の政策決定に強い影響力を持っている。その政策によって竹中氏のお仲間が潤い、多くの国民にツケが回っているというのが、本書が描き出す基本構造だ。一一月二八日の「朝まで生テレビ!」で竹中氏は、「コロナで困窮する大企業を支援するため、産業再生機構のような仕組みを準備すべき」と発言した。官製ハゲタカを作って、小泉内閣の不良債権処理の再現をしようというのだ。

本書は、竹中氏の正体を知るために、最適の解説書だと私は思う。ここに書かれていることは、真実だと思うが、竹中氏が異議を唱えるのであれば、著者を名誉棄損で訴えるべきだろう。そうすれば法廷ですべてが明らかになるからだ〉

●いのうえせつこ『新宗教の現在地』(花伝社)

頼まれて、次の推薦文を寄せる。

「オウム(アレフ)も統一協会(家庭連合)も生きている! 信じて後悔しないために、是非この本を読んでほしい」

「新宗教と政治家」の章では、菅内閣の閣僚二一人中一三人が日本会議に近しいと指摘され、麻生太郎や加藤勝信と共に橋本聖子が挙げられている。

立正佼成会が「都会のおかみさん宗教」と呼ばれるのに対して、創価学会は「大阪のホステス宗教」と呼ばれたとか。

●平田勝『未完の時代』（花伝社）

一九六〇年代の主に学生運動の記録。平田さんは花伝社の社長なり。

一四日は寺島実郎さんの主宰する寺島文庫リレー塾で「アジアの中の日本、日本の中のアジア」をリモート講義。

●NHKスペシャル取材班『半グレ』（新潮新書）

中国残留孤児二世が取り込まれていく。つまりはこの国は彼らに温かい国ではないのである。

●上田秀人『竜は動かず　上下』（講談社文庫）

光文社から上田さんの『本懐』の文庫解説を頼まれ、「奥羽越列藩同盟顛末」を描いたこの本に手をのばす。主人公は仙台藩の玉虫左太夫。

●猪瀬直樹、三浦瑠麗『国民国家のリアリズム』（角川新書）

駄本。『創』で三浦批判をやるためにガマン読み。

一九日、七六歳の誕生日に「デモクラシータイムス」の3ジジ放談。平野貞夫さん、早野透さんと共に。

●椎名誠『こんな写真を撮ってきた』（新日本出版社）

ほのぼの。

●柳澤健『2016年の週刊文春』（光文社）

〝文春砲〟の現場を描いて、おもしろさ抜群。

「橋下徹大阪市長はスチュワーデス姿の私を抱いた！」という愛人の告白をスクープした『週刊文春』に

橋下は、

「これからペナルティが待っています」

「正直、妻と大変な状況ですよ」

「妻には棺桶に入るまで謝り続けます」

と白旗を掲げたという。

●藤田宜永、小池真理子『夫婦公論』（幻冬舎文庫）

評判になっている『朝日新聞』での小池さんの藤田追悼を毎週読みながら、これを読むと、つい、「夫婦とは」などと考えてしまう。

『夫婦公論』は往復書簡的にそれぞれが書いているのだが、こんな箇所がある。まず、小池さんの藤田論。

「彼は、一日にハイライト三箱を煙にする超ヘビースモーカーで、そのうえ、健康に対する配慮はほとんどしない。医学知識、栄養学的知識はゼロ。ニンジンやカボチャはがんの予防になる、といくら教えても馬の耳に念仏。そのうえ、痛みに鈍く、盲腸炎になった時も、これは便秘だ、と言い張ったほど」

そして、藤田さんの願い。

「四三歳の私は、自分の死を強く意識することはないけれど、時々、何歳くらいまで生きるのかな、とふと思うことはあります。

私は、カミさんには長生きしてもらいたい、と心から願っています。これは、彼女に対する深い愛情が言わしめてているわけではありません。カミさんを失った男たちを見てると、総じて元気がないのです。（中略）

それならば、いい時期に、カミさんに看取（みと）られて死んだ方がマシだと、まあ、都合のよいことを私は考えているのです」

これから、およそ二五年で藤田さんは亡くなった。

●三浦英之『白い土地』（集英社）

「原子力最中」に衝撃！　けっこう売れたらしい。

●坪内祐三『最後の人声天語』（文春新書）

ウンチクの度合いが薄いかなあ、ツボちゃんよ。坪内クンも藤田さんも私より若い。

［二〇二一年二月］

〝雑学クイズ王〟佐藤優を斬る

社民党が発表した新しいポスターの「弱音をはける社会へ。」はいい。政治はひとりひとりの弱音を聞くことから始まる。ていねいに耳を傾けることだ。強がっている者の大言壮語など聞く必要はない。

●森功『菅義偉の正体』（小学館新書）

八日付の『日刊ゲンダイ』オススメ本ミシュランへ次の原稿を寄せる。そして、九日に『俳句界』の対談を森さんと山の上ホテルでやった。

〈「いかに信念のない政治家が多いことか」

菅が著者にそう語ったという箇所を読んで私は大笑いしてしまった。自分のことはわからないと言われるが、これはひどすぎる。

菅が「いかに信念のない政治家」であるかは創価学会（公明党）批判から大転換したことでも明らかだろう。

一九九六年秋の衆議院議員選挙に菅が神奈川二区から立候補した時、相手は創価学会の青年部長をやった新進党（現公明党）の上田晃弘だった。学会は連日一万人前後の全国動員をかけて上田を全面支援した。それに対し、菅も学会の名誉会長、池田大作を〝人間の仮面をかぶった狼〟とまで罵倒し、自民党執行部が心配するほど激しい学会批判を展開したのである。各所で摩擦も起こった。

しかし、次の二〇〇〇年の選挙では自民党は公明党と手を組み、菅も学会に協力を求める。一度挨拶に来いと言われ、菅は秘書の渋谷健と一緒に学会の神奈川県本部に出かけた。

「菅さん、あんたこないだの選挙で、池田先生のことを何て言った？　あんなに批判しておいて気持ちは変わったのか」

地域のトップにこう詰られ、一時間ほど、菅は言いわけに懸命だった。

「おい渋谷、最初はほんとに怖かったな」

と菅はのちに言ったらしいが、この大変身（心変わり）は学会のトップでなくても、追及したいところである。

ウソは菅のお家芸なのだろう。「ウソつき、帰れ」と言われても、この男は何の痛みも感じないに違いない。それが身にしみつき、習い性となっているからだ。菅が池田に投げた〝人間の仮面をかぶった狼〟という名称は、むしろ、菅にこそふさわしい。菅以前に自民党で学会と太いパイプをもっていたのは野中広務だった。しかし、野中はまだ学会ではなく、公明党と連携していた。ところが菅は「政教分離」など知ったことか、と学会の副会長、佐藤浩とじかに取引している。

菅は竹中平蔵や高橋洋一などの新自由主義者を重用している。私は『総理大臣菅義偉の大罪』（河出書房新社）で、著者と同じくその点を指摘するとともに、二〇〇九年に高橋が窃盗容疑で書類送検されたことを糾弾した。それがバレて高橋は東洋大学教授をクビになっている。それを菅は参与にしたのだが、日本学術会議の問題を見ても、自分に逆らわなければドロボーでもいいという菅はまさに「バカな大将、敵より怖い」

である。〉

●玉川奈々福『浪花節で生きてみる!』(さくら舎)

一七日、かつて筑摩書房の編集者だった奈々福さんと「デモクラシータイムス」の「佐高信の隠し味」のコーナーで対談。

「初めまして」と言ったら、すでに二回も会っていると返された。彼女の師匠が私と同郷で同い年。残念ながら亡くなってしまったが、浪曲をうなった時にそばで三味線を弾いていたらしい。最初は編集者時代に、私が井上ひさしさんを『頓智』という雑誌で問いつめるのを聞いていた、と。

●浅見雅男『明治天皇はシャンパンがお好き』(文春新書)

●森功『鬼才』(幻冬舎)

それぞれにそれぞれの味。後者は「伝説の編集人　斎藤十一」の評伝。山崎豊子らを育てた。

●佐高信『佐藤優というタブー』(旬報社)

〝雑学クイズ王〟の佐藤の地金を告発!。

そのおどろおどろしい知識に優等生ほど引っかかる。「サタカさんにしか書けない」と言われたが、幸い、一ヵ月足らずで増刷に。

●児玉博『堕ちたバンカー』(小学館)

「國重惇史の告白」。住友銀行のヤリ手で出世頭だった國重が、現在どうなってしまったか。対談したこともあり、同年ということもあって、その落魄に平静ではいられない。

二三日、早野透宅での3ジジ放談を前に、近くの喫茶店「トンボロ」に入る。コロナ禍にカップルと女性二人組で満員。わずかに席は確保したが、老人の男ひとりは私だけ。

二四日は『毎日新聞』で宇田川恵記者のインタビューを受ける。

●真山仁『ロッキード』（文藝春秋）

『東京新聞』に頼まれて書評を。

●大下英治『スルガ銀行　かぼちゃの馬車事件』（さくら舎）

●上田秀人『本懐』（光文社文庫）

次のような解説を書く。前半だけ引く。

〈ビールなどについて、のどごしがいいという形容が使われるが、ベストセラー作家の上田のモルトのようなこの短篇集は、すいすいと読ませる、まことにのどごしのいい作品集である。

飲み口ならぬ読み口はそうだが、しかし、扱っているテーマは決して軽いものではない。切腹というのっぴきならない主題を正面に据えて、後味のいい読了感を与えるのは、作者の手腕というか、力量が並々ならぬものだからだろう。

まず最初に登場するのは大石内蔵助である。忠臣、内蔵助の「忠臣蔵」はいまも衰えない人気を保っているほど、私たち日本人の精神に入り込んでいるが、上田はその内面は本当にそうだったのかと疑問を呈す。

「ご恩とご奉公、のご恩がなくなった、となれば、ご奉公も消えましょう」

切腹を前に、内蔵助は預けられた細川家の世話役、堀内伝右衛門にこう告げる。

驚いた堀内が、

「今まで禄をいただいてきたご恩もございましょう」

ととがめると、内蔵助は、

「ご恩は家から受けたもの。殿お一人からのものではございませぬ」

と返す。

作者の大胆な想像による内蔵助の答えである。

あるいは史実は違うのかもしれないが、私は上田のこうした設定に拍手を送りたい。

称賛された「義挙」を内蔵助が否定したとしたのである。

「愚挙でござる。堀内どの、我らが今回の討ち入りをしたことで、誰が得をいたしました」

後悔している内蔵助に堀内が、

「損得の問題ではございませぬぞ」

と、たしなめるように言うと、内蔵助は、

「いいえ。損得で考えなければなりませぬ。人情だ忠義だなどを持ち出せば、どのような行為でも許されるという風潮は危険でござる。御上の御法度を忠義や人情がこえては、天下はなりゆきませぬ」

と反論する。

時代小説を借りて、作者は現代の問題を語っているのである。

政治学者の丸山真男は「忠誠と反逆」という卓抜な論文の中でこう言っている。

「もし、『君君たらずとも臣臣たらざるべからず』をスタティックに受けとるならば、どんな暴力に対しても唯々諾々としてその命に服するというきわめて卑屈な態度しかでて来ない。けれども、臣、臣たらざるべからずという至上命題は一定の社会的文脈の下では無限の忠誠行動によって、君を真の君にしてゆく不断のプロセスとしても発現するはずである。ここには『君、君たらざれば去る』といういわば淡白な——そのかぎりで無責任な——行動原則を断念するというところから生まれる人格内部の緊張が、かえってまさに主君へ向かっての執拗で激しい働きかけの動因となるのである。いわゆる絶対服従ではなくて諫争がこうしてその必然的なコロラリーをなす」

また、シェークスピアは「ジュリアス・シーザー」の中で、シーザーを殺したブルータスに次のように言わせている。

「この会衆の中に、もし一人にてもシーザーの親友をもって任ぜられる方がおられるならば、吾輩はその人にむかって言いたい。シーザーを愛するブルータスの心は、毫も貴君のそれに劣るものではなかったと。しからば、何ゆえに、ブルータスはシーザーに対して刃を加えたかと、そうもし彼が詰問されるならば、吾輩の答はすなわちこうであります。――シーザーを愛するわが心の薄かったがためではない。ただ、ローマを愛する心の、より篤かったがためにほかならない」（中野好夫訳）

崇め奉る対象として内蔵助を遠ざけるのではなく、等身大の身近にいる人間として、内蔵助を読者に引き寄せる。そこに人気の秘密があるのだろう。

「死んではなにも残りませぬよ。名前が残る。それのどこがよいのでござる。武家の鑑と褒められたところで、死んでしまえばそれを誇ることもできませぬ」

内蔵助のこの述懐に反発をおぼえる読者もいるだろう。しかし、心を静めて読めば、しみじみと共感の念がわいてくるのではないだろうか。

●中塚明、井上勝生、朴孟洙『東学農民戦争と日本』（高文研）

エッセイストの朴慶南さんより借りて読む。

●緒方竹虎『人間中野正剛』（中公文庫）

●猪俣敬太郎『中野正剛』（吉川弘文館）

菅の問題の長男の正剛という名前は中野正剛にちなんだとあって、これを取り出す。

菅もオソロシイことをするものである。多分、あの世で中野正剛は怒っているだろう。

東条英機を批判して中野は捕まり、自刃して果てた。

それと比較するも愚かなことだが、同じ名前をつけられた菅の息子は「別人格」としてのうのうと生きている。まさに悲喜劇！

二七日は朝日カルチャーセンターの千葉教室で平野貞夫さんと2ジジ対談。

前夜、BS―TBSの「五木ひろしが選び歌う古賀政男永遠の名曲25選」を堪能。弦哲也の歌った「サーカスの歌」よし。その他、「湯の町エレジー」「人生の並木路」等々。

自分が書いた『酒は涙か溜息か』(角川文庫)という古賀政男伝を読み返したくなる。

［二〇二一年三月］

文春砲の砲手と対談

●田中経一『歪んだ蝸牛』(幻冬舎)
テレビの現場を描いたミステリー。目黒の古本屋で見つけた。けっこう掘り出しもの。

『ZAITEN』の五月号に『佐藤優というタブー』(旬報社)の編集担当者自薦として木内洋育さんが次の一文を。

〈本書は、佐藤優氏の『AERA』連載「池田大作研究」を批判した佐高氏の原稿について、出版予定の某出版社から単行本掲載を拒否されたことで生まれた。佐高氏の批判は、かつて大きな社会問題となった藤原弘達著『創価学会を斬る』に対する学会の言論・出版妨害事件を「創られたスキャンダルである」とする学会の認識を佐藤氏も共有している、という点にあった。佐藤氏の本を出す予定があるから「忖度」したということのようだが、言論表現の自由をどう考えているのか。〝タブーに挑戦すべき出版界がタブーをつくってはならない〟という佐高氏の言葉は胸に刺さる。

経緯はともかく、第一線の新聞記者からも〝知の巨人〟と評される佐藤氏。では、「マルクスを語りながら、新自由主義の竹中平蔵を礼讃し、クリスチャンを自称しながら、創価学会は世界宗教になると平気で言う」佐藤氏の知識とは何か。それは「生き方と分離させることのできる知識」だと喝破する。佐藤ファンにこそぜひ読んでもらいたい。〉

三日、ひな祭の日に床屋へ。

●大塚将司『回想　イトマン事件』（岩波書店）

九日、社民党の幹事長となった服部良一さんと会う。

一〇日、『佐藤優というタブー』につき、佐藤の代理人の弁護士より内容証明便届く。『東奥日報』の原発礼讃の広告に出て一〇〇〇万円はもらっただろうと書いたら、根拠を示せ、と。四谷総合法律事務所の芳永克彦さんに相談して、金額を訂正するにやぶさかではないから、いくらもらったか明らかにしろ、と返す。この本が東京堂書店の単行本一〇位にランクイン。

●佐高信『時代を撃つノンフィクション100』（岩波新書）

一二日、田原総一朗さんと全日空ホテルの喫茶コーナーで会う。

「ノンフィクション一〇〇冊に私の本が入っていない」とコーギされる。

この新書はかなり早い時期に辺見庸さんがブログに次のように書いてくれた。

〈岩波新書『時代を撃つノンフィクション100』（佐高信著）が送られてきた。おもしろかった。ノンフィクション一〇〇冊がそれぞれ見開き二ページで紹介される。永山則夫『無知の涙』から石牟礼道子『苦海浄土』、大江健三郎『ヒロシマ・ノート』、拙著『1★9★3★7』などコンパクトに紹介されて、まったく飽きない。一〇〇選の選び方がローアングルというか複眼的で、松本重治『上海時代』あり、竹中労『鞍馬天狗のおじさんは』あり、松下竜一『狼煙を見よ』ありで多彩かつフェア。未読のものもあり、読む気をかなり刺激される〉

上野千鶴子さんからも「とってもいい本です!」とメールをもらったが、辺見、上野と玄人にほめられて逆に売れ行きはのびないのではないかとバチ当たりな心配をする。

東京堂書店では新書部門四位で登場し、まもなく一位に躍進。

●いのうえせつこ『新宗教の現在地』(花伝社)

『日刊ゲンダイ』のオススメ本へ。

〈もちろん、だました奴が悪いのである。しかし、だまされた側がそう言っているだけでは、また、だまされてしまう。

信じるということは、相手に自分を預けてしまうことだと私は思っている。「信じることは美しい」とか、「信じることはいいことだ」といった俗説がはびこる限り、だまされる被害者はいなくならない。

推薦文を頼まれて、ゲラ刷りでこの本を読んで驚いたのは、オウム真理教も統一協会もまだ「生きている!」ということだった。それぞれ、アレフや家庭連合と改称して活動している。なくなってはいないのだ。信じて後悔しないためには、この本を読まなければならない。

統一協会は一九六〇年代に韓国から日本に上陸し、「原理運動」と言って反共活動を展開した。合同結婚式などでも話題を呼び、八〇年代には高額な壺(つぼ)などを売りつける「霊感商法」が社会問題となった。

それがなくならず、二〇一五年に「世界平和統一家庭連合」(略称、家庭連合)と名前を変えて存続している。

著者がこの旧統一協会と〝再会〟したのは、友人に示された「ハッピーFamily講演会」の知らせでだった。横浜の公立施設で開かれたそれに足を運ぶと、講師が、四代前の祖先がいまも海の底で苦しんでいるといった因縁トークをやる。「成仏してもらうためにお布施が必要です」と続けて、多額の献金を要求するのである。著者の手紙がキッカケで、二〇二〇年六月二七日付の『神奈川新聞』に大きな記事が載った。

霊感商法による被害は二〇一九年でも七九件、合計一一億円に上っているが、弁護士の吉田正穂がこうコメントしている。

「一般的に行政の施設は開かれる必要があるが、名称変更で（統一協会と）分かりにくいとしても、被害者を多く生んでいる宗教団体の講演会がはじかれないのは問題だ」

統一協会は岸信介や笹川良一、そして児玉誉士夫などに支援されて一九六八年に「国際勝共連合」を発足させる。その反共タカ派のDNAは安倍晋三に受け継がれ、現在の菅義偉内閣も「統一協会内閣」だと著者は指弾する。二一名の閣僚の内、以下の九名が統一協会に近いというのである。菅を筆頭に、麻生太郎、武田良太、萩生田光一、岸信夫、加藤勝信、平沢勝栄、小此木八郎、平井卓也。

著者は「日本会議」にも触れ、小池百合子や下村博文、そして橋本聖子を有力メンバーに挙げている。〉

●木俣正剛『文春の流儀』（中央公論新社）

一六日、神楽坂の椿屋で本城雅人さんと会い、早野透宅へ。「デモクラシータイムス」の「佐高信の隠し味」で本城さんと野村克也など、プロ野球選手の話をするためである。

●桐原良光『井上ひさし伝』（白水社）

『サンデー毎日』に書く井上ひさしロンのおさらいの資料として読む。

●高橋竹山『津軽三味線ひとり旅』（新書館）

一六日、二代目竹山と『俳句界』の対談。紹介してくれたのは共通の友人の小室等さん。

一九日、大森で映画『ＫＣＩＡ　南山の部長たち』を見る。

二一日は文京シビックセンターで、むのたけじ賞の授賞式。大阪の『新聞うずみ火』が大賞に。発行しているのは、黒田清さんを師と仰ぐ矢野宏さんと栗原佳子さん。「いい新聞はいい読者がつくるんやで」と黒田さんは言っていたというが、矢野さんは「泣いている人の横に立つ」と。

二三日が「３ジジ放談」。

●萩原慎一郎『歌集　滑走路』（角川文庫）
ここに引きたい歌がたくさんある。

○発言の撤回をする著名人ソーシャルメディア全盛の世に
○無意識のままに歩いて気がつけばいつものように会社の前に
○ヘッドホンしているだけの人生で終わりたくない何か変えたい
○スパゲッティミートソースを混ぜに混ぜじんわり舌に感じるイタリア
○葡萄狩りしているわれらこの手もて「過程」を知らず「成果」もぎ取る
○非正規という受け入れがたき現状を受け入れながら生きているのだ
○どっかーんと爆発をしたそのあとじゃ遅いのだけど再稼働する
○箱詰めの社会の底で潰された蜜柑のごとき若者がいる
○非正規の友よ負けるなぼくはただ書類の整理ばかりしている

○キーボード叩きたくなる。こんな夜は。胸に積乱雲を抱きつつ
○まだ蒼い僕の言葉が完熟のトマトみたいになればいいのに
○今日という日を懸命に生きてゆく蟻であっても僕であっても
○牛丼屋頑張っているきみがいてきみの頑張り時給以上だ

二五日、『俳句界』の対談を〝文春砲〟の新谷学さんと。

『月刊日本』の二月号で、『赤旗』日曜版の編集長、山本豊彦さんと新谷さんが対談している。この中の新谷発言が光る。

「私は編集長になったとき、全部員を集め、『週刊文春の最大の武器はスクープ力です。全責任は私がとるので、とにかく良いネタを集めてください』と伝えました」

この特集のタイトルは「飼いならされたメディアに喝！」である。

「親しき仲にもスキャンダル」を広言する新谷さんの次の発言もいい。

「ある大手メディアの編集局長が言っていましたが、その会社では内容証明が送られてきたり、ちょっと訴えられたりするだけで『ゴタゴタを起こすな』とか『もし訴訟で負けたら自分で金を払え』といった雰囲気になるそうです。それではいくら口で『特ダネをとってこい』と言っても、現場の記者たちはリスクをとって戦おうという気になりませんよね」

「おそらく大手紙がスクープをとれなくなっているのも、相手と真正面からがっぷり付き合うとか、とことん飲むといったことをやらなくなっているからでしょう。良いネタを持っている人は、ややこしい人や面倒臭い人が多いんですよ。彼らと信頼関係を築くのは本当に大変です。コンプライアンスに縛られているからなのか、そういう人たちの懐に果敢に飛び込んでいく記者が少なくなっているように思います」

●北山愛郎『道理ずむで行こう』（北山政治経済研究所）

かつての社会党には、こういう味のある人がいた。

●加賀乙彦、津村節子『愛する伴侶を失って』（集英社）

慰められるのもつらい、と。

●佐高信『城山三郎の昭和』（角川書店）

ふと読み返してしまった。

［二〇二一年四月］

タブーに挑んだノンフィクション

●鈴木邦男『腹腹時計と〈狼〉』（三一新書）

一日に松元ヒロさんと『狼をさがして』を観たので、あらためてこの本を取り出す。一九七五年一〇月一五日発行。

午後三時に四谷総合法律事務所の芳永克彦弁護士を訪ねる。

●粕谷昭二『藤沢周平の礎　小菅留治』（東北出版企画）

●粕谷昭二『庄内浜のアバ』（東北出版企画）

郷里の『荘内日報』記者の粕谷さんに送ってもらった本。故郷の風に吹かれる。

●藤田宜永『愛さずにはいられない』（新潮文庫）

藤田夫人の小池真理子さんから届いた。

●古賀茂明、佐高信『官僚と国家』（平凡社新書）

七日にこの本を担当してくれた金澤智之さんと会って見本をもらう。

「はじめに」の後半に古賀さんのことをこう書いた。

〈国鉄の民営化は中曽根康弘、郵政のそれは小泉純一郎が推進した。しかし、経済記者として日本の会社の実態をつぶさに見てきた私は、民営化という名の会社化バンザイとはとても言えない。役所の悪いところと会社の悪いところを併せもっているのが電力会社である。私は『電力と国家』（集英社新書）を書いた時、集英社の『青春と読書』二〇一一年一一月号で、古賀さんと対談した。静かな火というか、落ちついたたたずまいながら、その指摘は激しいなという印象を持った。

「入省されて間もなく、お若いころにすでに（国家と電力の現状に）違和感を覚えられていたとか」

と問いかけると、彼は、

「はい。経産省の若手エリート官僚と東京電力のエリート社員とが、勉強会と称して酒席を設け、ある種同好会的なノリで仲良くしているのを目にしてきました。異様な世界です」

と言い切った。

「経産省と東電が馴れあっている」

と応じると、

「ええ、そうです」

と淀みがない。

古賀さんは、もちろん「腐敗する官僚」ではないが、「自殺する官僚」でもないということだろう。それは古賀さんが大事にしている次のガンジーの言葉で明らかである。

「あなたがすることのほとんどは無意味であるが、それでもしなくてはならない。そうしたことをするのは、世界を変えるためではなく、世界によって、自分が変えられないようにするためである」

この対談の何回かはＹｏｕＴｕｂｅで流れる「デモクラシータイムス」の企画で行なった。再生回数が三〇万を超えて、古賀人気に驚いたが、この本も多くの読者を獲得することを願っている。〉

●布川郁司『クリィミーマミはなぜステッキで変身するのか？』（日経ＢＰ社）

アニメ界の実力者らしい布川さんは私と同じ酒田の出身で、三月二六日に三鷹に進出した酒田のラーメン屋「満月」で会った。高校以来の友人、三浦光紀が同席。

●辺見庸『コロナ時代のパンセ』（毎日新聞出版）

担当した向井徹さんに送ってもらったこの本を『日刊ゲンダイ』のオススメ本へ。

〈コロナ禍で消毒を求められる。それを拒否するほどの〝勇気〟もないから、手指を洗い、うがいをする。しかし、本来は毒というものは生きていく上で必要なものではないのか。それを消してしまって、あるいは消したつもりになって、生存できるのか。毒消しの作業は、いつか、精神にも及んでいくだろう。いや、精神こそが萎縮を迫られるのだ。

ほぼ同い年の辺見が共感を寄せる人間は、毒を好む者たちである。毒消しを好まぬ人たちだと言い換えてもいい。

船戸与一のわざとらしくなさを愛し、西部邁の孤愁を理解する。私も2人をよく知るだけに、彼らについて書いた辺見の一筆描きを繰り返し読んで、こうした出会いがあるから生きていられるんだよなあなどと感傷的になった。

「わけがあって一九六四年のことを調べていたら、想い出の風景やにおいが次々にわきでてきてとまらなくなった」とも辺見は書いている。無機質に見えて辺見の文章は無機質ではない。においを発している。

辺見が嫌うのは、無機質な分析をして、恥というものを知らない人間である。その筆頭に、おこがましくも自ら「思想家」を名乗る内田樹がいる。あるいは、ことさらに有機的な形容で巫女のお告げのような言の葉を紡ぐ石牟礼道子もその一群に入る。

共通するのは「天皇主義」宣言であり、天皇制の受容である。

「明仁天皇とその配偶者の人気はいまや絶大である。その波にのるかのように、かつて天皇制をそれほどきらっていた作家や知識人、政治家らがこのところ、つぎつぎに宗旨がえしつつある。あたかも明仁天皇夫妻を慕うことが、ゴロツキ集団とみまがう自民党政権否定につながるとでも言いたげなのである」

内田を批判して辺見はこう書き、それを思想の劇的退行と呼ぶ。

私も別のところで内田の元号擁護論を排して、リベラリストを自称するなら、一九四六年一月一二日号の『東洋経済新報』で「元号を廃止すべし」と主張した石橋湛山の爪のアカでも煎じて飲め、と断罪した。

辺見は「饒舌のなかに言葉はない」として、口をつぐんだままやれる仕事を探し、五〇代も半ばを過ぎていたのに日雇い労働者になろうとしたという。それだけに辺見の言葉は肉体から離れない。〉

五月三日付の『ゲンダイ』掲載。

四月一七日付の『東京新聞』でNHKのOBで武蔵大学教授の永田浩三さんが『時代を撃つノンフィクション100』(岩波新書)を次のように書いてくれた。

〈タイトルには百とあるが、紹介される本はその倍以上。オリンピックから原発までを仕切る広告会社、政党と暴力団とのつながり、土地取引の闇の帝王、与党を支える宗教団体など、現代日本のタブーに挑戦する本がこれでもかと並ぶ。出版社はよくぞ出したり。著者との交流や知られざる人間模様を詰め込んだチャーミングな一冊だ。

トップに紹介されるのは、永山則夫の『無知の涙』。一九七一年に著された連続射撃殺事件の死刑囚の手記。著者は本の中身に深入りせず、同じ津軽を故郷に持ち、貧困から逃れるために東京に出て働いた鎌田慧と永山との交流に着目した。ある日鎌田のところに永山から手紙が届き、以来長いやりとりが続いた。著者は思う。厳罰に処されるべきは個人ではなく、格差や差別を生み出す社会や政治の方ではなかろうかと。

紹介される本の書き手は有名な人ばかりではない。時にはトップ屋・銀バエなどと貶（おとし）められるフリージャーナリストたちの作品が並ぶ。都合の悪いことを書かせまいとする企業の壁をかいくぐり内実を暴いたものも多い。かつて経済記者だった著者の目線は低く、慈愛にあふれている。

本田靖春の『私戦』。静岡県寸又峡の旅館に立てこもった在日韓国人・金嬉老が日本国家にたった一人で戦いを挑んだ記録だ。文芸評論家の篠田一士は「月並みなプロテストをまぶした読みもの」と酷評した。それに著者は異を唱える。金や彼の母を追い込んだのはわれわれの社会である――と本田が書いたことを高く評価し、昨今のヘイトスピーチを知ったら、悶死したに違いないとつづる。

「墨で書かれたタワ言は血で書かれた事実を隠しきれない」。魯迅の言葉だ。本の底流には常に民衆とともにあろうとした魯迅のこころが流れ、それが優しさを醸し出す。

作者の多くはこの世にない。著者は生き残った者として、その魂を引き継ぐ。筆は鋭い毒を帯び、クスッと笑える諧謔（かいぎゃく）に満ちている。ノンフィクションってこんなにもすごい。若者たちにも薦めたい〉

『サンデー毎日』四月二五日号に書いた井上ひさし論に読者の反響あり。司馬遼太郎をめぐっての激論から入った。

●石坂浩二『翔ぶ夢　生きる力』（廣済堂出版）

『創』に書く〝原発文化人〟石坂批判のため、買おうとしたが、あまりにも無内容で、立ち読みですませる。

一四日、「佐高信の隠し味」を鈴木琢磨、早野透、そして私の三人で。寅さんの話など、もろもろ。

一七日と一八日、それぞれ、「路上のラジオ」と関西生コン問題で大阪へ。二日続けて桃谷の「百億」へ行く。金時鐘さんに紹介されたこの焼肉店はおそらく日本一の味。

●太田英昭『フジテレビプロデューサー血風録』（幻冬舎）

猪瀬直樹、林真理子、三浦瑠麗推薦。

二一日、『俳句界』で城南信金のというより脱原発の吉原毅さんと対談。

二三日は死ぬことが分かっていて沖縄に赴任した知事、島田叡を撮ったＴＢＳの佐古忠彦にデモクラシー・タイムズに登場してもらった。彼とは加藤紘一が腰砕けした「加藤の乱」で取材された時以来の出会い。

●文藝春秋編集部編『辻トシ子の回想』

貴重なこの記録の聞き手は『女帝 小池百合子』の著者、石井妙子さん。

●西谷文和編『ポンコツ総理スガーリンの正体』（日本機関紙出版センター）

西谷さんに問われて語った私の話が砕けていておもしろい。西谷さんの人柄だろう。

●中村愿『戦後日本と竹内好』（山川出版社）

大阪、上本町のジュンク堂で求める。

竹内さんの故郷、佐久で竹内さんについて話すための準備。

●渡辺望『西部邁』（論創社）

「非行」としての保守、か。

●高杉良『破天荒』（新潮社）
『東京新聞』に書評を頼まれる。
●田原総一朗、津田大介『なぜ、日本人は「空気」を読んで失敗するのか？』（辰巳出版）
あまり、おもしろからず。

［二〇二一年五月］

時代の新しい撃ち方

●田澤拓也『1976に東京で』（河出書房新社）
ラジオ番組の審査で一緒になる田澤さんの青春物語。ほほえましくも狂おしい。分別とは遠い時代の話ゆえに惹かれる。

三日夕、中野の風月堂で石川好と会う。
●上野千鶴子『在宅ひとり死のススメ』（文春新書）
バカ売れしている。

「安楽死、尊厳死」には彼女と共に私も反対だが、圧倒的に少数派らしい。

「人間、役に立たなきゃ、生きてちゃ、いかんか」

四日と五日、毎日のように行っている目黒の権之助坂の喫茶店、イトーヤが休み。調子が狂う。
●角田房子『閔妃暗殺』（新潮文庫）
長編ドラマ「明成皇后」を見終えたので、これを読み返す。一〇〇冊の一冊に挙げたが、日本人にとっての必読書なり。

●大西康之『起業の天才』（東洋経済新報社）
「八兆円企業リクルートをつくった男」である江副浩正。フーン、こういうふうに〝美化〟されるのか。

●大下英治『政権奪取秘史』（さくら舎）
一二月付の『日刊ゲンダイ』に『時代を撃つノンフィクション100』（岩波新書）の書評が載る。

「さまざまなタブーに挑み、社会や人間をローアングルの視点からとらえたノンフィクションを紹介するブックガイド。

拘置所で字を覚え、猛烈に勉強して、自らが同じ階級の人を四人も殺してしまったことに気づいてがくぜんとなった連続殺人犯・永山則夫が獄中で記した『無知の涙』や、何も考えずに減反を強制した末にそれを解除する無責任な政府への憤りが凝縮した福島の農民詩人・草野比佐男の『村の女は眠れない』など、まずは格差社会をテーマにした作品を紹介。ほかにも、内橋克人の『共生の大地』や大下英治の『電通の深層』などの経済をテーマにした作品をはじめ、宗教やアウトロー、メディア、歴史などさまざまな分野の古典から二〇一〇年代の問題作まで網羅」

●四方田犬彦『世界の凋落を見つめて』（集英社新書）
一三日は『週刊東洋経済』の著者インタビューに臨む。聞き手は『週刊金曜日』にいた野中大樹君。

師弟について対談したことのある著者から贈られた。

●堀江貴文、井川意高『東大から刑務所へ』（幻冬舎新書）
吉本隆明との経緯なども書いてあるが、ホリエモンと井川意高の対談を知ったのが収穫。

●佐高信『わが筆禍史』（河出書房新社）
一五日、イトーヤにて立憲民主党衆院議員の落合貴之君と会う。

舌禍史を含むこの本を読み返したのは、やはり佐藤優に訴えられたためか。

●『朝堂院大覚自伝』（清談社Publico）

朝堂院さんと私との対話『日本を売る本当に悪いやつら』（講談社＋α新書）より詳細に書いてあるが、おもしろさは私との共著の方が上と言っておく。

●田中伸尚『憲法を生きる人びと』（緑風出版）

『日刊ゲンダイ』のオススメ本ミシュランで畏友のこの本を取り上げる。もちろん三ツ星である。

〈先日、韓流ドラマの「明成皇后」を観終えた。一二四話に及ぶ大作である。日本では、「朝鮮王朝末期の国母」の閔妃として知られる彼女は一八九五年に日本人の手によって虐殺された。首謀者の公使、三浦梧楼は「これで朝鮮もいよいよ日本のものになった」と上機嫌だったという。「明成皇后」は途中で何度も目をそむけたくなるほど非道な日本のやり方を描いていく。もちろん、三浦が指示を仰ぐ首相としての伊藤博文も登場する。このドラマはそれこそ日本人必見なのではないか。

「憲法を生きる」一〇人を追ったこの本に、「在日サラム」の丁章が取り上げられている。

日本人女性と恋愛し、結婚しようとした丁に、特に母親が猛烈に反対した。

「日本人は絶対に差別する」

「章、お前は日本人をよう知らんからや」

「章は差別って何か知っているのか」

それは嵐のようだったが、たとえば角田房子の『閔妃暗殺』（新潮文庫）などを読めば、その非難が理由のないものではないことがわかるだろう。

著者の田中は全八巻の『ドキュメント昭和天皇』（緑風出版）の著者でもあり、天皇制にこだわって生きてきた。同じように、「戦争ロボット」だった戦時中の自分を悔い、戦後は主権者革命を起こそうとして出版に携わってきたのが径書房社長の原田奈翁雄である。

一九八八年に市議会で天皇の戦争責任について問われた長崎市長の本島等は「あると思う」と答えた。翌日から本島への非難と激励が津波のように押し寄せる。本島は「長崎日の丸会」の会長だったが解任された。原田はその反響をそのまま本にしようと考えた。しかし、右翼から実弾が送られて来るような状況で何度も出版を延期せざるをえなくなった。それでも原田はあきらめず、一九八九年五月一五日に『長崎市長への七三〇〇通の手紙　天皇の戦争責任をめぐって』が出版される。わずか一ヵ月で三万六〇〇〇部に達したが、一九九〇年一月一八日に本島は右翼団体員に撃たれ、胸部貫通の大けがを負った。

天皇について語ることがこの国ではタブーなのか、と原田は落胆した。そしていま原田は田中に嘆く。「たしかにあの本をめぐる一連の出来事は現代史に残る事件と言えるでしょう。でもその効果は持続しなかった。主権者になりかけた人びとはまた巣ごもりをして、黙ってしまったかのように僕には思えるのです。」〉

●大下英治『小説経済産業省』（徳間書店）

大下作品にしてはおもしろからず。牧野力さんがチラリと出てくる。

●上野千鶴子『女の子はどう生きるか』（岩波ジュニア新書）

『在宅ひとり死のススメ』より、こちらの方がずっと大事な本だと思うが……。

二八日付『東京新聞』の「大波小波」欄が、「『時代を撃つ』、今再び」と題して拙者を取り上げてくれた。〈佐高信の『時代を撃つノンフィクション100』（岩波新書）が出た。石牟礼道子『苦海浄土』、鎌田慧『自動車絶望工場』など古典的名著から、安田浩一『ネットと愛国』、大下英治『電通の深層』など近年の問題作まで、時代と社会を批判的にとらえた一〇〇冊が並ぶ。

「時代を撃つ」とは舌鋒鋭く同時代の悪しき言論と格闘してきた佐高らしいタイトルだ。が、そんな佐高も一九九二年には、『現代を読む100冊のノンフィクション』(同)というタイトルで、古典の収録では本書とかなり重なる本を出していた。「現代を読む」から「時代を撃つ」へ。時代が逆行する印象をもつ者もいるかもしれない。

確かに、九〇年代の「現代を読む」には、七〇年代までの反体制的で一方的な「時代を撃つ」の無効化が踏まえられていた。それは、既存の価値体系が崩れ去り混沌とした時代への多様な視点からの読み直し、捉え直しであった。

しかし、三〇年後の今、かつて有効だった「現代を読む」的姿勢もまた無効化している。本書は「格差社会」の惨状をめぐる一群のノンフィクションから始めている。コロナ禍で一層明らかになった時代と社会の苛酷な惨状は、今、「撃つ」という批判を強く求めているのだ。〉

「新批判派」と署名のあるこのコラムはまことにありがたいが、何人かの筆者の名前は厳重に秘匿されているらしい。同紙文化部の知人も知らないと言っていた。『東京新聞』ではこのコラムを読むのがたのしみである。

三一日付の『埼玉新聞』の「さきたま抄」でも、むのたけじさんにからんで『100』が取り上げられた。書評花盛りだが。いまのところ二刷りどまり。

佐藤優が私を訴えた「名誉棄損法廷バトル」を『ZAITEN』の七月号が特集してくれた。コメントは平野貞夫、鎌田慧、落合恵子、森達也の四氏。いずれも、言論には言論でと強調している。当たり前だろう。

●佐久間文子『ツボちゃんの話』(新潮社)

「僕が死んだらさびしいよ?」と妻の文ちゃんに言っていたという坪内祐三。

●溝口敦、鈴木智彦『職業としてのヤクザ』(小学館新書)

「バカでできず、利口でできず、中途半端でなおできず」

ヤクザに限らないだろうが、なかなかにシビれる定義である。

ヤクザ取材のプロ同士が語り合っているこの本の章立てがなかなかに興味深い。序章と終章を含んで一二本ある。順に並べてみる。

ヤクザは職業か、生き方か
どうして働かないで生きていけるのか
なぜ暴力団に需要があるのか
抗争に経済的メリットはあるのか
ヤクザの「命の値段」はいくらなのか
人はどうやってヤクザになるのか
組長まで出世する条件とは何か
暴力団経営にはどんな経費がかかるのか
子分と子ども、本当に大事なのはどちらか
ヤクザの仕事に休日や祝日はあるのか
いつ引退し、どんな老後を送るのか
ヤクザという職業は消えていくのか

安倍晋三から菅義偉への交代を、私はヤクザから半グレへのバトンタッチと表現したが、たとえば自民党の政治家、もしくは政治家一般に置き換えることもできるかもしれない。

そして、「政治家は職業か、生き方か」と問うていけば、違和感なく分析できるだろう。

「ヤクザは乞食の下で盗人の上」とも自称するらしい。

溝口によれば、警察は暴力団を大きく三つに分けている。博徒系、テキ屋系、愚連隊（青少年暴力団）系にである。

ばくちは寺で行なわれていたので、勝った側から取る手数料を「テラ銭」と言うし、賭博場の開催を「開帳」と言うとか。

［二〇二一年六月］

連合会長が耳を傾けるべき非正規の歌

●林真理子『花探し』（新潮文庫）

意味もなく、こんな小説も読む。

二日付の『夕刊フジ』に、古賀茂明と私の『官僚と国家』（平凡社新書）の紹介が載る。

〈森友・加計問題、日本学術会議会員の任命問題、そして総務省の違法接待問題……。安倍政権から菅政権にかけて、「政と官」をめぐる事件が続出している。

本書は経済産業省在籍時に「改革派官僚」として名をはせ、退職後も舌鋒鋭い言論活動を繰り広げる古賀茂明氏と百戦錬磨の論客、佐高信氏が、官僚と政治、国家をめぐって語り合った一冊。

政治家と官僚の関係はなぜここまで歪になったのか。こうした問題の根底には何が横たわっているのか。

安倍政権では「官邸官僚」と呼ばれる、出身官庁ではトップになれなかった役人たちが官邸の威光を背に霞が関を牛耳る「側近政治」が行なわれていたが、菅政権ではそれはどのように引き継がれているのか。官僚組織やその生態を知り尽くした二人が、「暗黒政権」による官僚支配の実態、さらには、原発という伏魔殿をめぐる「政と官」の癒着構造を明らかにしていく〉

二日付の『夕刊フジ』は一日に出たが、二日の午後、目黒権之助坂の喫茶店イトーヤで岩波書店の吉田裕さん、山下真智子さんと会う。ジュニア新書の山下さんと、望月衣塑子さんと私の共著について相談するためである。新書編集部の吉田さんとは、ノンフィクション一〇〇冊に続くフィクション五〇について話す。

●小沢信男『俳句世がたり』（岩波新書）

おいに頼まれて郷里の高校の東京同窓会報に原稿を書いたが、その会報が届く。酒田東という高校が亀ヶ崎城跡にあったので「亀城会」が同窓会の名前になっている。私は出たことがないが、色刷りのリッパなものが届いて、こうした活動に熱心な人がいることを知る。「コロナと日米中関係」と題して、こう書き出した。

〈二〇一六年一月二七日に農協協会が開催した新春特別講演会で、新自由主義者の竹中平蔵らが推進するTPPに反対する立場から、「安倍（晋三）政権を批判する」という講演をして以来、『農業協同組合新聞』が送られてくる。

その二〇二〇年四月三〇日号で農民作家の山下惣一が「多極分散国づくりをめざせ」と提言していた。佐賀県在住の山下は、コロナウイルス騒動が「田舎暮らしの安全・安心」を教えてくれたと語る。それは「食」を生産・保有していることの盤石の強さに裏打ちされている。

感染を防ぐために「密閉」「密集」「密接」の三密を避けよと叫ばれているが、それはまさに都市機能そのものであり、「そんな都市で現在よりも人との接触を八〇％減らすなどということができるのだろうか。もし出来たとしたら、それで都市は生き残れるのか」と山下は問いかける。

「都会では人に会うなというが田舎では会いたくても人がいないのだ」と指摘する山下は「オーバーシュート」だの「クラスター」だのといった耳慣れない言葉が頻発するテレビを「まるで別の国の放送」のように見ているという。

そして岩手県は感染者が四月二〇日時点でゼロなのだから、「早い話が岩手県みたいになればいいのだ」と主張する。

大平正芳が首相になって打ち上げた「田園都市国家構想」に山下たちは熱い期待を寄せたが、その多極分散型国土形成が改めて見直されるべきだというのである。

もっともな提言だろう。

三元豚の平田牧場グループ会長の新田嘉一の名を冠した酒田市の新田産業奨励賞というのがある。その記念講演会が毎年開かれ、日本総合研究所会長の寺島実郎が講演し、その後、私と対談するという形が昨年で九回になった。

寺島の演題は「生き残る地域となるには――コロナ問題の本質とコロナを超える視座」で、その要旨は一二月一七日付の『荘内日報』に載っている。

それを承けての対談で私は寺島に、トランプとバイデンが火花を散らしたアメリカ大統領選挙をどう受け止めたかと尋ねた。

それに対して寺島は、民主党のシンボルカラーの「青いアメリカ」と共和党のそれの「赤いアメリカ」に塗られた地図を毎日のように見させられたと思うが、一昨年、アメリカを旅行した日本人の九割は、ハワイ、グアム、サイパンはもとより、西海岸のシアトルからロサンゼルス、東海岸のボストン、ニューヨーク、ワシントンを訪れている。これらはすべてバイデンが勝っている州で、日本人はつまり、「青いアメリカ」しか見ていないと興味深い指摘をし、このことが「日本人が米国を考える時の一つの壁になっている」と問題提起した。（以下略）〉

●『岸恵子自伝』（岩波書店）

小田実との〝わりなき恋〟の話は書かれていない。

七日は玉川奈々福さんと『俳句界』の対談。

八日、弁護士の芳永克彦さん、原発の広告に詳しい元博報堂の本間龍さんと会う。佐藤優に訴えられた裁判の対策のためである。

●宝島特別取材班編『朝日新聞の黙示録』（宝島社新書）

いろいろショッキングなことが書いてある。二〇一九年五月三〇日号の『週刊文春』が報じた「朝日新聞労組副委員長はなぜ多摩川で入水自殺したのか」はその最たるものだろう。

岩波書店から出た樋田毅『記者襲撃』や『最後の社主』に対して抗議したりしたのも信じられない。メディアとしては自殺行為だ。

二〇二一年三月末には原発事故を取材した「プロメテウスの罠」などで知られる「特別報道部」が姿を消した。そして、エース記者たちが『朝日』を去っているという。

●宮里邦雄『労働弁護士「宮里邦雄」55年の軌跡』（論創社）

沖縄出身の宮里さんとは関西生コン労組の支援で一緒になる。物静かな闘士である。

●古賀茂明『官邸の暴走』（角川新書）

沖縄の新川明さんが、佐藤優に訴えられたことを心配して激励の手紙をくれる。『反国家の兇区』（現代評論社）の著者の新川さんは今年九〇歳。まだまだ元気である。『週刊金曜日』から『週刊東洋経済』に移った野中大樹君の結婚式で一緒になったが、あれは何年前のことだったか。

新川さんにはその思想だけでなく、『沖縄タイムス』の記者から社長になって、多分、慣れないその仕事に苦労しただろうことにも共感している。私も、比較にはならないが、㈱金曜日の社長などになって、タイヘンだったからである。

●今泉康弘『渡邊白泉の句と真実』（大風呂敷出版局）

「戦争が廊下の奥に立ってゐた」の白泉について書いたこの本のことは『社会新報』のコラムで紹介した。

●佐藤久美子『議員秘書　捨身の告白』（講談社）

アントニオ猪木が青森県知事選挙の応援に行って原発推進の電気事業連合会から一億円を受け取ったことをバクロした猪木の秘書の告白本を再読。

●枝野幸男『枝野ビジョン』（文春新書）

買う気はなくて、文春新書の編集部からもらったので流し読み。一〇分もかからず。中味なし。

●池上彰、佐藤優『真説　日本左翼史』（講談社現代新書）

この二人はそんなに共産主義が恐いのか。かつては左翼だった二人がエラそうに左翼について語る。唾棄すべき本だ。

『日刊ゲンダイ』のオススメ本で萩原慎一郎『歌集　滑走路』（角川文庫）を推す。編集部がつけた見出しが「連合会長が耳を傾けるべき悲鳴のような歌」。

〈『サンデー毎日』の六月二七日号で、小沢一郎が地元の岩手の県議会選挙のことを語っている。

「達増拓也知事は選挙では共産も含め、与党の県議を全員応援した。自民党はカッカしていたが、与党県議は皆喜んだ。この岩手に学ぶべきこともあるのではないか」

この発言に最も学んでほしいのは連合会長の神津里季生である。野党共闘で立憲が共産と手を結ぶことを彼は邪魔してばかりいる。

大体、政党でもない労働組合のボスがなぜ、口をはさむのか。それに右往左往する枝野幸男もだらしないが、私は神津に、そんな暇があったら、〝本業〟でしっかり成果を出せ、と言いたい。利益剰余金という名の企業の内部留保は二〇一九年に四七五兆円を記録し、八年連続過去最大となっている。これは組合、つまり神津が何の闘いもしていないということではないか。また、非正規雇用というのも4割に達しているが、それを放置している神津の責任はとてつもなく大きい。

神津や枝野は、二〇一七年に三二歳で急逝した若き歌人、萩原慎一郎の悲鳴のような歌に耳を傾けるべきだろう。

○非正規という受け入れがたき現状を受け入れながら生きているのだ

○非正規の友よ、負けるな　ぼくはただ書類の整理ばかりしている

非正規とは文字通り、非正規である。それを正規にするために労働組合があるのではないのか。非正規をなくすためには、立憲と共産が手を組み、むしろ、連合がそれを推進することを萩原ら若者は願っているだろう。

○今日という日を懸命に生きてゆく蟻であっても僕であっても

○牛丼屋頑張っているきみがいてきみの頑張り時給以上だ

○箱詰めの社会の底で潰された蜜柑のごとき若者がいる

これらの歌を読んで、神津の胸は痛まないか。

○どっかーんと爆発をしたそのあとじゃ遅いのだけど再稼働する

原発再稼働をなお願う電力総連や電機連合の迷妄をたしなめるのが神津の役割だろう。しかし、その逆に脱原発を求める動きの足を引っ張ってばかりいる。

○屋上で珈琲を飲む　かろうじておれにも職がある現在は

この歌集は昨年映画化もされた。〉

非正規労働がはびこる「非正規社会」に私たちは生きている。

〔二〇二一年七月〕

「死刑弁護人」から「ヤクザと憲法」へ

●寺尾文孝『闇の盾』（講談社）

副題が「政界・警察・芸能界の守り神と呼ばれた男」だが、それほど大物だったとも思えない。

二日は『サンデー毎日』での古賀茂明さんとの対談のため、日比谷のプレスセンターへ。テーマは東芝問題。司会が倉重篤郎さん。

●水口素子『酒と作家と銀座』（大和書房）

銀座の「ザボン」のママ。名づけ親が丸谷才一さんだったことを知る。常連作家として巻末に寄稿しているのは、重松清、島田雅彦、吉田修一、辻原登、さいとう・たかを、北見けんいち。後の二名は漫画家、もしくは劇画家である。

赤坂の「三平」というそば屋もやっていて、私はこちらで何度かママに会った。やり手というか、玄人らしくないママである。だから、鶴岡出身の丸谷さんもヒイキにしたのだろう。最後の文壇バーというべきか。『俳句界』に登場してもらおうと思う。

●加藤直樹『なぜ支店長は飛ばされたのか』（廣済堂出版）

名前も直樹なので、池井戸潤の「半沢直樹」のモデルと目されたらしい。まあ、旧三菱銀行だから、あのドラマも成り立ったとも言える。たとえば、住友銀行あたりだったら、上には逆らえない。それも、しかし、かつての三菱であって、バブルで荒れた銀行で半沢のような銀行員は生き残れないだろう。

八日は民間放送連盟ラジオ部門の審査。

●工藤美知尋『特高に奪われた青春』（芙蓉書房出版）

副題が「エスペランティスト　斎藤秀一の悲劇」。

九日に、同郷の斎藤についての取材を『朝日』の藤生明記者から受ける。

●青木理、安田浩一『この国を覆う憎悪と嘲笑の濁流の正体』（講談社+α新書）

一三日、『俳句界』の対談を福島みずほさんと。

●樫田秀樹『増補〝悪夢の超特急〟リニア中央新幹線』（旬報社）

樫田さん、あくまで直球勝負だなあ。もう少しカーブもまじえたらいいのに。

●相場英雄『震える牛』（小学館文庫）

相場さんは経済小説大賞に推した人だ。

●阿武野勝彦『さよならテレビ』（平凡社新書）

『日刊ゲンダイ』のオススメ本ミシュランで特薦する。

〈東海テレビのドキュメンタリーにはハッとさせられてきた。たとえば『死刑弁護人』であり、『ヤクザと憲法』である。ドキッとさせられたと言ってもいい。そのプロデューサー欄には、いつも、阿武野の名前があった。

ドキュメンタリーが全国ネットにならないので映画にして劇場公開の道も開いたが、それも「テレビが窮屈になって力を失っていくのを何とかしたい」からだった。

悪魔とレッテルを貼られた「死刑弁護人」の安田好弘を撮ったり、「反社会的勢力」と呼ばれるヤクザの親分の日常を追うのはなぜなのか？

指定暴力団「二代目東組」の二次団体「二代目清勇会」会長の川口和秀は、

「暴力団と呼ばれるのは、どういう気持ちですか」

という阿武野の問いに、

「誰が、自分で自分のことを暴力団と言いますか。言うてるのは、警察ですよ」

と返した。私は『ヤクザと憲法』を見て、川口と対談した。それは『週刊金曜日』の二〇一七年二月一七日号に載っている。

「私は長いこと裁判をしてますから、裁判所に対しては失望しかありません。服役したのは二二年一一ヵ月、約二三年ですよ」

こう語る川口は宮城刑務所にいた時、看守から暴行を受けた受刑者に相談されて、「監獄人権センターに手紙を出せ」とアドバイスした。そして、弁護士の海渡雄一らが動き、訴訟にも勝ったという。

神戸拘置所では、出廷の時にベルトをさせてくれと言ったら、アカンと来た。「理由は言われへん」なので、「それなら、裁判でぇへん、出廷拒否や」と答えたら、警備隊が六人ほど部屋に来て、連れ出そうとする。

「コラー、これ（心臓）とめてから出せ」

と川口が叫んだら、その迫力に負けて手をかけられなかったとか。

『さよならテレビ』で阿武野は「たとえば、指定暴力団の組員は銀行口座を作れない。幼稚園から子どもの入園を断られても暴力団員は何も言えない。自動車は売ってもらえないし、保険にも入れない」と書いている。それで川口は東海テレビの取材に応じた。まさに「ヤクザにも憲法を」である。私との対談で最後に川口はこう言った。

「ヤクザと共生できるような社会が一番ええですよ。いろんな人間がいてこその世界やと思います」〉

野党に背骨をしっかりと入れさせるための運動の原案を書く。

「いのちの安全保障確立に向けて　非正規社会からの脱却宣言」

〈三二歳で急逝した歌人、萩原慎一郎が「非正規という受け入れがたき現状を受け入れながら生きているのだ」と歌った。彼は「箱詰めの社会の底で潰された蜜柑のごとき若者がいる」とも歌ったが、非正規が当たり前のようになっているこの社会の異常さは、格差拡大や沖縄への軍事基地の押し付け、歯止めなき環境破壊となって噴出している。なしくずしの改憲への動きもその一つである。

日本国憲法には理念があり思想がある。

「戦争はすべてを失わせる。戦争で得たものは憲法だけだ」と城山三郎は言った。

非正規社会からの脱却をめざす革新勢力の結集の軸に私たちは憲法の理念の実現を据える。それをアイマイにして結集しても、腐敗した保守勢力（公明党、維新を含む）に傾斜するだけである。

原爆を落とした加害者のアメリカに追随し、被害者となった中国を敵視するのでは、憲法に基づく平和外交を展開できない。どんなに困難であっても、アメリカと中国双方に等距離の位置から、できるだけ、国家の水位を低くする努力を積み重ねる必要がある。

そして喫緊の課題の脱原発である。主にこの三つの立場を明らかにして、新たなプラットフォームを形成したい。

社会民主党は「革新勢力」が「分裂や対立を繰り返してきた」ことを反省し、「新社会党や緑の党をはじめ、基本政策が一致する多くの政党・政治団体・市民団体と日本を変えるためにネットワークを強化する」と表明したが、それを実現するために新たなムーブメントを起こしたい。

端的に言えば、いのちの安全保障確立へ向けて非正規社会からの脱却をめざす運動を起こすということである。〉

これについて発起人の一人の田中優子さんが「佐高信さんが起草して下さった『宣言』は素晴らしく、足すところも引くところもありません。私も改憲阻止と憲法の理念の実現を中心に据えたいと思います」と書いてくれて恐縮の限り。

●「信州しおじり本の寺子屋」研究会編『「本の寺子屋」新時代へ』（東洋出版）

一八日、河出書房のらつ腕編集者だった長田洋一さんに頼まれて塩尻図書館で講演。この本に次の一文を寄稿。「タブーに挑む本」。

〈三月に『時代を撃つノンフィクション100』（岩波新書）を出した。およそ三〇年前に出した『現代を読む　100冊のノンフィクション』（岩波新書）の改定新版で、大江健三郎著『ヒロシマ・ノート』（岩波新書）や服部正也著『ルワンダ中央銀行総裁日記』（中公新書）など重なっている本も少なくない。『時代を撃つ』の方の「あとがき」を私は「タブーに挑戦した作品の少ない貧血気味の出版界に手袋を投げるような気持ちで、この本を読者に送る」と結んだが、例えば田中伸尚著『ドキュメント昭和天皇』（緑風出版）全八巻や高橋篤史著『創価学会秘史』（講談社）は、タブー視されている天皇制や創価学会の真相をえぐった作品である。

私は二月に『佐藤優というタブー』（旬報社）を出したが、ベストセラーを連発し続ける佐藤を〝雑学クイズ王〟と定義づけ、彼に「知識」を感じたことはあっても「知性」を感じたことはないと批判した。

佐藤の博覧強記に魅せられる読書人は多い。しかし、彼の『池田大作研究』（朝日新聞出版）を読んでも、創価学会に対しては全く無批判であり、新自由主義者の竹中平蔵に対しても礼賛するばかりである。佐藤はマルクスについても該博な知識を披露するが、竹中礼讃とは矛盾するのではないか。あるいはクリスチャンを自称する佐藤が異教の創価学会を過剰なほどに持ち上げていいのか。

私は佐藤と二冊も共著を出している。その一冊の『喧嘩の勝ち方』（光文社）で、私が竹中をマクドナルドやパソナとの癒着を捉えて〝マック竹中〟や〝パソナ平蔵〟だと断罪すると、佐藤はこう言った。

「佐高さんの竹中批判、うまいんですよ。路線の批判じゃなくて品性の批判ですから。人格攻撃の一本で、ぐっと決めちゃうわけですからね」

そして、次のように続けたのである。

「僕はダメなんですよ。喧嘩の仕方の中で一つ弱点があって、相手が、よく本を読んでいたりとか、私がわかる範囲の学問の分野のところで、尊敬できる業績を残してると甘くなっちゃうんです」

問わず語りに、生き方と知識を分離させていることを告白しているが、知識はあくまでも知性を磨くための道具だろう。そして知性とはやはり批判力であり判断力である。多くのことを知っていても、自分で判断できなければ意味がない。知らないことが恥なのではなく、判断できないことが恥だということを私はとりわけ読書好きな優等生に強調したい。〉

二四日は社民党勝利集会。

［二〇二一年八月］

加藤陽子に淡谷のり子を連想する

●新谷学『獲る・守る・稼ぐ　週刊文春「危機突破」リーダー論』（光文社）

〈リーダー論、ありがとうございました。秋元康が「話が通じない」と言ったことや、シャルリー・エブドの覚悟になるほどと思いました。お元気で！〉

〝文春砲〟の砲手にこの本を送ってもらったお礼に、こうメールする。

コロナがおさまらないのにオリンピックを強行しようとする菅義偉、小池百合子、そしてバッハならぬバッカめ！　あらためて、オリンピックを止められなかったら戦争も止められないのではと思う。

●杉田望『巨悪』（小学館文庫）

呂志忠こと許永中が主人公のこの小説を読み返したのは、平凡社新書で出す森功さんとの対談を許から始めるため。

●鈴木善幸『等しからざるを憂える』（岩手日報社）

最初に当選した時、善幸は社会党からの立候補だった。

五日、森功さんとの第一回対談を学士会館で。

七日は盛岡での佐高塾をオンラインで実施。

●堂場瞬一『社長室の冬』（集英社文庫）

堂場さんは『読売新聞』の記者だった。三部作の最後。

●吉村昭『戦艦武蔵』（新潮文庫）
岩波新書で出す『企業と経済を読み解く小説50』に入れようかと思って再読したが、これは経済小説とは言えないなと判断する。

●立花隆『立花隆 最後に語り伝えたいこと』（中央公論新社）
大江健三郎との対話、刺激的ならず。『サンデー毎日』の大江論の参考になるかと思ったが、ならなかった。

オリンピックに突入。かつて、卓球をやっていたので卓球だけはテレビ観戦。『日刊ゲンダイ』の平井康嗣君に頼まれて、デジタルに次の原稿を寄せる。

〈中学、高校と卓球部に入っていた私は、「卓球王国・中国」と言われると、少なからずムカつく。一九五〇年代から六〇年代にかけて、「卓球王国」は日本だった。その象徴的人物が、世界選手権で二度シングルスで優勝し、のちに国際卓球連盟の会長となった荻村伊智朗である。一九三二年生まれの荻村は、残念ながら九四年に六二歳で亡くなった。

この荻村が中国の首相、周恩来に信頼され、中国を卓球王国にしたのである。一九四九年に共産主義国家となった中国は貧しかった。自らも卓球が好きだった周は荻村に「力を貸してくれ」と頭を下げた。

そして、中国の女性に纏足（てんそく）という習慣があったことを知っているか、と尋ねる。荻村が頷（うなず）くと、周はこう続けた。

「纏足は結局、体格が悪くなることにつながります。その女性から生まれてくる子供たちの体格も悪くなる。民族として悪循環に陥ってしまうのです。この習慣を断ち切るためには、女性のスポーツを盛んにすることが必要だと考えています。春夏秋冬、老若男女、東西南北、広い中国のどこでもできるスポーツが私たちには必要なんです。中国はまだ貧しい国です。でも、卓球台なら、自給自足できる。林の中にセメントやコンクリートの卓球台を置くことも可能でしょう。そういう理由で卓球を選んだのです」

もう一つ、欧米列強の植民地となった屈辱の経験を吹き払うために、スポーツによって自信を得ようと、周は考えた。

「日本人が敗戦後のどん底から自信を取りもどしたきっかけは荻村さん、あなたたちが活躍したスポーツだったでしょう。同じような体格の日本人が成功した種目で徹底的に鍛えれば、中国人も成功できるのではないか。あなたの経験と力で卓球のすばらしさをこの国の人民に伝えてほしいのです」

現在の「卓球王国・中国」をつくったのは周と荻村ということになるが、この二人はアメリカと中国の国交正常化につながった「ピンポン外交」の生みの親でもあった。提案者は荻村だったとも言われる。

この荻村の驚異的粘りが世界をアッと言わせたのは、一九九一年春、千葉で開かれた世界卓球選手権大会に「統一コリア」チームの参加を実現させたことである。この時、荻村は韓国に二〇回、北朝鮮に一四回も足を運んでこの夢を現実のものとした。この統一チームは女子の団体戦で中国を破って優勝し、表彰式では会場が「アリラン」の大合唱で湧き返ったという。荻村は大変な民間外交官だったのである。

荻村が亡くなった時、世界選手権シングルスで前人未踏の三連覇をなしとげた荘則棟はこんな談話を発表した。

「荻村さんは中日友好の開拓者である。私たち中国人民は老朋友（旧友）である荻村さんを決して忘れない。私は荻村さんの試合を撮影した映画を見て技法を学んだ。荻村さんを失ったことは大きな損失である」〉

一八日付の『毎日新聞』夕刊に中森明夫が西部邁について書いている。ある時、西部に「神は死んだ、とニーチェは言いましたね」と言ったら、「でもね、死んだということは生きていたということじゃないか。

ニーチェほど神の存在を信じていた哲学者はいないよ」と一刀両断で切り返されたとか。

●加藤陽子『この国のかたちを見つめ直す』（毎日新聞出版）

『日刊ゲンダイ』のオススメ本へ。

〈東大教授の加藤に、じょっぱり（津軽弁で強情っ張り）だった歌手の淡谷のり子を連想すると言ったら、加藤は苦笑するだろうか。

こんな逸話がある。テイチクのディレクターから、「星の流れに」をどうかと言われた淡谷は、結びの

〽こんな女にだれがした……

という歌詞が嫌だからと断った。戦後初のレコードなので吹き込みたかったが、夜の女がふてくされて他人のせいにしているのがガマンならなかった。それは軍国主義者たちが戦争をしたからではないかというディレクターに、彼女はこう言い返す。

「それを戦争中に言ってほしかったわ。戦争中は軍国主義に媚びて協力したくせに、いまになって戦争反対者みたいな顔をするなんて、それこそずるい人間のやることよ」（小堺昭三『流行歌手』集英社）

これで淡谷はテイチクに居づらくなり、日本ビクターに移籍する。

小林秀雄賞を受けてベストセラーとなった加藤の『それでも、日本人は「戦争」を選んだ』（朝日出版社）という題名のつけ方と、淡谷の反骨には通うものがある。

加藤は日本学術会議会員への任命を拒否された六人の一人である。それだけ政府にとって脅威であり毒があると認定されたわけで、加藤にとっては名誉だろう。他の五人は学術会議の「連携会員」「特任連携会員」として活動することになったが、加藤はそれを断った。この厚みのある本の中で、そのことについて問われて、「当方としては、やはり今回の菅内閣の、十分な説明なしの任命拒否、また一度下した決定をいか

なる理由があっても覆そうとしない態度に対し、その事実と経緯を歴史に刻むために、『実』を取ることはせず、『名』を取りたいと思った次第です」と答えている。これもまた淡谷に似たカッコよさだろう。

『仁義なき戦い』の脚本家、笠原和夫の書いたものは必ず読むようにしているという加藤は、新型コロナウイルスについて考察するコラムでは、朱戸アオの『リウーを待ちながら』（講談社）という漫画を引く。変幻自在なのである。そして、「政治指導者が自らに不都合な『情報』に耳を貸さなくなったらどうなるか」と問いかける。言うまでもなく、「集団や組織を死地に追いやることとなる」だろう。まさに「バカな大将、敵より怖い」である。そのことを加藤はさまざまな角度から明らかにしている。〉

●池田香代子『花岡の心を受け継ぐ』（かもがわ出版）

鹿島建設などの徴用工問題に関わった弁護士の内田雅敏さんらが池田さんの質問に答えて語る。

大館市長をやった小畑元さんは、池田さんが「広島・長崎は被害の地から平和を訴えているけれど、大館・花岡は加害の地から平和を訴えている」と言ったのに、こう答える。

「加害でもあり、被害でもあるんです。非常に複雑な心境を抱えながらも、それでも慰霊式をやっているわけですから、何とも言えないものがある」

この章の見出しは「保守市政時代も続いてきた死者を悼む心」。

朝鮮人虐殺追悼式にメッセージを送らなくなった小池百合子は保守でもない。鬼百合なのだ！

●細田昌志『沢村忠に真空を飛ばせた男』（新潮社）

「昭和のプロモーター・野口修評伝」

野口のパートナーとなった山口洋子への興味で読んだが、とてつもなく厚い。山口は安藤昇と同棲していたこともあり、安藤が「殿」と呼ばれていたので、「姫」となった。

私が知り合ったころは若き日のそうした激しさはなくなっていたが…。岡部クリニックという場所で会ったからかもしれない。

●姜尚中『母の教え』（集英社新書）

まぐまぐのメルマガ「私の出会った人」に「母のふところに還った姜尚中」を書くために読み返す。

一八日は「いのちの安全保障を求める」共同テーブルの記者会見。『朝日』の現役記者とOB記者が例によって知ったかぶりの質問をするのに、やはり『朝日』出身の竹信三恵子さんが「オヤジくさい」と一喝して、胸がスーッとした。

一九日は『俳句界』の対談を東海テレビのプロデューサー、阿武野勝彦さんと。

●藤沢周平『霧の果て』（文春文庫）

「神谷玄次郎捕物控」。はじめて読むような興奮。テレビの再放送を見て本棚から取り出した。

●佐佐木幸綱歌集『春のテオドール』（ながらみ書房）

○「熊がでました。注意してください」

どう注意すべきかはりがみにはかかれていない

送ってもらった歌集。一度対談したことのある佐佐木さんは俵万智の歌の師なり。

［二〇二一年九月］

『百合子とたか子』に多大の疑問

●岩本美砂子『百合子とたか子』（岩波書店）

駄本！　百合子は宮本百合子でたか子が土井たか子と思ったら、何と小池百合子と土井たか子。岩波ともあろうものがこんな本を出すとは。

一日は平凡社新書での森功さんとの対談終了。編集長の金澤智之さんに案内されて「揚子江」へ。

二日は銀座の文壇バー「ザボン」のママ、水口素子さんと『俳句界』の対談。

●吉田健一『55年体制の実相と政治改革以降』(花伝社)

「元参議院議員、平野貞夫氏に聞く」。

四日、千葉の朝日カルチャーセンターで、「私の人物鑑定法」を話す。終わって、柏の平野さん宅へ。

落合恵子さんからの電話で、一日に内橋克人さんが亡くなったことを知る。経済論、企業論で私の兄貴分が奥村宏、岸本重陳、そして内橋克人だった。みんないなくなった。『西日本新聞』に頼まれて次の追悼文を書く。

〈内橋は私にとって、とりわけ経済についての考え方の学兄だった。私たちには『ＫＫ　ニッポンを射る』などの共著のほかに『城山三郎　命の旅』(講談社)という共編著がある。

そこで内橋は、最初に読んだ城山作品として鈴木商店焼き討ち事件を描いた『鼠』を挙げ、「城山さんについて語るとき、重要な要素として戦争と国家のふたつはよくいわれるんですが、私はもうひとつ、恐慌、経済恐慌という柱があると思う。なぜならずっと、昭和恐慌というものにこだわっておられる」と指摘している。『男子の本懐』までその問題意識は継続していて、不況の時代にあえて緊縮財政を断行し、軍拡を阻止しようとした浜口雄幸と井上準之助を描いた。

戦争と恐慌がつながっていたという見方は内橋ならではのものであり、それは内橋が同じ問題意識でジャーナリスト活動を続けていたことを意味する。

ちょっと手前味噌だが、経済論もしくは企業論の系譜として、城山―内橋―私という流れがあり、それと逆の系譜に、長谷川慶太郎―堺屋太一―竹中平蔵という流れがあると私は言ってきた。城山と長谷川が同じ年であり、内橋と堺屋、私と竹中がほぼ同い年である。

私たちは非正規労働などをなくして個人消費を拡大することが経済の好循環を招くと考えるのに対して、長谷川から竹中までは、とにかく会社を富ませればうまくいくと考える。しかし、内部留保が四七五兆円にもなり、会社は富んだけれども、社員すなわち民は貧しいという状況がますますひどくなっている。

内橋はそれを「マクロな経済数値をもてあそんで『人間』を見ず、時流に便乗して世の中を見下している。『市場が淘汰する』なんて、どんな怖い言葉を口にしているかわかっているのか」と怒っていた。

国鉄の分割・民営化ならぬ会社化に反対して、私たちは当時の国鉄労働組合の応援をした。公共輸送を担う国鉄を会社にすることは赤字黒字で測ってはいけないものを新自由主義的にその計算に巻き込むことである。現在に至る公の破壊はここから始まった。

そのころ、内橋と私は民営化させてはならないと国労の委員長たちを激励していたが、彼らの危機感は薄く、反応ははかばかしくなかった。帰途、二人で喫茶店に入って、ガックリだな、と語り合ったのを思い出す。言ってみれば内橋は公を壊す者と最期まで闘い続けたジャーナリストだった。

今年の三月に出した拙著『時代を撃つノンフィクション100』(岩波新書)に内橋の『共生の大地』(岩波新書)を入れたので送ったら、すぐに礼状が届いた。

「沈みがちな気分をもて余しておりました折りでもあり、芯から励まされ、いま一度、私も現場復帰を、と心に期したところです」とあり、私も期待していたのに、訃報に接して、内橋のように緻密でない私は、それこそ沈み込んでいる。内橋の経済論は文学であり、哲学だった。〉

これは「最期まで『公を壊す者』と闘い続けたジャーナリスト」と題して一五日付の同紙に掲載された。

●本橋信宏『出禁の男』(イースト・プレス)

「テリー伊藤伝」だが、あまり、おもしろからず。

●石井妙子『魂を撮ろう』(文藝春秋)

『MINAMATA』を撮ったユージン・スミスの妻、アイリーンを追って。『日刊ゲンダイ』でオススメする。

〈水俣病の闇は深い。それに、どこから、どう光を当てるか。著者はMINAMATAの写真を撮ったユージン・スミスの若き妻、アイリーンを〝発見〟した。正式の名前はアイリーン・美緒子・スプレイグ。伝説のフォトジャーナリストのユージン・スミスと出会ったのは二〇歳の時だった。スミスが五一歳。親との関係の薄かったアイリーンは「ユージンのなりふり構わない愛の告白に圧倒された」という。

二人で水俣に来て、「生きとるまんま、死んだ人間」(石牟礼道子)の水俣病患者、上村智子が母親の良子に抱かれて入浴する写真を撮る。

ミケランジェロのピエタ像と比較されて「水俣のピエタ」といわれるこの作品について、著者は書いている。

「ユージンでなければ、そしてアイリーンが助手でなければ生まれない一枚だった。彼の技術と感性が結実している。彼は構図を決め、光の効果を計算した。窓から入る光、風呂の水面に反射する光、アイリーンに持たせたスレイブライトの光。湯気の流れを。そして、すべてと共鳴しながら、とりわけ智子と良子の波動に彼のそれを合わせながら、その瞬間を撮った」

水俣病を、あくまでも人間に焦点を当てて描いたこの本は、それだけに構図が決まっていて、読者を飽きさせない。

それにしても、これを惹き起こしたチッソとこの国の政府の鉄面皮な動きには呆れるほかない。しかし、あにチッソのみならんや、である。チッソの社員はユージンとアイリーンにまで襲いかかった。ユージンはこの時の暴行が原因で亡くなっている。

また、東工大教授の清浦雷作はじめ、政府およびチッソ御用の学者たちの熊本大学に対する攻撃も激しかった。有機水銀説を主張する原田正純らに、彼らは「田舎の駅弁大学」という侮蔑の言葉まで投げつけた。原発擁護の御用学者たちと同じである。

私は三・一一の直後に『原発文化人50人斬り』（毎日新聞）を書き、原田に送ったが、原田が礼状に「溜飲が下がりました」と二度も繰り返しているのを読んで、よほどくやしかったんだろうなと思ったものである。

「客観なんてない。人間は主観でしか物を見られない。だからジャーナリストが目指すべきことは、客観的であろうとするのではなく、自分の主観に責任を持つことだ」というユージンの言葉に私は大賛成である。〉

●澤章『ハダカの東京都庁』（文藝春秋）

小池百合子批判の資料として購入。

メディア・コントロールについては、こう書いてある。

「会見場で小池知事が懇意の記者しか指名しないことは業界筋ならずとも有名な話である。会見が始まると、担当職員から知事にこっそり手書きのペーパーが手渡される。そこには記者席のどこに、どの社の誰が座っているかが記されている。

知事はこのペーパーを手元に置き、自分が贔屓にする記者を指名する。知事は首を左右に振って次に指名する記者を探し、ランダムに当てているように見えるが、そんなことはない。誰がどこの記者なのかを把握した上で、完全に計算ずくで指名しているのである」

人事課長や中央卸売市場次長を歴任した著者は、小池の「七つの大罪」として、次の項目を挙げる。

一、粛清人事と情実人事を操る恐怖政治

二、「女の敵は女」を地で行くジェンダー操作

三、密告を奨励し職員を分断する「ご意見箱」の設置

四、日常的に繰り返される情報操作

五、都財政の貯金を使い果たした隠れ浪費

六、都市基盤整備に関心がないのは決定的にダメ

七、この世を敵か味方の二つに分ける思考パターンが不幸を招く

私は『創』の一一月号で小池を取り上げ、「筆刀両断」したが、忘れてならないのは、無免許運転で事故を起こしながら都議選で当選した「都民ファーストの会」の木下富美子を小池が応援に行ったことである。それなのに小池は「自身で判断されることを期待している」と他人事。膝詰談判して都議をやめさせるべきではないのか。

こんな小池と並べられては土井さんも浮かばれないだろう。土井が何と闘ったかが、『百合子とたか子』の著者にはまったくわかっていないのだ。しょせんは現実を知らない大学のセンセイということか。

●藤沢周平『雪明かり』（講談社文庫）

●藤沢周平『闇の歯車』（講談社文庫）

二〇日、関西生コンの闘争支援と、「路上のラジオ」のインタビューのために行った大阪のホテルで、静かに藤沢周平の世界に浸る。

二一日は『創』の創刊五〇周年対談を田原総一朗さんと。題して「政治の劣化とメディアの責任」。

二七日、「佐高信の隠し味」に立花家橘之助さんを招く。三遊亭小円歌と名乗っていた粋な女。「デモクラシータイムズ」でのそれだが、ユーチューブで見られる。

●佐高信『平民宰相　原敬伝説』（角川学芸出版）

読み返したら、「羊頭狗肉」と言われても仕方ないほどに原敬以外のことを書いているなあ。特に大逆事件と幸徳秋水に多くのページを割いている。逆にそれが高知出身の平野貞夫さんなどにはおもしろかったのか？

●なべおさみ『やくざと芸能界』（講談社＋α文庫）

いろいろとおもしろいネタが書かれている。文庫になった時に削除された部分の話は『社会新報』のコラムに書いたが、東宝撮影所で「天皇」と言われていた黒澤明監督をベテラン俳優の藤原釜足だけが「黒澤君！」と呼んでいたという。「二人だけの間に存在する序列」によってだとか。

［二〇二一年一〇月］

維新の改革は「企業再建」ではなく「企業整理」

●佐藤卓己『負け組のメディア史』（岩波現代文庫）

副題が「天下無敵　野依秀市伝」のこの本を『時代を撃つノンフィクション100』（岩波新書）の一冊に挙げた。

すると、この「文庫版あとがき」に次の記述が……。

〈この文庫化が正式に決まった直後、佐高信さん（本書一九頁参照）から『時代を撃つノンフィクション

100』（岩波新書、二〇二一年）をいただいた。お会いしたこともないため、「なぜだろう」と恐る恐る、目次をめくった。すると本書の旧版『天下無敵のメディア人間――喧嘩ジャーナリスト・野依秀市』（新潮選書）が選ばれていた。長らく品切れが続いていたこともあり、絶好のタイミングでこの文庫化にエールを送っていただいたことになる）

ちなみに一九頁にはこうある。

〈経済雑誌『現代ビジョン』の元編集長・佐高信が「四尺八寸七分の男――三宅雪嶺と野依秀市」を含む小島直記『日本策士伝』（一九九四年）で解説している。佐高は世間で「会社ゴロ」と目されていた野依の「情誼の篤さ」を称賛している〉

六日、最後の黒幕と称される朝堂院大覚さんと会う。

七日は岩波書店で『東京新聞』記者の望月衣塑子さんと打ち合わせ。

このところ、韓流ドラマの「アルゴン」や「皇后の品格」を見ている。

●青木理『破壊者たちへ』（毎日新聞出版）

固有名詞の批判でないところが、いささかならず不満。これでは相手に痛撃を与えることにならないではないか。

やはり青木も共同通信という大手メディアの出身のせいか、上品過ぎる。

一三日、逗子へ。学生時代の寮の友人、上野尚之と共にシネマアミーゴで『サンマデモクラシー』を見る。沖縄のおばあの闘い。

●佐藤優、山口二郎『異形の政権』（祥伝社新書）

山口が佐藤に手玉に取られている駄本！

佐藤はしたり顔に、

「総選挙で菅（義偉）陣営の選挙対策本部事務局長を務めた吉川貴盛元農林水産大臣は収賄疑惑で、菅さんが重用していた河井克行元法務大臣も公職選挙法違反に問われ、ともに議員辞職しています」

などと言っているが、佐藤は問題の河井克行の推薦人となり、応援演説までしている。

それを山口は知らなかったのか、知ってて突っ込まなかったのか。いずれにせよ、マヌケな話である。

また、山口は「菅政治の最大の罪は、安倍政権の官房長官時代から、言葉による政治を壊してきたこと」にあると指摘している。

しかし、では、佐藤が「言論には言論で」と主張していながら、拙著『佐藤優というタブー』（旬報社）を名誉毀損で訴えたことはどう思うのか。

佐藤にとって山口は操りやすい相手なのだろう。だから、「野党連合政権構想は、かえって菅政権の延命に手を貸すことになる」などと言いたい放題である。

そして、「立憲民主党は自民党に抱きついてしまえばいい」とまで言っている。それに対して、山口はまったく有効な反撃をしていない。

山口は何のためにこんな本を出したのか。

終始、佐藤の引き立て役である。

いつも私が言っている「大学教授はヒモノ」説を証明したにすぎない。よかれ悪しかれ、ナマモノの佐藤にヒモノの山口がかなうはずがないのである。山口にはその自覚が決定的に欠けている。

●鈴木宗男『人生の地獄の乗り越え方』（宝島社）

批判の材料になるかと思ったが……。

現住所「維新」の鈴木は佐藤優と同じく公明党および創価学会に通じている。

この時点では広島三区に公明の斎藤鉄夫を擁立することに岸田文雄が抗議し、自民党の幹事長だった二階俊博に「地元は公明に怒っている」と言ったらしい。河井克行の後に斎藤をというわけだが、公明に乗っ取られて地元の自民党は「何で手を組まなきゃいけんのよ」と不満たらたらだった。

●下山進『2050年のジャーナリスト』（毎日新聞出版）

『日刊ゲンダイ』のオススメ本へ。

〈どこよりも早く報道することを競う日本の新聞の前うち主義を批判するこの本を読みながら、城山三郎の次の発言を思い出した。

「新聞は原則として夕方まで読まないようにしているんです。読むと腹が立つことが多くて仕事の邪魔になるから」

それだけでなく、「早い情報よりも正確な情報を取るべきだ」と思うからである。「情報は、ある程度時間をおけば正しいものになっていく。スピードじゃないと思うんですよ」という城山の言葉を、情報に携わる者は何度も噛みしめるべきではないか。

著書は「ノンフィクションもジャーナリズムも名前を与えることによって始まる」と指摘する。何よりも固有名詞から始まるのであり、人に還るということだろう。

私はこの本で思いがけない人に〝再会〟した。『山陽新聞』解説委員の横田賢一である。

横田は「会社側の第二組合から第一組合にわざわざ移った変わり者」であり、「部下をもたず、一人で好きなことを書いてきた記者だった」という。

そうしたことを知らずに、私は香山リカに誘われて岡山に行き、横田と一緒に座談会をやった。岡山出身で若くして亡くなった俳人、住宅顕信について語ったのである。「鬼とは私のことか豆がまかれる」とか、「ずぶぬれて犬ころ」などの句をつくった顕信は、放浪の俳人、尾崎放哉に憧れていた。歩き遍路のブームのきっかけをつくった横田の夕刊の連載に触れながら、著者は「記者の顔が見える記事」が必要なのだと説く。

現在は池上彰に象徴される解説全盛の世の中だが、著者は四月の時点で「はっきり言う。オリンピックは中止にすべきだ」と主張している。

世界的に退潮を続ける週刊誌の中で、唯一、イギリスの『エコノミスト』だけが部数を伸ばし続けているという。なぜなのか？

著者は、同誌がニュースを報道するのではなく、世の中に起こっている事象を「分析」して「解釈」し、そして「予測」するからだと考察している。もちろん、そうなのだろうが、そこに見方を含めた主張があるから、同誌は伸びているのではないか。主張は人間がする。主張を通じて人間が浮かび上がる。

「変わり者列伝」とも言えるこの本には、私の苦手な沢木耕太郎や猪瀬直樹と共に、友人の落合恵子も登場する。それぞれ、伝えることに苦闘している人たちである。〉

●松田美智子『仁義なき戦い　菅原文太伝』（新潮社）

一九日、デモクラシータイムスの「3ジジ放談」。ユーチューブで見られるこれをたのしみにしていると言われること少なからず。

早野透と私が同い年で、平野貞夫さんが私たちより一〇歳上。その平野さんが最も若々しいと、もっぱらの評判。

●田原総一朗『自民党政権はいつまで続くのか』（河出新書）

続いてほしくないのに続いてしまうなあ。

●鈴木忠平『嫌われた監督』（文藝春秋）

『週刊文春』連載中から愛読していたが、圧倒的なおもしろさ。それはもちろん、落合のおもしろさでもある。

とりわけ、次の場面が印象深い。

〈「お前、ひとりか？」

落合は私の返答を待たず、自ら辺りを見渡して他に誰もいないことを確認すると、後部座席に乗り込んだ。そして、私に向かって反対側のドアを指した。「乗れ――」〉

まだ若い記者だった鈴木に、落合は、

「俺はひとりで来る奴にはしゃべるよ」

と言ったという。

●塩田潮『解剖　日本維新の会』（平凡社新書）

社民党の大椿ゆうこ候補の応援に大阪に行き、ここでは敵は自民党ではなく維新です、と言われて驚く。

維新は竹中平蔵や小池百合子とつながる。

二〇一七年秋の衆院解散の少し前に、竹中が設定して、ANAインターコンチネンタルホテル東京内の日本料理店「雲海」に橋下徹、松井一郎、小池百合子が集まったというニュースが流れた。

維新の「大阪改革」について、立憲の馬淵澄夫が民進党副幹事長時代に、こんな指摘をしたというのは示唆に富む。

「彼らがやった大阪の改革は、借金があるからそれをなくすという『会社整理』です。『会社再建』ではありません。弁護士の橋下さんはそういう発想になったのかも」

二二日、「テレビで会えない芸人」の松元ヒロを追った映画の試写会へ。

衆院選では、社民党を中心に野党共闘候補の応援に駆けまわった。東北、東京、横浜、名古屋、京都、大阪、神戸など。滞在時間一時間にも満たないところもあった。

長岡では米山隆一候補の個人演説会へ。

●望月衣塑子『報道現場』（角川新書）

日本学術会議の任命拒否問題が起きる二ヵ月も前に、甘利明がこんなブログを書いていたという。

〈日本学術会議は防衛省予算を使った研究開発には参加を禁じていますが、中国の「外国人研究者ヘッドハンティングプラン」である「千人計画」には積極的に協力しています〉

これはガセネタだった。

甘利は小選挙区で落選することになったが、そんな甘利を伊集院静が『週刊現代』の一〇月一六日号で次のように持ち上げたことは特筆すべきだろう。

自民党の幹事長に甘利がなったことを「こころ強い」とし、大臣室でのカネの受け取りも「公設秘書がしでかした事件」とかばった上で、甘利を「何よりも優秀」だという。驚いたが、伊集院も甘利程度の男なのだろう。

●国正武重『日本政治の一証言』

副題が「社会党と土井たか子の時代」。株式会社アルスロンガの発行である。

竹中労に学んだ斬人斬馬剣

［二〇二一年一一月］

●大下英治『鳴動！　政権政局の舞台裏』（さくら舎）

味のある田中角栄の言葉を見つける。田中が大蔵大臣になった時、官僚たちを前に、

「自分が、田中角栄である。ご存じのように、わたしは高等小学校卒業。諸君は全国から集まった秀才で、金融財政の専門家だ。しかし、刺のある門松は、諸君よりいささか多くくぐってきている」

とあいさつした。「すさまじい迫力だった」という。「刺のある門松」という表現がいい。

一日、久しぶりに「とくし丸」の住友達也クンと会う。

二日は『サンデー毎日』で望月衣塑子記者と対談。

●小池真理子『月夜の森の梟』（朝日新聞出版）

『朝日新聞』で週一回読んでいる時はそれほど重くなかったが、まとまると、一気には読めない。

●金平茂紀『筑紫哲也『NEWS23』とその時代』（講談社）

『日刊ゲンダイ』の「オススメ本ミシュラン」で、この本を取り上げたが、三つ星でなく二つ星半としたのは、筑紫に対する批評がほとんどないから。

『NEWS23』のスタッフだった著者に望むのは無理なのかもしれないが、後世の読者を考えて、あえて満点とはしなかった。ずいぶんと読まれているらしい。

〈筑紫ファンにとっては、たまらない本である。往時のアルバムを見るように、筑紫のさまざまな表情が映し出される。

ただ、著者が身近にいたが故に、筑紫との距離がうまく取れていない感じもある。端的に言えば、筑紫の

明らかな過ちへの言及がないのだ。

たとえば、現在の政治の腐敗と堕落を生んだ「政治改革」という名の小選挙区制に筑紫が賛成してしまったことをスルーしては、画竜点睛を欠くことになるだろう。

『NEWS23』の後を継いだ一人の岸井成格は「筑紫にあってオレにないものは文化だな」と言った。確かに筑紫はジャーナリストというよりは文化人であり、政治も文化で語ろうとした。政治的に劣勢ならば文化で巻き返すしかないのだが、政治のもつ非情さを筑紫は把握せず、小選挙区制に賛成してしまった。政治を苦手として遠ざけたが故に、死票を多く生む小選挙区制に賛成して政治的な悪を見逃してしまった。

立花隆は筑紫を「戦後日本が生んだ最大のジャーナリスト」と絶賛しているが、私は筑紫も立花もそうだとは思わない。「最大のジャーナリスト」と言うには、二人共、善人過ぎた。私はむしろ、迷う筑紫に魅力を感じてきた。だから、筑紫をそうした額縁にはめてしまうことには生理的に反発する。

拙著『不敵のジャーナリスト　筑紫哲也の流儀と思想』（集英社新書）でも紹介したが、『週刊金曜日』が創刊されてまもない頃、本多勝一、筑紫、そして私の三人で広島に講演に行ったことがある。

それぞれの講演が終わり、三人が壇上に並んで質問を受けることになったが、一人の女子大生から、こんな質問が寄せられた。

「筑紫さんはショートカットの女性が好きですか、ロングヘアの女性が好きですか」

私は聴衆に見えないように筑紫の袖を引っ張り、強い口調でささやいた。

「こんなバカな質問に答える必要はないですよ」

しかし、筑紫はていねいに答えたのである。どちらが好きと言ったかは忘れたが、その時、私は一〇歳も年上ながら筑紫を「かわいい人」だなと思った。ある種の人気を保ちつつ、少数派の立場に立って護憲の姿勢を崩さずに主張し続けることは決して容易なことではないだろう。その綱渡りから降りなかった筑紫の姿をこの本は捉えている。〉

●伊藤彰彦『最後の角川春樹』(毎日新聞出版)

この男にはあまり好感が持てないが、著者と編集者を信頼して読んだら、おもしろいことはおもしろい。

●有田芳生『歌屋　都はるみ』(文春文庫)

四日、原敬暗殺の日に、『俳句界』でアイリーン・美緒子・スミスさんと対談。

テレビで都はるみの歌を聞いていて、有田さんの本を取り出す。

演出家の藤田敏雄は、「フォルティッシモ」のはるみに「ピアニッシモ」を歌わせることで新しい境地を開いたという。

●佐高信『悲歌』(毎日新聞社)

一五日、作曲家の弦哲也さんと『俳句界』の対談をし、その時、この本を謹呈したので読み返す。その後、『酒は涙か溜息か』と改題されて角川文庫に入ったこの本は『東京スポーツ』に連載した古賀政男伝である。古賀メロディはいまも生きている。

●竹信三恵子『賃金破壊』(旬報社)

一七日は星陵会館で「福島みずほの会」。

●樋田毅『彼は早稲田で死んだ』(文藝春秋)

一九七二年に起きた革マル派によるリンチ殺人事件。

当時、早稲田のキャンパスには、のちに岩波書店の社長になる岡本厚や、現在スローライフを提唱する辻信一などがいた。辻こと大岩圭之助は革マル派の幹部だったという。

二三日、デモクラシータイムスの「3ジジ放談」。

●大下英治『橋下徹の政権奪取戦略』（イースト・プレス）

二六日はポレポレ東中野へ。小室等さんのライブで坂田明さんと会う。

●ねじめ正一『落合博満論』（集英社新書）

『嫌われた監督』（文藝春秋）があまりにおもしろくてこれを読む。

ここで、九月二四日付の『荘内日報』に書いた「竹中労に学んだ斬人斬馬剣」を再録しておきたい。

〈九月四日に朝日カルチャーセンターの千葉教室で「人物鑑定法」という講義をした。中曽根康弘や池田大作を槍玉にあげた『エライ人を斬る』（三一書房）の竹中労の影響を私は受けているので、竹中の鑑定法を参考に話をしたが、竹中も私も勲章をもらうような人はまず相手にしない。

たとえば、日本銀行総裁をやった前川春雄や、「表紙を替えても中身が変わらなければ」と言って首相の座を蹴った伊東正義など、勲章拒否の人は魅力の深さが格段に違うのである。「財界の鞍馬天狗」という異名をもつ中山素平もそうだった。

共産党のプリンス視されていたころの不破哲三を「ヘアトニック・ラブで革命ができるか」と一刀両断した竹中譲りの私の辛口人物評もさまざまなところでハレーションを起こしているので、特に財界からは敬遠されてきた。

ところが、住友銀行からアサヒビールに移って社長、会長を歴任した樋口廣太郎が「あらまほしき評論家」などと言って妙に私をヒイキにしてくれた。そして、樋口が理事長だった「財界フォーラム」に招いて講演させたのである。

「どうして佐高なんか呼んだんだ」と後から樋口は言われたりもしたらしいが、私は銀行批判も厳しくやり、大人のワッペンである勲章などもらってはダメだと結んだ。

その後で司会役の彼は
「この一徹さは一服の清涼剤というか、自分では過激でも何でもないと言っておられるけれども、非常にすばらしいものがある。実は、私も勲章の内示をたびたび受けて、迷っておったんですけれども、今やめようと思いました（笑）。外国の勲章はもらうつもりでおります。これは断ると大変非礼になりますので」

とまとめたので、私は恐縮しつつもビックリした。しかし、樋口の立場で拒否はできないだろうと思っていたが、それを貫いた。それで右翼の攻撃を受けたりしたけれども怯まなかった。それだけでなく、その後、樋口は座長をしていた「日本と日本人の未来を描く」フォーラムで勲章の廃止を提言したのである。

会社にかかってくる苦情電話をすべて記録させて、後で自ら電話をし、〝朝日〟ビールではなく〝夕日〟ビールだと陰口を叩かれていた同社を再生させた樋口ならではの逸話だろう。

「反骨のルポライター」竹中労について特集した雑誌で私は新右翼の鈴木邦男と対談したが、彼は
「（竹中は）漢文の素養もあって、なおかつ難しい書き方をしない。それを誰に習ったのかなと思ったら、藤沢周平に影響を受けたとどこかで読んだことがあります。時代小説が好きで参考にしていると」と語り、私の書くものが竹中に似ているとして、「竹中労は佐高さんの中に生きていますよ。生まれ変わりですよ（笑）」

と付け加えた。

私が世に知られるようになった『噂の真相』の連載「タレント文化人筆刀両断」は、同誌編集長の岡留安則が、やはり、私の中に竹中の面影を見て依頼したのだった。〉

●田原総一朗、下重暁子『人生の締め切りを前に』（講談社＋α新書）

二八日付の『産経新聞』で横浜高校元野球部監督の渡辺元智さんが、〝ハマのドン〟の藤木幸夫さんに

「意外な言葉をもらった」ことを語っている。

松坂大輔らが卒業した後のチームで選抜に出場し、初戦でPL学園に敗れた。世話になっていた神奈川県野球協議会会長の藤木さんに報告に行ったら、いきなり、

「よくやった。負けてよかったね。おめでとう」

と言われた。

「惜しかったね」とか、「勝負はときの運だから」と慰められると思っていただけに、衝撃を受けた。

「高校生がずっと勝ち続けたら、どんな人間ができあがるか。教育だろう、高校野球は」

と続けた藤木さんの言葉は渡辺監督の胸にしみたという。

この時から、「栄光より挫折」「成功より失敗」「勝利より敗北」、そして「人生の勝利者たれ」という言葉を胸に刻んで、渡辺さんは部員の指導にあたるようになった。

『産経』と『読売』は行きつけの喫茶店に置いてあるので読む。こうした珠玉の話が書いてあることもまれにあるので、読まずにはいられない。

藤木さんはいろいろな人が集まる「ヨコハマともだち会」をつくっている。

［二〇二一年一二月］

竹内ヤメルナ、岸ヤメロ

●高木郁朗『戦後革新の墓碑銘』（旬報社）

社会党のブレーンだった高木さんの回想。

二日、銀座のクラブ「ザボン」へ。ママの水口素子さんから、森功さんのサイン会へぜひと言われて、ツ

レアイと共に出かける。その前に時間があったので、映画『孤狼の血』を観賞。鈴木亮平に存在感あり。ただし、残虐シーン多く、ツレアイには不評だった。「ザボン」と名付けたのは丸谷才一さんだという。文藝春秋の編集者多し。

●田原総一朗『堂々と老いる』(毎日新聞出版)

佐藤優に降参しているのが気に入らない。私のことも出てくる。

●ロッキー青木『人生、死ぬまで挑戦だ』(東京新聞出版局)

ベニハナに勤めていた人と知り合いになり、ロッキーに興味を持って、この本を読んだ。けっこうおもしろかった。

五日、『財界展望』誌での辻元清美対談。

その後、デモクラシータイムスで、早野透をまじえて鼎談。辻元まで落としてしまう維新旋風を分析しなければと思う。

●寺島実郎『人間と宗教』(岩波書店)

七日に酒田の東北公益文科大学で、寺島さんの講演と私との対談の際にもらったこの新刊を『日刊ゲンダイ』のオススメ本ミシュランで紹介する。『世界』の連載を編集し直して読みごたえあり。

〈実に刺激的な本である。著者と私は対談の共著も出しているが、関心のあり方が微妙に違う。たとえば、同世代人として「三島由紀夫と司馬遼太郎」を対比するといった問題意識は私にはない。それだけに虚を衝かれた思いがした。私は『司馬遼太郎と藤沢周平』(光文社知恵の森文庫)を書いて司馬を批判したが、著者の紹介している逸話で司馬を少し見直した。軍隊体験のない三島と違って司馬は召集され、栃木県佐野の戦車隊に所属していた。敗色濃い戦争末期で、東京湾にアメリカ軍が上陸して来た時に、それを迎え撃つという想定である。司馬は大本営参謀に、東京から避難して来る人たちをどう交通整理するのかと尋ねた。答は「ひき殺して行け」だったという。

「軍隊は国民を守らない」を司馬は身にしみて知った。

著者が「体験的宗教論」と規定するこの本は『日本人と宗教』であり、副題にあるように「日本人の心の基軸」を具体的事実に即して追っている。日蓮、親鸞、新井白石、荻生徂徠と、さまざまな人物が登場するが、著者は憂国の国際人、新渡戸稲造にとりわけ親近感を抱いているようである。「願わくはわれ太平洋の橋とならん」という言葉で新渡戸は知られるが、大学生の時にこの碑を目にして著者は「すごいことを言う人がいる」と思った。国際連盟事務局次長として活躍し、「世界を見た知性」である新渡戸は日本人の閉鎖性を打破するために奮闘した。タカ派ならぬバカ派によって、いま同じような単純な風が吹いている。

天皇制と国家神道の結びつきは知られているが、仏教との関係を指摘しているのも示唆的だった。天皇家の菩提寺は京都東山の泉涌寺であり、「廃仏毀釈（きしゃく）」で陵墓がすべて国に没収されるまで歴代の天皇や皇后の葬儀は一貫して同寺が執り行なってきたという。

著者が「余談だが」と断っている次の指摘も重要だろう。「江戸期の一四代の天皇のうち明正天皇と後桜町天皇の二人が女性天皇」なのである。

私も日本人の狭溢（きょうあい）な閉鎖性をどう開くかに腐心してきた。特に右翼的な保守派が好んで取り上げる西郷についても『西郷隆盛伝説』（角川ソフィア文庫）を書いたが、西郷が漢訳の聖書を読んでいたことを知って、なるほどと思った。「敬天愛人」は、だから出て来た思想なのである。〉

●松本健一『竹内好論』（岩波現代文庫）

一一日、竹内好の故郷、長野県佐久市で竹内について語る。

魯迅の翻訳者で思想家の竹内は、現在は佐久市に編入された臼田町の出身である。私にとっては、わが師の久野収と同じように恩師的存在。佐久市のユニークな市長、柳田清二に頼まれて引き受けたが、なかなかに緊張を強いられる講演だった。

郷里でも知る人は少なくなった竹内の紹介に、まず生年から入った。一九一〇年、つまりは明治四三年生まれ。同い年に大平正芳、そして久野がいる。その前年生まれが、太宰治、土門拳、松本清張。私の父もこの年の生まれなので、竹内は父の世代の人である。

一九六〇年、当時の首相、岸信介が強行しようとした日米安全保障条約の改定に反対して大きなデモが起こったが、竹内は抗議の意思表示として東京都立大学教授をやめた。

それで、「竹内ヤメルナ、岸ヤメロ」という大合唱が起こる。

竹内に続いて、東京工大助教授だった鶴見俊輔もやめたが、それを知って竹内は、鶴見に次の電報を打った。

「ワガミチヲユキトモニアユミマタワカレテアユマン」

竹内は「一木一草に天皇制がある」と言った。日本人には天皇制がしみついているということだろう。それを打破するために、竹内は魯迅を紹介した。中国人のドレイ根性を鋭く批判した魯迅に、日本人をこそえぐってもらいたいと思ってである。

一時間半、竹内について話すために関連の本を読み返して、松本のこの本がいちばん刺激になった。

竹内の弟子の久米旺生が作成した年譜によると、一九四六年、三六歳の時に「東大教授倉石武四郎から東大助教授に招請されたが受けず」とある。また、一九四九年三月七日、三九歳で「杉照子と結婚。当日（父の命日）多摩霊園に墓参し、集まった少数の親族に杉を紹介して結婚式とした」とあるのも竹内らしい。

久野もそうだったが、竹内は対立物というか敵対者の動きに注目していた。そのため読売新聞を購読していると書いている。それにならって私は『日刊ゲンダイ』と『夕刊フジ』を毎日買う。見事なまでに違う立場である。『夕刊フジ』は私をデビューさせてくれた媒体ということもあるのだが、現在は無残なまでに政府ヨイショ新聞となった。

講演の最後に竹内を解くキイワードとして、否定、沈黙、絶望の三つを挙げた。

優等生が嫌いな竹内は肯定ではなく否定から出発する。そして饒舌（じょうぜつ）よりは沈黙を選ぶ。黙っていても存在感がある人だった。沈黙の重み、あるいはすごみを感じさせる人だったのである。最後の絶望は言うまでもないだろう。安手の希望ばかりが求められるが、希望とはもともと希なる望みだということを竹内は徹底的に強調した。

また、学ぶとは自分の持っているイメージを変革させることとも言っている。

のちに感想として「現在の常識や秩序を守り続けることが良いのか悪いのか、常に自分で問い続けることが大切であると考えさせられました」とか、「魂を揺さぶる話で素晴らしい講演でした」とかのアンケートが届き、わが意を得たり。

一四日、椎名誠夫妻と久しぶりの会食。

●佐高信『企業と経済を読み解く小説50』（岩波新書）

『時代を撃つノンフィクション100』との兄弟本。

『月刊日本』二〇二二年一月号のインタビューで、「媚中派」を罵る「媚米派」の愚かさを撃つ。

〈米国は日本に原爆を落とし、それを反省するどころか正当化している。さらに連合国＝国連はいまだに「敵国条項」で日本を潜在的な敵国と見做している。なぜ自国に原爆を落とし、いまだに敵視する国にすがろうとするのか。歴史を学べば、米国に媚びるなどという選択はありえない。現在の中国が覇権主義的であることは私も認めるが、だからといって米国に媚びるのはおかしい。「媚中派」を罵る「媚米派」の愚かさは目に余るわな。

日本では米中が決定的に対立しているという錯覚が広がっているけど、本質を見誤っているのではないか。日本総合研究所の寺島実郎は二〇二〇年の米中貿易総額は五九九二億ドル（前年比三億ドル増）だった一方、日米貿易総額は一八三三億ドル（前年比三五〇億ドル減）だったと指摘している。コロナ禍で日米貿易が激減している最中に、米中貿易は増額していたわけだよ。自民党は「経済安全保障」などと騒いでいるが、日米関係より米中関係のほうが深いという事実を知っているのか。

かつて日本は米国の意向で中国の国連加盟に反対していたが、米国は勝手に中国との国交正常化に踏み切ってしまった。自称保守派の連中は原爆投下だけではなく、ニクソンショックも忘れているらしい。このまま日本が米国を後ろ盾に中国と対立を深めても、いざとなれば再び米国から梯子を外されるのではないか〉

●亀井静香『永田町動物園』（講談社）

一七日、『朝日』の小泉信一記者の取材を受ける。鎌田慧著『自動車絶望工場』についてのコメント。

一八日は千葉の朝日カルチャーセンターで、田中優子さんとの対談講演。

一九日は畏友、田中伸尚さんとずいぶん久しい対面。新宿中村屋の八階でカレーを食べる。

●池上彰、佐藤優『無敵の読解力』（文春新書）

「本物の知性をなめるなよ」とオビに書いてあって失笑。買収代議士、河井克行の選挙の応援演説をした佐藤に「本物の知性」などあるはずがない。「本物の知性を名乗るなよ」である。

●池上彰、佐藤優『激動　日本左翼史』（講談社現代新書）
「反左翼」のヘイト本。転向者はとめどなく転向する。
●中国新聞「決別　金権政治」取材班『ばらまき』（集英社）
河井克行は松下政経塾卒。

二三日が共同テーブルの大討論集会と松元ヒロさんのライブ。後者は『サンデー毎日』の倉重篤郎さんと一緒。

佐藤優が河井克行を応援した罪

［二〇二二年一月］

●鶴見俊輔『竹内好』（岩波現代文庫）
竹内研究の余熱か。この「ある方法の伝記」が今年の読み初め。
●堺憲一『この経済小説がおもしろい』（ダイヤモンド社）
コロナで散歩以外は出歩きもできず。ようやく七日に目黒駅前の喫茶店で社民党の服部良一、新社会党の石河康國の両氏と会う。
●田中伸尚、佐高信『蟻食いを噛み殺したまま死んだ蟻』（七つ森書館）
畏友との対談を読み返したキッカケは何だったか？
一二日が『俳句界』での中村敦夫対談。場所はいつもの山の上ホテルである。
●山本信二『佐藤優外伝』（鹿砦社）
「学生時代、その近くにいた者が、若き日の佐藤優の言動とその情報操作の手法を暴露する異端派の書！」

なり。

●竹信三恵子『賃金破壊』（旬報社）

『日刊ゲンダイ』のオススメ本へ。

〈中国文学者で魯迅の訳者でもある竹内好の故郷、長野県佐久市で竹内についての講演をして以来、竹内の本を読み返している。

一九六三年三月三一日の日記に竹内はこう書いていて、あらためてこの本のことを思った。

「きょうは私鉄の二四時間ストが決行された。去年と同様、今年も新聞の予測は大きく狂った。取材能力が落ちているのか、それとも内面指導があるのか。たぶん両方だろう。先日の時限ストのときは、予報がまったくはずれたばかりでなく、翌日の紙面でスト反対の世論をネツ造していた。新聞はますます末期症状になり、それを救う道はないという一年前の私の判断は狂わなかったように思う」

それからおよそ六〇年経って、新聞の末期症状も進んだが、目を覆うほど劣化したのは労働組合だろう。いま、二四時間ストなど考えられない。ストどころか、組合そのものが反社会的存在視されているからである。

この本の副題が「労働運動を『犯罪』にする国」。私は連合がそれに手を貸していると言わざるをえない。個人加盟による産業別労働組合として関西生コンは、中小零細生コンの経営者とも手を結び、質の低下をいとわない大手ゼネコンの経営者に対抗して働く者の賃金を上げて来た。

それがゼネコンの経営者たちには恐かったのだろう。徹底的な組合つぶしをして、組合員を逮捕し、長期勾留の揚げ句に重刑を科している。この本でその具体例が描かれているが、驚くべきひどさである。

昨年の衆議院議員選挙の後、自民党選挙対策委員長の遠藤利明は、

「決して楽な選挙ではなかった。相手方のいろいろな混乱があって、連合会長が共産党ダメよと、そんな話をしていたこともあって勝たせていただいた」

と告白したという。

元自民党政調会長の亀井静香は、

「連合というのは、革新の仮面をかぶってるけど中身は自民党なんだよ。労使協調と言ってるだろう。経営者は自民党支持なんだから、結局自民党が勝つほうが今の労使協調体制を維持するのには都合がいいんだ。本当の労働者政党が政権を取ったら困ると思ってるんだよ」と喝破した。残念ながらその通りなのだろう。連合会長の芳野友子は、まず、この本を読んで、労働組合とは何かを把握し、幼稚な反共意識を捨てるところから始めなければならない。〉

●『竹内好全集　第十六巻』（筑摩書房）

「日記」である。ちなみに監修が猪野謙二、埴谷雄高、松枝茂夫、編集に飯倉照平、橋川文三、松本健一。埴谷、橋川以外はかなりの違和感あり。

一五日に東北の公務員労組にオンライン講演。

●小黒純、西村秀樹、辻一郎編著『テレビドキュメンタリーの真髄』（藤原書店）

「制作者16人の証言」で、特に西山太吉さんを追った琉球朝日放送の土江真樹子さんの回想に注目する。西山夫人のみごとさと言ってもいい。

●三浦英之『災害特派員』（朝日新聞出版）

むのたけじ賞の候補作を選考委員として読む。もっとゴツゴツして下手な方がいいなどと思ってしまう。

一七日、寺島実郎さんと会食。

一九日、喜寿の祝いを集英社の樋口尚也さんと西潟龍彦さんにしてもらう。恐縮の極みなり。

二〇日は共同テーブルの大討論集会。
●柳広司『アンブレイカブル』（角川書店）
旬報社社長、木内洋育さんから借りる。作家の眼で見た鶴彬である。特高と憲兵隊の角逐。つまり、内務省と軍の手柄合戦も描かれている。
●伊東順子『韓国カルチャー』（集英社新書）
韓流ドラマのガイドブックにもなる。

郷里の『荘内日報』に次の「竹内好の故郷で竹内について語った」を寄稿。

〈昨年の一二月一一日、長野県佐久市で「竹内好の人と思想」と題して講演した。中国文学者で魯迅の翻訳者の竹内は佐久市臼田の出身である。柳田清二市長に頼まれたのだが、「わがまち佐久・市民講座」の一環だった。一九一〇年生まれの竹内はわが師の久野収と同い年で、私は久野と同じくらいに竹内の影響を受けている。拙著『いま、なぜ魯迅か』（集英社新書）は、竹内が魯迅の思想の核に「生」を置いたことをポイントにして、「死」を重視した三島由紀夫らを批判したものである。

また、一九九八年一〇月一日に放送されたＮＨＫの「課外授業　ようこそ先輩」で、私は酒田市立琢成小学校六年二組の生徒にお札をつくらせたが、それは竹内の次のニセ札論にヒントを得てだった。

『転形期』（創樹社）と名づけられた竹内の「戦後日記抄」の一九六二年九月一一日の項で、竹内はこう書いている。

「ニセ札に報償金がついた。三千円以上という。今まで発見されたものだけで二百枚に近い。これでまた話題になるだろう。ただ私は、ニセ札をあつかうジャーナリズムの態度が気に入らない。ニセ札とは何か、本物とは何かをもっと疑わねばならぬのに、そうしていない。必要流通量以上に放出される通貨はすべてニセではないのか。お上の御威光がうすらいだ今ではニセ札感覚も変わっているはずなのに、その機微をとらえようとしない新聞記者や漫画家はみんなナマケモノだ。ニセ札事件をインフレーションと結びつけて論じる評論があらわれぬのはおかしい。ニセ札の鑑別法や図柄だけが話題になるジャーナリズムは健全ではない。これは左翼ジャーナリズムをふくめての話である」

どんな経済学の本を読んでも出てこないこのニセ札論に蒙を啓かれ、以後、私は経済評論家などとも名乗っている。そして、こんなギャグめいたことも言うのである。

「私は経済を知らない経済評論家です。但し、竹中平蔵よりは知っています」

竹内流のニセ札論を知っていれば恐いものはない。信用の本質を知らずして経済は語れないと思って、私は「竹中よりは」と皮肉を言う。

竹内は「日本文学にとって、魯迅は必要だと私は思う。しかしそれは、魯迅さえも不要にするために必要なので、そうでなければ魯迅をよむ意味はない」と言った。

こんな指摘にもしびれたが、「死は生をうむが、生は死に行きつくにすぎない」も竹内らしい思考法だろう。不断の自己否定を重ねる生き方から、竹内は否定の思想を生み出した。

「秀才たちが何を言うか、私だってこの年まで生きていれば大方の見当はつく。たぶんそれは全部正しいにちがいないのだ。けれども正しいことが歴史を動かしたという経験は身にしみて私には一度もないのをいかんせんやだ」

こうタンカを切る竹内は安保闘争の時、都立大教授をやめた。首相は岸信介で「竹内ヤメルナ岸ヤメロ」という大合唱が起こった。〉

●立川談慶『天才論　立川談志の凄み』（ＰＨＰ新書）
●立川キウイ『談志のはなし』（新潮新書）
後者の方がおもしろい。
●鈴木邦男、佐高信『左翼・右翼がわかる！』（金曜日）
これを読み返すキッカケは何だったか、思い出せないなあ。

二二日、ワクチン、三回目接種。
●西谷文和編『自公の罪　維新の毒』（日本機関紙出版センター）
「路上のラジオ」の西谷クンにそそのかされて私は結構いい調子でしゃべっている。

——スガ政権になってから佐高さんはＴＢＳ「サンデーモーニング」に何回出演しました？　と問われて、

「ゼロ。去年（二〇年）八月が最後だよ」

——アベの時はまだ、かすかに出てましたよね。

「アベはまだ緩かった」

——年に二回ほど、盆と暮れに（笑）。

「ピタッと止まって。でも断りくらい入れろ、と思うよ。あの番組の草創期からの功労者だよ、俺は」

——テレビ朝日の「ニューステーション」でも準レギュラーで、連日出てましたよね。

「だからね、今のテレビ界への圧力はよくわかるけれども、関口宏さん、一言くらい俺に断ってもいいんじゃないか（笑）」

——いつまでも声がかからないのは何でや、と。

「いや、もう声がかかっても行かない。頭きたから（笑）。俺はもうユーチューブに生きる（笑）」

ユーチューブとは「デモクラシータイムス」の「3ジジ放談」や「佐高信の隠し味」のことである。佐藤優が買収代議士の河井克行の選挙の応援をしたこともバクロしている。残念ながら西谷クンはそれを知らなかった。

「俺、今訴えられてるから、しょうがないから弁護士と一緒に佐藤の本を読むわけ。俺はクソったれと思うから読みたくないんだけど、弁護士の芳永克彦さんが読むから、読まざるを得ない。それで、佐藤が『潮』の二一年五月号で「河井克行を応援してしまった」と自分で書いているのを知った」

——そうだったんですか。

「(克行が)権力の魔性に取りつかれているとは思わなかった、と。だから応援してしまったと自分で認めてるんだ」

——茶封筒に三〇万ずつ入れて、配って歩いた人を応援してしまった(笑)

「その後、克行が立候補できなくなったから、創価学会・公明党の斎藤鉄夫が後継者になる」

——そうそう、広島三区では河井克行に代わって公明党が出る。

「それで佐藤優は公明党にゴマをすって、『河井は権力に取り込まれたが、斎藤は全然違う。今度は斎藤を晴れて応援する』みたいなことを言ってるんだ。しかし、『河井克行を応援した罪』は消えないぞ。あなたも知らないんだな、俺いろんなところで書いてるけど」

——それ、初耳でした。

「消息通、事情通の西谷文和が(笑)」

——ごめんなさい、勉強不足でした。

彼にこう言わせてしまったインタビューは二〇二一年九月二四日に行なわれた。

構造である。

●有吉佐和子『非色』(河出文庫)

テレビで取り上げたのか、突然、ツレアイが読みたいと言い出して、私も読む。差別の二重、三重、四重構造である。

[二〇二三年二月]

沖縄密約を暴いた西山太吉を支えた啓子

二日付の『週刊新社会』「羅針盤」に拙著の次のような紹介が…。

〈妙なタイトルの本が出た。『企業と経済を読み解く小説50』(佐高信・岩波新書)だ。この本で取り上げた作家は石川達三、城山三郎、宮部みゆき、有吉佐和子、梶山季之など衆知が多い。今も週刊誌で際どい描写を交え活躍している人もいる。大衆文学と目されるジャンルだ。純文学とは言われない彼ら、彼女らの多くが、「経済小説」という形式で世の不正を問うている生き様に佐高氏は敬意を表している。いわゆる労働者文学ではない。登場人物は上級管理職や官僚、会社役員が多い。だが企業の中でいかに人間が破壊され、インモラルであり道理が通らないかを告発する。会社や個人から名誉棄損で告訴される危険にさらされる。命がけの場合もあるという。大衆文学侮るべからず。〉

これは納得の紹介だったが、『週刊新潮』二月一〇日号の田中秀臣(経済学者)の書評も納得だった。

見出しは「経済事件を小説で炙(あぶ)り出す熟練の技」

〈リアルな経済の動きを小説で理解できるのが『企業と経済を読み解く小説50』。佐高信の「経済小説」への期待は大きい。実際に本書を読むと、戦後から現在までの重要な経済事件を知ることができる。

佐川疑獄、原発問題、大企業の合併や消滅など、選ばれた五〇冊の小説という虚構から著者は現実の「人」と「企業」のどろどろした関係を炙り出す。ブラック企業や多重債務問題など私たちに身近なテーマを扱う作品も選ばれている。

長年、経済小説の世界を解説してきた熟練の技を見ることができる。特にほぼ全作品で言及される、著者が実際に見聞したモデルたちとの出会いと、それに基づく評価は彼の独壇場だ。辛辣なものもあるが、経済小説の世界を読者にとってより身近なものにすることに成功している。

他方で、経済を理解するという観点からすると物足りなさはある。例えば、リーマンショック以降、日本を含む世界の経済は、緊縮政策か反緊縮政策かを巡って市民を巻き込んだ論争が盛んだ。コロナ禍の状況はその経済政策での対立をさらに加速させている。

だが、本書では経済全体の政策を担う日本銀行や財務省（旧大蔵省）の話題は出てきても、あくまで小説のモデルと所属する組織との軋轢などを描くことに比重が置かれている。

政策の評価よりもモデルとなった具体的人物にあまりに焦点を置きすぎるところが、本書の魅力でもあり、また弱点でもある。〉

「そのとおり」と言うしかない。日本の大学では「経済原論」は教えても「企業原論」は教えない。と言うより教えられない。私はその穴を埋めようと思ったのである。

『新社会』の「労働者文学ではない」にはうなずきつつ、佐木隆三の『ジャンケンポン協定』（講談社文庫）から「私が組合委員長になったら」というユカイな公約を引いておこう。

一つ、タダ酒を飲まない。

二つ、名刺をつくらない。

三つ、一年きりでやめる。

もちろん、これは現在の労働組合運動への痛烈な批判である。

●佐高信『当世好き嫌い人物事典』（旬報社）

二日、見本を届けてくれた旬報社社長、木内洋育さんを白金のうなぎ「藤田」へ案内する。その木内さんが『ZAITEN』の四月号に寄せた紹介がこれ。

〈「へ好きと嫌いとどれほどちがう　命ただやるほどちがう　こんな俗謡がある。好きな人にはタダで命をくれてやってもいいと思うが、嫌いな人間とは一刻も同席したくないということだろう。好きと嫌いは立場や思想を越える。立場は同じでも好きになれない人もいるし、思想は違っても気になる人はいる」と著者は「おわりに」で書く。

〝こわもて〟〝辛口〟評論家といわれる著者だが、ただ人を厳しく批判するだけではない。対談、取材を通して、社会的に作られた表向きの顔とは違った一面を引き出し、本人も気づかなかった人生観を鋭くそして暖かく描きだした本書は、まさに〝人物〟事典である。経済人、政治家、作家、音楽家、漫画家、芸能人、学者から「怪しげな」人物まで、読者がイメージしていた人物像とは違った一二四人が本書の中に息づいている。〉

三日は吉永みち子さん、『日刊ゲンダイ』の寺田俊治社長と会食。新宿の中村屋で。吉永さんはかつて『日刊ゲンダイ』に勤めていた。寺田氏とは入れ違いらしい。

●富田宏治、北畑淳也『今よみがえる丸山眞男』（あけび書房）

平野貞夫さんが早野透と私に進呈してくれた本。学生時代、早野は丸山ゼミに学び、私は丸山の講義を盗聴していた。一番前でである。そして最後に断った。丸山さんは笑っていたが…。

●谷口真由美『おっさんの掟』（小学館新書）

「大阪のおばちゃん」が見た日本ラグビー協会「失敗の本質」――が副題のこの痛快な本を著者から謹呈

され、『日刊ゲンダイ』のオススメ本へ。

〈石原慎太郎が亡くなって、それはホメ殺しではないかと思えるほどの賛辞が並べられている。しかし、私は五年前に『石原慎太郎への弔辞』(ベストブック)を出した。そこに収録した座談会で辛淑玉が「彼は男はわかるんですよ。男は同胞で、戦争ごっこをできる仲間だと思っていますよ。女も外国人も障害者も全部嫌いなんですよ」と発言し、私が、「わからないんだ」と口をはさむと、「わからないし、向き合いたいとも思わない。石原さんは男は好きですよ。女は性欲のはけ口」と断定した。この石原に優るとも劣らないオッサンが森喜朗である。例の森の「わきまえない女」発言も、その対象は谷口とされた。改革を装うためにラグビー界に招かれながら、改革をやりすぎるとして彼女はハシゴをはずされてしまった。

この本の副題は〝「大阪のおばちゃん」が見た日本ラグビー協会「失敗の本質」〟だが、現在もラグビー界は「失敗」とは思っていないだろう。そこが「いかに閉ざされた社会であるか」を語るこの本を読みながら、私はその指摘がそのまま、ほとんどの日本の会社、そして日本に当てはまると思った。

石原は「日本維新の会」の橋下徹と提携したが、維新こそオッサン政治の典型であり、維新がはびこっているということはオッサン勢力がむしろ伸びているということである。

オッサン政治に対抗する「全日本おばちゃん党」を立ち上げた谷口は、オッサンを、年齢や見た目には関係なく、「独善的で上から目線、とにかく偉そうで、間違っても謝ることもせず、人の話を聞かない男性」と定義し、「ありがとう」「ごめんなさい」「おめでとう」が言えない人たちだと付け加える。

そして、次のようにまとめるのである。

○上司や目上の人間の前では平身低頭。組織から弾き出されたくないので、とくに「ムラの長」には絶対服従。しかし部下や下請けなど立場の弱い人間にはとにかく高圧的。

○口癖は「みんながそう言っている」「昔からそうだよ」「それが常識だ」という三つの思考停止ワード——理屈ではなく、慣例や同調圧力で部下を黙らせる。

○とにかく保守的。部下や若手からの提案に対しては「リスクが大きい」「誰が責任を取るのか」と否定から入る。

もうひとつあるのだが、それは是非この本を読んでほしい。さすがの谷口もすべては語っていないので、星は二つ半とする〉。

●尾中香尚里『安倍晋三と菅直人』（集英社新書）

特に菅については、オレの方が知ってるなあ、と思ってしまう。

●芝健介『ヒトラー』（岩波新書）

なかなか読ませる本。

七日は『日刊ゲンダイ』の平井康嗣、高月太樹の両君と麹町の酒田料理の店「おばこ」で会食。郷里の味にホッとする。

●諸水裕司『ふたつの嘘』（講談社）

西山太吉夫人、啓子の生涯を追ったこの本は読むと必ず泣く。わかっていながら、また手に取ってしまった。最近はこの本の話をしただけで涙ぐんで絶句してしまう。

沖縄密約を報じながら、「ひそかに情を通じ」と起訴状に書かれ、『毎日新聞』をやめざるをえなくなった西山さんを啓子さんは、大いなる葛藤を抱きながら包み込む。

彼女は「どうして別れなかったのだろう」と自分でも不思議だった。

そして……

「バランスは悪いけど、おもしろい人ではあるのよね」と思う。

私は『西日本新聞』に「忘れ得ぬ九州人」五〇人を書いた時、西山さんをこう描いた。

〈一九七一年に西山は、沖縄返還に際してアメリカが日本に支払うべき四〇〇万ドルの補償金を日本が肩代わりする密約をスクープした。しかし、その取材方法が違法だとして国家公務員法違反に問われ、逮捕されて有罪判決を受ける。当時の首相、佐藤栄作をはじめとする自民党政府の巧妙なスリカエによって、彼らの国家犯罪が隠蔽されたのである。

「返還協定の中にきちっと米軍用地の復元補償について米側が支払うというように条文で明記されている。それを放棄したにもかかわらず、米側が自発的に支払ったという形で、放棄してないことになっているわけですから、これはもう条約の偽造でしょう」

こう語る西山の生涯は彼をモデルとした山崎豊子の小説『運命の人』（文春文庫）全四巻に詳述されている。もちろん、フィクションの部分もあるが、テレビドラマ化されてモッくんこと本木雅弘が演じた弓成亮太のモデルは西山であり、国家の嘘を追及した西山の人生と重なる〉

ちなみに西山夫人の役は松たか子だった。

●佐高信『石原慎太郎への弔辞』（ベストブック）

あらためて読む。

国民民主は野党ではない

［二〇二二年三月］

●坂本幸四郎『新興川柳運動の光芒』（朝日イブニングニュース社）

いま書いている鶴彬の評伝のために読み返す。

一日は『俳句界』の対談を落語家の川柳つくしさんと。『毎日新聞』で鈴木琢磨記者がつくしさんの師匠の川柳川柳さんに触れていたのがキッカケだった。

●郡山和世『噺家カミサン繁盛記』（文藝春秋）

柳家小三治のカミさんのこの本が抜群におもしろい。かつて読んだのを、つくしさんとの対談の後に本棚から取り出す。

五日は朝日カルチャーセンター千葉で森功さんと、六日は埼玉・市民ジャーナリズム講座で雨宮処凛さんと、それぞれ対談講演。

●西部邁、佐高信『ベストセラー炎上』（平凡社）

勝間和代、村上春樹、内田樹、竹中平蔵、塩野七生、稲盛和夫批判。これらでは西部さんと〝共闘〟していた。

一〇日、例年の胃と大腸の検査。ポリープなし。

一一日、文化放送へ。大竹まことのゴールデンラジオ。室井佑月さんと大竹さんが『当世好き嫌い人物事典』（旬報社）を宣伝してくれる。三月三一日号の『週刊新潮』「15行本棚」に次の紹介が載った。

〈辛口評論家が出会った一二四人の肖像だ。選択基準は「好き嫌い」。好きと嫌いは立場や思想を超えるからだ。「歩く日本国憲法」と呼んだ中村哲。「弱者の痛みがわかる」と見直した橋本龍太郎。いわゆる「転向」後も嫌いになれなかった江藤淳。西部邁とは「嫌いな人間が同じ」だった。そして会いたいと思いながら会えなかったのが田中角栄と美空ひばりだと著者。幻の会見記を読んでみたくなる〉

一二日、大阪へ。一四日付の『日刊ゲンダイ』「オススメ本ミュシュラン」で本間龍著『原発広告』(亜紀書房)を特薦。

〈プーチンが原発を攻撃している現在、改めて原発推進の旗を振った人たちを挙げ、その責任を問いたい。私は二〇一一年六月に『原発文化人50人斬り』(毎日新聞社、のちに光文社知恵の森文庫)を出したが、そこでは、たとえば養老孟司などを激しい糾弾の対象としていなかった。『バカの壁』の養老は、『原発の壁』を越えてはいない。それどころか、推進して報酬を得ている。彼は己れについて『カネの壁』をこそ書くべきだろう。

『原発広告』によれば、二〇〇一年三月二五日付の『読売新聞』で養老が当時の東京電力社長、南直哉と対談している。提供が東京電力。また、同年三月三一日付の『朝日新聞』で、竹中平蔵がシンポジウムに出ている。こちらの提供は電気事業連合会。

その他、〝原発文化人〟もしくは〝原発タレント〟として挙げられているのが、茂木健一郎、住田裕子、増田明美、北村晴男、浅草キッド、勝間和代、星野仙一、倉本聡など。

少なくとも、これらの人たちはその広告に出ていくらもらったのかを明らかにしなければならない。私は前掲書で、たけしや弘兼憲史、それに大前研一らの責任を追及した。

『原発広告』には、三・一一の後の二〇一三年七月二二日の読売テレビ系の『情報ライブミヤネ屋』に出演した参議院議員(当時)の山本太郎が脱原発を語ろうとした途端にCMに切り換わったという〝事件〟の話が出ている。これにはさすがに「視聴者やネットユーザーなどから抗議が殺到し、ついには番組スポンサーがテレビ局に対して、公平な番組作りを行なうよう申し入れをするといった事態」になったという。

また、本間は『広告批評』一九八七年六月号の特集を取り上げ、高木仁三郎の「原発広告の『正しい』読み方」などに触れながら、同誌編集長の天野祐吉に尋ねている。

まず、なぜ原発広告特集をやろうとしたのかだが、天野は「広告というものが、こういう風に使われていいのだろうか」と思ったと答える。原発広告の大半は意見広告だが、それに対する反論は掲載されない。それで、「一方的に金持ちの意見だけが広告できる」ことになるわけで、それを天野はおかしいと考えて特集を企画した。電力会社のすさまじいのは東電が三・一一直後にテレビ、ラジオ、新聞等に「お詫び」の広告を出したことで、これは強い非難を受けて中止に追い込まれた。それほど鈍感で傲慢なのである〉。

●森功『日本の暗黒事件』(新潮新書)

文章もいい。

●西村京太郎『十五歳の戦争』(集英社新書)

●花房観音『京都に女王と呼ばれた作家がいた』(西日本出版社)

西村京太郎が亡くなって、「戦争」について書きたかった西村論をまとめるために。

●佐高信『タレント文化人150人斬り』(毎日新聞社)

これは二〇〇二年刊行だが、ほぼ一〇年後に『200人斬り』を出す時、小沢一郎や田中真紀子らへの評価を変えて落とした。『脳内革命』の春山茂雄のように忘れられたからではなく、彼らも変わったからである。

一八日、佐藤優に訴えられた私と旬報社の弁護団合同会議。

二〇日、体調不良を押して社民党大会へ出かけ、「麻生太郎に呼ばれて、のこのこ出かけるなんて連合会長の芳野友子は男を見る眼がなさすぎる」とスピーチする。

●雨宮処凛『生きのびるための「失敗」入門』(河出書房新社)なかなかに刺激的。『社会新報』のコラムのネタにしよう。

二一日はむのたけじ賞の授与式を文京シビックセンターで。その前に一時間ほど、むのについて講演する。参加していた元岩波書店の坂巻克巳さんから、私がむのさんと『世界』で対談した時、むのさんが「憲法を雑巾のように使って使いまくれ」と言ったことに衝撃を受けたと知らされる。

二四日、寺島実郎さんが記者と編集者を招いた席に呼ばれる。

二六日の米沢市民文化会館での講演を前に、一日早く山形入り。演題は「改憲ならぬ壊憲と闘う」。

二五日付の『荘内日報』に「舟山康江は野党候補に非ず」という次の原稿掲載。「佐高信の思郷通信」と題したこの連載はこの回が一三〇回である。月一だから一〇年を超えた。

〈三月一六日、連合会長の芳野友子は自民党副総裁の麻生太郎の誘いに応じて会食したという。

「男社会をぶっ壊す」などと勇ましいことを言いながら、そのバカなアホボンの典型の麻生とは仲良くするらしい。

彼女にとっては、麻生より共産党委員長の志位和夫の方が遠いのである。

社民党党首の福島瑞穂の後援会長として私も共産党とは一定の距離があるが、自民党よりは遠くない。

二一日付の『日刊ゲンダイ』によれば、そんな彼女に、さすがにネット上で次のような疑問があがっているとか。

「この人は初めからおかしい人とは思っていたが、どんどん自民党にすり寄っていく。ちやほやされるのがよっぽど好きなのか？　底辺にいる労働者にも目配りするのが連合会長の役目ではないか」「組合いらない。連合解散。自民党と手を組む組合って何か意味があるんだろうか」

芳野が昨年一〇月の静岡の参議院議員補欠選挙で、立憲民主党、国民民主党、そして連合が一緒になって闘って勝ったことに意義を見出している。

あるインタビューで、「参院選もそういう形を目指したかった」と言っているが、予算に賛成して、一目散に与党の道を歩んでいる国民民主党はもう完全に野党ではない。

同党代表の玉木雄一郎は、安保法制反対派を排除した、いわば〝排除の女〟の小池がつくった「希望の党」の代表だった。それがアッという間に〝失望の党〟になったのは記憶に新しいだろう。

私は二〇一六年五月二七日「佐高信山形塾」に現参議院議員の舟山康江を招き、野党統一候補として応援の意味で対談した。

そこで舟山は次のように主張した。

「大きなところの声だけを聞く、そしてまったく現場の声を顧みない現場の思いを聞かないような安倍（晋三）総理の政治手法に対して、それを変えるためには一票の力で今の政治に対するブレーキを踏んでいかなければならないと思っています。与党でなければ何もできないとよく言われます。しかし今の与党を見てください。誰も何も言わない。みんな安倍総理に右ならえ、顔色をうかがって、右と言われれば右を向くという状況の中では、現場の思いとか、実際のやろうとしている政治と今の現状との違いを埋める努力が、まったくできないと思います」

この言やよしだが、ではなぜ舟山は国民民主党に入って玉木の与党化に対してブレーキを踏まなかったのか？　あるいは踏んだけれども流されてしまったのか？　それなら、ひたすら組織大事と引きずられていく連合の組合員と同じだろう。

一九三六年に日本労働総同盟と全国労働組合総同盟が一緒になり、全日本労働総同盟、いわゆる全総が結成された。その時の旗印は反共で、翌年、日中戦争が勃発するや、全総はストライキ絶滅を宣言して戦争を支持した。

私は「連合は自民党と連合した」とツイッターに書いたが、いまや、その道をまっしぐらに進んでいる〉。

●エウゲーニー・M・ラチョフ絵、うちだりさこ訳『てぶくろ』（福音館書店）

落合恵子さんにもらった「ウクライナ民話」。ただし、やはり童話は苦手である。

●荒川晃『私説　春日井建』（短歌研究社）

私がなぜ、この本を求めて読んだかについては、『当世好き嫌い人物事典』の「浅井慎平」の項を引かなければならない。

「（浅井の）寺山修司などとの交友には驚かなかったが、三島由紀夫が絶賛した処女歌集『未青年』（作品社）の歌人、春日井建と浅井が〝遊び友だち〟だったというのには驚いた。（『俳句界』での浅井との）対談の二年前に春日井は亡くなっている」として、私は浅井の発言を引いた。

「ぼくのほうが驚きましたよ。佐高さんは政治や経済が専門なのに春日井をご存知だった。佐高さんのすごさってこういうところでもありますね。あらゆる専門家は、その分野については詳しく秀でているけれど、専門の後ろ側が見えてこない。そういう人多いでしょう?」

そして、私はこう続けた。

〈こう言ってくれた浅井の過褒を私がそのまま引くのはイヤらしい限りだが、〝隠し味〟ともいうべき短詩型との結びつきについて、私は次のように答えた。

「親父が書家で、句歌の染筆を見てきましたから、自然と親しんでいます。ただ春日井建を知ったのは、

中井英夫さんの『黒衣の短歌史』（潮新書）を通じてです」〉

二九日は月例の３ジジ放談。

三〇日が『俳句界』の対談を有田芳生さんと。統一教会が家庭連合と名前をかえて、まだ生きている。

三一日は『財界展望』改め『ＺＡＩＴＥＮ』六月号掲載の「佐高信の賛否両論」シリーズ第一回の対談を寺島実郎さんと。

●プチ鹿島『こんな日本に誰がした！』（文藝春秋）

私もこんな題名の本を出したことがあるな。

［二〇二二年四月］

債権回収から浮かぶ「現代日本の闇」

●ナスリーン・アジミ、ミッシェル・ワッセルマン著、小泉直子訳『ベアテ・シロタと日本国憲法』（岩波ブックレット）「父と娘の物語」

七日、松元ヒロさんと『スープとイデオロギー』の試写会へ。渋谷のハチ公で待ち合わせてユーロ・スペースへ。

●ジェームス三木『憲法はまだか』（角川文庫）

こんな本も買っていて、本誌に書いた「おっさん壊憲の標的は女性」に役立つ。

三月三〇日に亡くなった宮崎学についてのコメントが『朝日新聞』デジタル版に出たのは五日から。古川一樹記者の質問に答えて、こう語る。

〈宮崎は京都の生まれで、家庭教師だった京大生からマルクス主義の手ほどきを受けました。早大に入り、民青（日本共産党の青年組織・日本民主青年同盟）の武闘派になった。東大闘争で部隊を率いて全共闘と対決しました。

上からの統制に断固として反対する生来の無法者、アウトローでしたね。通信傍受法（盗聴法）反対運動（一九九九年）や、暴力団排除条例の廃止を求める共同声明（二〇一二年）で一緒に動きましたが、宮崎は運動を楽しむようなところがありました。「ねばならない」という正義でやるんじゃないんですね。

宮崎は週刊誌記者を経て、暴力団や裏社会、被差別部落などをテーマに多くの著作を残しましたが、自分の波乱万丈の半生をつづった『突破者』が圧倒的名著だと思います。作品よりも、型破りな人生そのものが面白い男でした。京都の家業の解体業を継いで、その傍らで執筆活動をしていました。そして、グリコ・森永事件で「キツネ目の男」として疑われた逸話で有名になりました。

『突破者』が出た後に、東大駒場寮の解体に反対する集会で宮崎と対談しました。対談の後に学生がこちらに来て「佐高さんはなんで官僚に逆らうんですか」と尋ねてきた。「ばかやろう、向こうが俺に逆らってるんだ」と言うと、横で宮崎は笑っていました。しゃべらなくても、あうんの呼吸で通じ合うところがありましたね。

生涯、ある種のはぐれ者だった宮崎の言葉で忘れられないのは、「迷惑をかけることができるのが友達だ」ということ。そうだなあ、と思いましたね。宮崎から電話がくると、また迷惑な話かなと思ったけど、いつも気にしていました。迷惑をかけられることもなくなると思うと、ものすごくさびしい。〉

●有田芳生『酔醒漫録5』（にんげん出版）

原発被ばく者の飯舘村住人、長谷川健一が出て来て粛然。ただただ、ご冥福を祈るのみ。

●前野理智『サービサーの朝』（伏流社）

志を持って本を出し続ける伏流社の小林英樹さんの意気に感じて、この問題作を一一日付の『日刊ゲンダイ』で推薦。編集部がつけた見出しが「債権回収から浮かぶ『現代日本の闇』」。

〈新聞屋、略してブンヤが気取ってジャーナリストなどと名乗ってから、迫力ある記事が見かけられなくなったように、この国ではカタカナはたいてい、何かを隠す時に使われる。サービサーもそうである。借金取り立て、つまりは取り立て屋なのに、何か新しい商売ででもあるかのように、一九九八年に「債権管理回収業に関する特別措置法」、通称「サービサー法」が制定された。それによって、弁護士の独占業務だった債権回収が、法務省から許可を受けたサービサーという名の債権回収会社にもできるようになったのである。

中坊公平ならぬ「上之坊晋平」がトップの整理回収会社、通称「RCC」は九番目に許可を受けたサービサーだった。このRCCだけが政府系で、後はすべて民間となるが、これは銀行系、信販系、ノンバンク系、そして独立系に分かれる。これらがどういう回収をしているか。それが実際に存在する会社をモデルにした「フューチャー」に在籍していた著者によって赤裸々に描かれる。回収つまりは取り立てがどんなに荒っぽいものかは、許可取り消しになったサービサーが次のように挙げられることでもわかるだろう。

センチュリー債権回収株式会社、プレミア債権回収株式会社、日本リバイバル債権回収株式会社、卯浩債権回収株式会社、株式会社ハドソンアドバイザーズ債権回収、GEキャピタル債権回収株式会社、エフビー債権回収株式会社、アサックス債権回収株式会社。

法務省許可と言っても、業務内容を詳しく調べて許可しているわけではなく、実際の回収が街金や闇金並みのアブナイものになっているのを黙認と言って悪ければ、見ないふりをしているのである。それは、最初は多かった銀行出身者が街金や闇金出身者にとってかわられているという実態が雄弁に物語っている。最初に業務停止命令を受けたサービサーはセンチュリーだった。法人税などの滞納額が一億五〇〇〇万円にもなり、「業務執行を決する取締役会及びその職務執行を監査する監査役が、その本来求められる機能を喪失し、その結果、債権管理回収業の適正な遂行を確保するために必要な法令遵守の体制が欠如し」ているとしてダメ出しされたのである。

悪徳サービサーの内幕を描くことを通して浮かび上がる現代日本の闇の深さに読者は戦慄（せんりつ）するだろう。そしてコンプライアンスを唱える法務省の無責任さにも腹立つはずである。〉

●ベアテ・シロタ・ゴードン著、平岡磨紀子編集『1945年のクリスマス』（柏書房、のちに朝日文庫）

「日本国憲法に『男女平等』を書いた女性の自伝」

ベアテという名は、母親が敬愛していたシュテファン・ツヴァイクの作品に登場するベアテ夫人からとられたという。

二二歳のベアテが起草した憲法に日本側の男たちはこう言った。

「女性の権利の問題だが、日本には、女性が男性と同じ権利を持つ土壌はない。日本女性には適さない条文が目立つ」

一五日、照屋寛徳さん亡くなる。同い年の照屋さんの応援から私の選挙戦は始まった。もう、あの独特の笑顔は見られない。

●山崎豊子『運命の人』（一）～（四）（文春文庫）

●西山太吉『沖縄密約』（岩波新書）

西山さんと対談の本を出すことになり読み返す。

●服部龍二『大平正芳』（岩波現代全書）

●佐高信『友好の井戸を掘った人たち』（岩波書店）

西山さんとツーカーだった大平を追う。

一六日は、やはり西山さんに近い『朝日』の諸永裕司記者と歓談。

郷里の『荘内日報』に連載している「思郷通信」はあまり政治的なネタにはしないのだが、ひどすぎるので「醜悪な自民党の抱きつき作戦」として次の原稿を書く。

〈私は野党よりは与党の政治家を厳しく批判してきたが、自民党の政治家をすべて否定してきたわけではない。『湛山除名』（岩波現代文庫）では、小日本主義を唱えた石橋湛山を、『正言は反のごとし』（講談社文庫）では、右翼に攻撃されながらも中国との国交回復に力を尽くした松村謙三を顕彰した。岸信介や中曽根康弘らのタカ派と違って、ハト派の石橋や松村は共に息子に後を継がせなかった。政治家という公職を私物化しなかったのである。

松村は「政治家は一代限り。親に適性があっても、子どもにあるとは限らない」と言い、「議員は自分の生活を支える給料取りではない。国民に対する奉仕者である」として、生涯、自らの職業を「無職」と書いた。

また、息子たちも進んで別の職業を選んだ。そこが自民党の政治家にしかなれなかった安倍晋三や麻生太郎と決定的に違っている。

湛山が八二歳の時に書いた「政治家にのぞむ」という一文がある。

「私が、いまの政治家諸君をみていちばん痛感するのは、『自分』が欠けているという点である。『自分』とはみずからの信念だ。自分の進ずるところに従って行動するというだいじな点を忘れ、まるで他人の道具になりさがってしまっている人が多い。政治家の堕落といわれるものの大部分は、これに起因すると思う。政治家にはいろいろなタイプの人がいるが、最もつまらないタイプは、自分の考えを持たない政治家だ。金を集めることが上手で、また大ぜいの子分をかかえているというだけで、有力な政治家となっている人が多いが、これは本当の政治家とはいえない」

いま、山形で自民党が参議院議員選挙の候補者を擁立せず、国民民主党の舟山康江に抱きつこうとしていることが問題になっているらしい。

自民党の選対委員長の遠藤利明は県連の会長でもあるが、私に言わせれば、抱きつく遠藤も抱きつかれる舟山も「自分」が欠如している。

大体、予算に賛成した国民民主党はもう野党ではない。与党と野党の間のゆ党である。

舟山は「自分が野党というスタンスに変りはない」と説明しているというが、それは「自分」が歪んでいるから、そんなことが言えるだけで、自民党から誘われるほどに与党寄りなのである。

自民党は舟山を支持する連合を引き込むためにこんな強引なことをしている。それに連合の中の自治労や日教組までが引きずられて舟山を応援するならば、それは自民党を勝たせることに協力することになるのである。昨年の衆議院議員選挙の後、遠藤は選対委員長として、こう告白した。

「決して楽な選挙ではなかった。相手方のいろいろな混乱があって、連合会長が共産党ダメよと、そんな話をしていただいたこともあって勝たせていただいた」

自民党は山形で無理をしてでも国民民主党に恩を売って、連合を自民党応援団にしようとしている。舟山はそのエサだ。〉

●上杉隆『世襲議員のからくり』（文春新書）

二三日から二五日まで西山さんを訪ねて小倉へ。集英社新書の東田健君と『ＺＡＩＴＥＮ』の真鍋雅亮君らが同行。写真は現地在住の田川基成君に頼む。

二八日は『俳句界』の対談を上智大学の三浦まり教授と。

●上野千鶴子『フェミニズムがひらいた道』（NHK出版）

つつしんで読む。

●『西部邁と佐高信の思想的映画論』（七つ森書館）

また読んでしまった。

［二〇二二年五月］

オッサン政治からの脱却を

●佐藤千矢子『オッサンの壁』（講談社現代新書）

『毎日新聞』で女性で初の政治部長となった人の手記だが、「女岸井」と呼ばれていたという記述に驚く。岸井成格のことだが、彼女も岸井のようにあまり風呂に入らなかったので、そんな異名が付いたらしい。

「決して岸井さんのように優秀な政治記者という意味ではなく、あくまでも風呂に入らないで仕事をする記者という意味だ」とか。

のちにデモクラシータイムスの「佐高信の隠し味」に出てもらったが、岸井の場合は酔いつぶれて風呂に入れなかったのが実情だろう。

こんな指摘もある。

「国会議員に占める女性の割合は、衆議院では九・七％、参議院でも二三・〇％（ともに二〇二一年一一月現在）で、参院はまだしも衆院における女性議員の割合は、世界との差があまりにも大きい。国際的な議員交流団体『列国議会同盟』（IPU）が発表した二〇二一年一一月現在の世界の下院（衆院）での女性議員の割合は二六・〇％だ。日本の九・七％は、世界一九三ヵ国中一六四位。G7諸国は、フランス三一位（三九・五％）、イタリア三九位（三五・七％）、ドイツ四三位（三四・九％）、英国四五位（三四・三％）、カナダ五八位（三〇・五％）、米国七三位（二七・六％）で、日本はこの中で最低だった。

ちなみに日本の一六四位と同じような順位にある国は、一六二位ボツワナ、一六三位ナウル、一六五位エスワティニ（旧スワジランド）などだ」

●上野建一、今村稔『あのころ　あのひと』（社会主義協会）

新社会党の石河康国さんより頂戴した。上野さんは鶴岡出身で何度か会ったことがある。社民党幹事長の服部良一さんを含めて、このころ、参院議員の候補者問題でしばしば会合。

●中川智子『「はみだし」市長の宝塚日記』（かもがわ出版）

机の横に積み上げられた本を整理したら出てきた。この愉快な前宝塚市長については、四年前にこう書いたことがある。

〈二〇一八年四月一九日、女人禁制の見直しを求める要望書を持って日本相撲協会を訪ねた中川を迎えたのは、広報部長の芝田山だった。元横綱の大乃国である。

芝田山はお茶受けに有名な長命寺の桜餅を出したが、中川は、

「親方は〝柏餅〟を下さって、とても優しかった」

と感想を述べ、彼をガッカリさせたらしい。

しかし、そうした早とちりはともかく、中川の行動力は抜群である。ちょうど二〇年前に出た中川の半生記『びっくり』（現代書館）を読むと、目を見張る。

学生時代、好きで好きでたまらなかった男性に、

「おまえは無鉄砲だからな。こわいもの知らずだから心配だよ」

と言われた突進力は、大学祭の実行委員になってフル回転する。アンケートをとったら、講演を聞きたい人の一位が小林秀雄で、大江健三郎、三島由紀夫と続いた。それで中川は小林に手紙を書く。返事が来て「講演の依頼あまりに多く、とてもお引受けできませぬ。義理人情でのっぴきならぬものの他すべてお断りしている次第。悪しからずご了承され度く　小林秀雄」とあった。

大江に電話したら、本人が出て、中川は焦った。講演をお願いしたいと言うと、女子大は恥ずかしくて嫌だと断られた。怖いのだという。

いろいろ断られて寺山修司に電話をすると、天井桟敷の劇団員が出て、寺山が「一度会ってみて」と言っているとのこと。それで出かけて、広い部屋で向き合い、中川は突然、寺山に尋ねた。

「寺山さん、思想って何ですか?」

その答がとても説得力があり、講演は引き受けてもらえた。

「君とゆっくり話がしたいから、近いうちにもう一度来て下さい」

と言われて、また訪ねた中川は、

「君のそばに座っていると、それだけでポカポカ温かくなるね。心も体も安らげる。あなたは、その存在自体が、人を幸せにする不思議な力を持っているから、それを大切にするといいよ」

と、今も中川の〝宝物〟となっている言葉をもらった。

二〇歳で船会社に就職した中川は女性差別甚だしい現実に直面し、組合運動にのめり込んで、女性だけの試用期間の撤廃や賃金格差の是正に取り組む。

それからの恋物語等をたどっていると、それだけで終わってしまうので、ミニ幼稚園経営、学校給食改善運動、震災被災者救援活動、そして乾燥糸コンニャク販売会社設立を経て、土井（たか子）チルドレンの一人として国会議員となったところまで飛ぶ。この時代に私は彼女と知り合い、選挙の応援にも行った。

その後、落選とか、いろいろあって、さすがに落ち込んでいた彼女を宝塚市長に立候補するよう、二日がかりで口説いたのが元国立市長の上原公子である。

中川から推薦を求められた時、私は、応援するのはいいけど、当選したら大変だな、と思った。行政の実務経験がないことを心配したのだが、上原がついていれば、それは杞憂（きゆう）である。実際、上原は中川にピッタリとくっついて現在も伴走している。

二期目だったかと思うが、選挙前の集会に来てと中川に頼まれて行ったら、弁士は野中広務と私だった。「こわいもの知らず」で野中と親しくなり、こうした集会にも引っ張り出す中川に、あらためて私はビックリした。〉

この中川さんが参院選への秋葉忠利元広島市長の出馬に一役買った。一役ではなく、二役、三役かもしれない。

●服部良一『つなぐ力　つながる力』

結局、東京選挙区からは服部さんが立つことになり、その紹介文を書くために、これを読む。

「経済安保法は要らない」というシンポジウムの準備に追われる。のちにこれは『マスコミ市民』七月号に掲載された。

●小池真理子『彼女が愛した男』（角川文庫）

●小池真理子『神よ憐みたまえ』（新潮社）

後者を小池さんはテイシュを看取る中で書いた。

●石川禎浩『中国共産党、その百年』（筑摩選書）

これを手に取った経緯を含めて、郷里の『荘内日報』に連載している「佐高信の思郷通信」で紹介する。五月二七日掲載のそれが一三二回目である。

〈とても学者の手になるものとは思えない練達のペンでまとめられた石川禎浩『中国共産党、その百年』（筑摩選書）の存在を教えてくれたのは〝怪友〟の石川好だった。怪友とは怪しい友という意味ではなく、怪しさに通じている友である。いま酒田市美術館の館長をしている石川に、平田牧場会長の新田嘉一さんも紹介してもらった。

石川は表も裏も知りつくした中国通である。その彼が「おもしろい」と言ったから、一も二もなく買った。また、同じ名字の禎浩氏が鶴岡南高の出身で、この本で司馬遼太郎賞を受賞したことも購読する契機になった。

その前年の同賞受賞者が佐藤賢一氏だから、二年続けて鶴南出身者が司馬賞を受賞したことになる。禎浩氏が一九八二年卒で、佐藤氏が一九八六年卒。入れ違いで禎浩氏が先輩だが、授賞式で会えるかと期待していたらしい。しかし、コロナでそれは行なわれず、延期になったという。

卒業年度等の情報は東京の学生寮「荘内館」で一緒だった菅原直香や阿部博行をわずらわせた。

鶴南の教師をしていたこともある菅原は、優秀な生徒として禎浩氏を記憶していると言った。

『いま、なぜ魯迅か』（集英社新書）を書いた私としては、魯迅がどう描かれているかに注目したが、「もし魯迅が生きていたならば、今どうなっているでしょう」と問われた毛沢東が、少し考えた後で、こう語ったというエピソードが引いてある。「監獄に入れられても、なお書こうとしているか、（大勢を察して）沈黙しているかのどちらかだろう」

この本では、中国共産党に対するソ連（現在のロシア）の干渉も詳述されているが、私は周恩来とフルシチョフの「出身階級」論争の逸話が忘れられない。

中国とソ連が路線論争で決裂した後、周がモスクワを訪れた。

そのレセプションの席上、満座の中で周に恥をかかせようと思ったフルシチョフは言った。

「彼も私も現在はコミュニストだが、根本的な違いが一つだけある。私は労働者の息子でプロレタリアートだが、彼は大地主の家に育った貴族である」

それに対して周は顔色ひとつ変えずに立ち上がり、こう言い返した。

「お話のように、確かに私は大地主の出身で、かつては貴族でした。彼のように労働者階級の出身ではありません。しかし、彼と私には一つだけ共通点があります。それはフルシチョフ氏も私も自分の出身階級を裏切ったということです」

このスピーチには、満場、息をのんで声も出なかったという。

この本にも描かれているように周恩来は暴君の毛沢東に仕え、側近として唯一人、生き残った。

私は毛より周の方に惹かれるが、禎浩氏は毛について、「毛は自ら暴君になったというよりも、暴君となることを支持されたのである」と書いている。そんな毛でなければ、あの大きな中国に革命など起こせなかったことも事実なのだろう。〉

一八日、目黒の泌尿器科へ。前立腺肥大が大関級といわれる。横綱にはまだ達していないらしい。
●西部邁、佐高信『思想放談』(朝日新聞出版)
また読み返す。不思議に息が合っている。語っている「思想家」は福沢諭吉、マルクス、漱石、トクヴィル、美空ひばり、ニーチェ、吉田茂、オルテガ、石原莞爾、ガンジー、西郷隆盛、トロツキー、丸山眞男、ケインズ、黒澤明。

一九日、伍代夏子と『俳句界』の対談。彼女はひばりの「人生一路」のような歌が歌いたい、と。

二七日、新潟県知事選挙に立った片桐なおみさんの応援に長岡へ。彼女は反原発の立場を明確にしているため、立憲民主の議員たちが尻込みしている。

●松崎隆司『経営者交代』(ダイヤモンド社)

「ロッテ創業者はなぜ失敗したのか」

醜い身内の争い。

●さいとう・たかを『鬼平犯科帳』(リイド社)

原作・池波正太郎　脚色・久保田千太郎　ＳＰコミックス。

池波正太郎論を書くために読む。

●鮫島浩『朝日新聞政治部』(講談社)

問題作、話題作だが、読み返す気にはならない。『朝日』の記者たちの甘さだけが浮かび上がる。

［二〇二二年六月］

極小政党から見た参院選の争点

●小倉孝保『大森実伝』(毎日新聞社)

一日、『サンデー毎日』の向井徹さんに紹介されて、『毎日新聞』論説委員の小倉さんと会う。毎週、示唆に富むコラムを書いている小倉さんは、やはり、『毎日』の鈴木琢磨記者と同じ滋賀県出身。

同紙の元政治部長、倉重篤郎さんは『サンデー毎日』に「ニュース最前線」を連載しているが、六月一九日&二六日号に「極小の左派政党から見た参院選『真の争点』」を書くに際して、私と「反貧困ネットワーク」の雨宮処凛さんにインタビューしてくれた。「大政党に異議あり！」が大見出しだが、聞くところによると、編集長の城倉由光さんは、社民党を「極小政党」と規定して、サタカさんは怒らないかな、と言ったらしい。しかし、残念ながら「極小」は事実だろう。

選挙に臨む私の決意をよく伝えてくれているので、私のインタビューの核の部分だけを引く。

〈「ウクライナでの戦争からどう教訓を引き出すか。参院選の争点の一つだ。防衛費二%、核シェア（共有）を言い出す前に、思い出すべき人がいる。少女時代日本で育ち、連合国軍最高司令官総司令部（GHQ）憲法草案制定会議のメンバーとして憲法の人権条項作成に関与したベアテ・シロタ・ゴードンさんだ。ベアテさんの父がウクライナ出身のユダヤ人でピアニストだったレオ・シロタさんだ。ナチの弾圧から一家で戦前の日本に逃げてきた」

「その娘が憲法一四条（法の下の平等）と二四条（男女同権）作りに深く関わった。当時ベアテさんは二二歳。五歳から一五歳まで日本で暮らしただけに日本社会の封建的体質や女性差別の実態を知悉しており、女性、児童の人権を守るための新憲法作りに一切妥協しなかった。押しつけ憲法論に対しては、二〇〇〇年の来日時に衆参両院の憲法調査会に招かれ『日本国憲法は米国の憲法よりずっと優れています。自分の持ち物よりいいものをプレゼントする時、それを押しつけと言うでしょうか』と反論した。戦争と差別を禁じたこの憲法の順守こそがウクライナと連帯する道であると思う」

「もう一つ観察すべきは、戦争を知らない人ほど軍備強化と合唱していることだ。安倍晋三、麻生太郎氏ら三代目政治家たちがその筆頭だ。勇ましいことを言いたがる。かつては、文学者の三島由紀夫がそうだった。虚弱体質で徴兵検査ではねられ、過酷な軍隊体験がなかったが、憲法を批判、自衛隊員に決起を呼び掛け無視され自決した。私の郷里・山形県鶴岡市の先輩・石原莞爾は、満州事変の首謀者で『世界最終戦論』

を唱える軍事思想家だったが、戦後は『九条を武器として身に寸鉄を帯びず米ソ間の争いを阻止すべし』と考えを改めた。戦争の実態を知っていたからだ」

——岸田文雄首相はどうか？

「バイデン大統領との首脳会談を見る限り、米国の言いなりだ。安倍、麻生に焚き付けられ軍拡の道を歩もうとしている。そもそも経済安保法の成立（五月一一日）からしておかしい。政治が経済を牛耳るのは、戦前の電力国家管理と一緒で、戦時体制の始まりだ。余計な時にアラームを鳴らす。米国の中国敵視政策に組み込まれるだけで、対中貿易が対米を上回る実態を知らない。昔は政経分離くらいの知恵があった。日中国交正常化では田中角栄、大平正芳がリスクを取った。今は知恵も勇気もない。軽武装・経済重視の宏池会政権を名乗る資格はあるのか」

——立憲民主党も賛成した。

「これには愕然（がくぜん）とした。事の本質を捉えた議論をしたのだろうか。『何でも反対』との批判に萎縮し過ぎている。野党の仕事は半端な対案を出すことではなく批判することだ。ツボを得た徹底的な批判から修正論議が生まれ政策が革新される。共同テーブルを立ち上げたのは、それができるまっとうな野党を育てるためだ。健全な批判力の再生だ。それを社民党が求めている」

——他の野党はダメ？

「背骨のある野党が残念ながらない。維新はもともと浪速の自民党府議たちが離党して作った政党だ。野党を名乗っているが、私に言わせると、与党体質をロック風にアレンジしただけ、踊る与党と言っていい。国民民主党は今や政権に入ることばかり考えている。大臣病患者の集まりだ」。

——経済安保法には共産党とれいわ新選組も反対した。

「共産党は、どこかナショナリズムを背負っている。一国共産党。自衛隊活用論もピンと来ない。れいわは、MMT（現代貨幣理論）の借金財政容認論だ。安倍氏の言う『日銀子会社論』みたいなものだ。（略）維新が踊る与党だとすれば、れいわは踊る野党だ」

――労組より市民が鍵だと？

「市民はナショナリズムも労組も超える。なぜ労組がダメか。水俣病を見ても分かる通り、ある段階で市民運動と対立する。どうしても企業内組合は会社側に立たざるを得ない。立憲が伸び悩んでいるのは、その組合を超えられないところだ。連合との関係を見ているとよくわかる。かつての社会党は労組依存体質と批判されたが、小さくなった社民党は遠慮がいらない」

「その意味で、土井たか子さん（第一〇代社会党委員長、第二代社民党党首）の存在は大きかった。労組オンリーの政党が市民を発見、女性の価値を見いだした。辻元清美、福島瑞穂、保坂展人（のぶと）らを政治家として送り出した。労組依存一辺倒を超えた。危機感を抱いた自民党と社会党内対立が連動し土井降ろしとなり、社会党の政党としての可能性を潰していった。社会党自身がそれに気付かなかった」

――何でここまで埋没？

「踊る与党と踊る野党に挟撃された。国民もまた踊っているのかもしれない。あのベアテさんの言うように本質的に長いものに巻かれる封建的民族でもある。市民に支えられた批判力のある野党を育てることが日本の政治を健全化させる、という発想が薄い。ただ、天に唾する気はない。この逆境に反発する気力くらいは残っているだろうというのが、僕の楽観論だ。（略）絶望を潜り抜けた後に希望が見えてきた」〉

六日、『ZAITEN』八月号のため、水道橋博士と対談。終わって飯田橋駅西口へ。街頭演説。

『ZAITEN』の「佐高信の賛否両論」と題した連載対談は、寺島実郎さんに始まり、西山太吉さんが

第二回で、博士が第三回。

同誌は〝経済誌の『噂の真相』〟と言われるぐらい、スキャンダルもズバズバ書く雑誌で、だから、私の対談なども載る。

六日付の『日刊ゲンダイ』で城山さんの『小説日本銀行』（角川文庫）をオススメ。

〈山口県阿武町の誤送金だか誤入金が連日メディアをにぎわせたが、もっと問題にすべきは安倍晋三の「日本銀行は政府の子会社」発言だろう。無知な安倍は非常識に居直って、こんなバカな発言をする。

中央銀行である日銀は「物価の番人」であり、インフレファイターとして通貨の価値を守る使命をもっている。しかし、ボンボンの安倍は物価などに関心はなく、株価だけが頭にあるのだろう。「株価の番人」なのだ。

城山三郎はこの小説を書いた動機をこう語っている。

「戦争中の教育のせいか、国家というものが、いつも、わたしの頭から離れない。『小説日本銀行』などという途方もないテーマに取り組んだのも、内幕暴露的な興味は全く無く、日銀が国家として国民生活の安定に不可欠な役割を荷っており、その使命に忠実に生きようとする人間が居た場合、どういうことが起るかを、ひとつは考えてみたかったからである」

太平洋戦争中に日銀券という紙幣が増発されたのは戦争遂行のためだった。政府は公債を日銀券に替え、それで軍需品を買ったのである。「日銀は政府の子会社なので六〇年で（返済の）満期が来たら、返さないで借り換えて構わない」という安倍の発言は、まさに戦争中の日本の指導者のアタマと同じである。

しかし、日本と違って、戦争中のドイツの中央銀行、ライヒス・バンクのトップたちはヒトラーに激しく抵抗した。軍備拡大のために通貨の膨張を求めるヒトラーに、総裁のシャハトをはじめ、理事たちは従わなかった。

ヒトラーは怒って、「第三帝国の海の中に、ライヒス・バンクという島の存在は許さない」と言い、シャハトを反逆罪で逮捕して、死刑まで求刑した。最後は七年の禁錮になったらしいが、日銀現総裁の黒田東彦には望むべくもない話である。

私は昨年末に出した『企業と経済を読み解く小説50』(岩波新書)の一冊に、この小説を挙げた。それは『エコノミスト』に連載されたこれが日銀からの有形無形の圧力を受け、同誌の編集長が左遷されるという事態まで起きたからである。

政府から独立して金融の中立性を確保しようとする中央銀行に政府は干渉して「政府の番犬」にしようとする。安倍の発言はそれであり、それに抵抗するためにも私たちはこの小説を読まなければならない。〉
●西谷文和編著『聞くだけの総理　言うだけの知事』(日本機関紙出版センター)
一〇日、名古屋の東邦学園で講演。理事長の榊直樹さんが元『毎日』の政治記者で岸井成格の後輩。着くなり、あいさつもそこそこに岸井の思い出話になる。

一一日、服部良一幹事長の東京選挙区出馬決起集会を文京区民センターで。

京大中退で西成に行ったことは知っていたが、大学に入ったころは、大蔵官僚にでもなろうかと思っていたというから驚いた。

正岡子規に「紫陽花や昨日の誠今日の嘘」という句がある。

韓流ドラマの『トンイ』を見終える。続いて『ヘチ』へ。
●小池真理子『ノスタルジア』(双葉文庫)
一四日は中野駅北口で服部候補の応援。高校以来の友人、三浦光紀と久しぶりに会う。

●久野明子『昭和天皇　最後の御学友』（中央公論新社）
渡辺昭が著者の伯父で、昭の父親が宮内相の千秋。次の箇所を書きぬく。

「極東軍事裁判のウェッブというオーストラリア人の裁判長なんかは、天皇を戦犯にしようとしている感じだったけれど、アメリカはすでに、ソ連と中国のことを考えていて、日本を共産主義の防波堤にしようと考えたのだよ。そのために天皇制を温存することが必要だった」
●粕谷昭二『藤沢周平の礎　小菅留治』（東北出版企画）
郷里の『荘内日報』に書くコラムのため、再読。
●中島京子『やさしい猫』（中央公論新社）
二七日、『俳句界』で中島さんと対談。福島みずほさんの決起集会に来ていた中島さんをつかまえて対談を頼んだ。みごとな作品である。弁護士のモデルは指宿昭一さん。彼も福島さんの応援に来ていた。
●池波正太郎『青春忘れもの』（中公文庫）
●田中優子、佐高信『池波正太郎「自前」の思想』（集英社新書）
こちらは『サンデー毎日』に書く池波正太郎ロンのために読み返す。

二八日は「デモクラシータイムス」の「佐高信の隠し味」で石川好さんと対談。その後、「3ジジ放談」と連チャン。三〇日は日比谷図書文化会館でむのたけじ賞のイベント。

［二〇二二年七月］

統一教会を湛山で撃つ

●樋口英明『私が原発を止めた理由』（旬報社）

一日、神田神保町の「ミロンガ」で森達也さんと「とくし丸」の住友達也さんを引き合わせる。住友さんが森さんに会いたいと言ったからだが、くしくも同じ名前。沖縄の元山仁士郎君も同席。四日付の『日刊ゲンダイ』「オススメ本ミシュラン」で樋口さんの本を取り上げる。原発利権族がこの国を亡ぼすのだろう。

〈「五年たって、こみ上げるのは怒りだけ。原発のどこが安全でクリーンなエネルギーなのか。ばかじゃないか、この国は。こんな国に生まれてしまったから仕方ねぇけど」

福島で農業を営んでいた東日本大震災の被災者は、二〇一六年三月に放映されたTBS「NEWS23」で、こうぶちまけた。

この農民の怒りの叫びに、真正面から向き合って、その二年前に関西電力大飯原発三、四号機の運転差し止めを命じた判決を出したのが、当時、福井地裁の判事だった樋口である。この判決で特徴的だったのは、原発の耐震基準が実際に起こった地震に比較してもはるかに低いことを指摘した点だった。安全確認の基準となる地震の揺れの強さを「基準地震動」と言い、単位はガルだが、東京電力福島第一原発のそれは六〇〇ガルだった。しかし、すでに二〇〇八年の岩手・宮城内陸地震で四〇二二ガルを記録していた。そして、二〇一一年の東日本大震災のそれが二九三三ガルである。これだけで原発再稼働などとんでもないとなるはずなのに、樋口があるインタビューで呆れているように、「ロシアからの天然ガスの禁輸で燃料費が上がるから原発を再稼働すべきだ」などと恐ろしいことを言う人間がいる。この本で樋口はあくまでも静かに、「これだけ危険な原発を止めないという蛮勇ともいうべきものを私はおよそ持ち合わせていません」と主張する。また、原発は安全なはずだから地震が起きたら原発に逃げ込むなどと言っていたビートたけしの愚かさを指摘しているが、私は地下鉄で四〇代の女性から、「あれだけの事故を起こしたのに原発再稼働などと言っていますね」と話しかけられた時のことが忘れられない。それに対して私が、「原発は安全という太鼓を叩いたたけしが、いまもなお毎日テレビに出ているような国で原発なんか止まりませんよ」と返すと、彼女は「たけしにもいいところがあるんじゃありませんか」と抵抗した。それで私は声を高くして、「たけしは、女に選挙権はいらない、と言ってるんですよ。憲法改正、徴兵制施行とも言っているし、それでいいんですか」と反論した。あの原発大事故が起こってまもなく私は『原発文化人50人斬り』（光文社知恵の森文庫）を出して、たけしを含む原発推進派を断罪した。今年の九月から樋口を主人公にした映画『原発をとめた裁判長』が上映される。「原発は自国のみに向けられた核兵器」と喝破した弁護士の河合弘之も登場する。〉

二日と六日、服部良一さんの選挙応援。

七日は『ZAITEN』の「佐高信の賛否両論」に落合恵子さんに出てもらう。

八日は『俳句界』の対談を樋口英明さんと。

安倍晋三撃たれるの報に驚く。

九日、目黒駅前で秋葉忠利夫妻を迎えて、秋葉さんと服部さんの選挙応援。最後は新宿駅で声を張り上げる。

一〇日、参議院議員選挙。新社会党や、緑の党の応援を得て、福島みずほの当選と社民党の政党要件を死守する。

●小倉孝保『ゆれる死刑』（岩波書店）

『毎日新聞』のユニークな記者の本。教えられるところ多し。

●竹中平蔵、ひろゆき『ひろゆきと考える　竹中平蔵はなぜ嫌われるのか』（集英社）

竹中批判の絶好の素材。『創』の「タレント文化人筆刀両断」に使う。

●秋場大輔『決戦！　株主総会』（文藝春秋）

近来まれに見るおもしろさ。一三日に『日刊ゲンダイ』社長の寺田俊治さんと会ったが、著者は彼の知人とか。

一四日は民間放送連盟ラジオ報道部門、北海道東北地区の審査。昼食は「今半」の弁当だった。午前中に終わった落合恵子さんと午後からの私が会議室でスレ違う。

●岡本行夫『危機の外交』（新潮社）

死後に出た「自伝」。同い年の岡本氏は、意見は違っても話のできる人だった。

会話の成り立たないのが独善の佐藤優。

一五日、私の『佐藤優というタブー』（旬報社）を訴えた佐藤との「和解」成立。

佐藤が原発の広告に出て一〇〇〇万円もらっただろうと書いたことに怒って、名誉毀損で同額払えと佐藤は訴えたのだが、和解ではそれは認められなかった。つまり、私は一円も払わなくていいとなったのである。

それでも佐藤は「要求が基本的に受け入れられた」と言っている。

佐藤は一〇〇〇万円ではなく一三〇〇万円だと資料を出したのだが、それを信ずるとしても、おカネはもらっているのである。

●倉重篤郎『秘録　斎藤次郎』（光文社）

あまりに対象が地味なので倉重さんは損をしている。斎藤次郎は現役時代、大蔵省（現・財務省）の大物次官といわれたが、それほどの人だったたか？

●中島京子『彼女に関する十二章』（中公文庫）

かつての伊藤整のベストセラーをもじって書かれた本。

●山平重樹『爆弾と呼ばれた極道』（徳間書店）

二八日が「デモクラシータイムス」の「3ジジ放談」。

二九日が早野透と私の「2ジジ」で辻元清美さんに参院選を振り返ってもらう。

三〇日発行の八月一日付『日刊ゲンダイ』「オススメ本ミシュラン」で松尾尊兊編『石橋湛山評論集』（岩波文庫）を推薦する。こういう時に湛山を取り上げるのはさすがと、石川好氏が電話をよこす。

〈ソ連（現ロシア）がチェコに侵入した一九六八年にも現在のように自衛力強化の声が高まった。それに対して「しかし、軍隊をもって防衛をはかるということは、ほとんど世界中の軍隊を引き受けてもやれるということでなければならぬ」とし、「軍隊でもって日本を防衛することは不可能である」と説いたのは石橋湛山である。自民党の総裁になり、首相に就任しながら、病のために早々にその座を去らねばならなくなった湛山は、戦争放棄の日本国憲法第九条を「痛快極まりなく感じた」と拍手を送り、「深き満足」を表明している。

いま、改めて湛山の主張に耳を傾けなければならないのではないか。

同じ自民党ながら、湛山の対極にいたのが安倍晋三の祖父、岸信介だった。

『毎日新聞』記者の岸井成格に聞いたのだが、安倍は再び自民党の総裁選に立った時、「石石に負けてなるものか」と言ったという。その時の相手が石破茂と石原伸晃だった。しかし、それだけではなく、岸が無念の涙をのんだのが石橋湛山と石井光次郎の連合だったことを忘れていなかったのである。その二位と三位の「石石」に引っくり返された悔しさを、あるいは岸は孫の安倍に語っていたのかもしれない。

「わが国の独立と安全を守るために、軍備の拡張という国力を消耗するような考えでいったら、国防を全うすることができないばかりでなく、国を滅ぼす。したがって、そういう考え方をもった政治家に政治を託するわけにはいかない」とも湛山は言っているが、自民党だけでなく野党にまで「そういう考え方をもった政治家」が増えてしまった。

湛山は共産主義に恐怖心を持たず、中国との国交回復に力を尽くした。それを知っている田中角栄はそれを成し遂げるために中国に出発する時、湛山を訪ねている。岸から安倍に至る自民党清和会の系譜は反共で中国を敵視する。そして反共の統一教会とつながる。彼らが安易に口にするのが「国賊」である。

何度目かの中国訪問の際、湛山は「愛国者」と自称する人たちから、空港で国賊と誹謗（ひぼう）するようなビラをまかれた。その時、湛山は首相をやった鳩山一郎が不自由な体でソ連に飛び、日ソ国交回復の交渉をした心中を察して深く同情の念を抱いたという。私は『湛山除名』（岩波現代文庫）を書いたが、そんな湛山を自民党は二度も除名した。しかし、除名されるべきは除名した方ではなかったか。〉

●池上彰、佐藤優『漂流　日本左翼史』（講談社現代新書）

元左翼が左翼批判でメシを食う。池上も佐藤もあざとく、さもしい感じがしてならない。

●山口広『検証・統一協会＝家庭連合』（緑風出版）

一九九三年刊のこれが改題されて出ている。

最前線で闘って来た山口さんへの攻撃はすさまじいものがあっただろう。自民党清和会（旧安倍派）のベテラン議員が『週刊現代』の九月三日、一〇月号で、岸信介は反共の実働隊として統一教会を利用したと語っている。

「六〇年安保で、岸さんは右翼団体や暴力団を動員して学生運動を鎮圧したと言われていますが、七〇年安保では原理研の若者たちを頼ろうと考え、勝共連合に接近したという話もある。旧統一教会は傘下の企業が開発した『鋭和B３』という散弾銃で財を築いていたから、資金面での支援もあったのかもしれません」

●中島京子『小さいおうち』（文春文庫）

戦争が始まったと自覚せずに、あるいは、させずに始まって、日常の風景が変わっていく姿を見事にとらえている。

●岸本聡子『私がつかんだコモンと民主主義』（晶文社）
推薦の言葉が中島京子と斎藤幸平。

一八七票差の杉並区長選勝利だから、投票してくれた人とほぼ同数の投票しなかった人がいる。大変に困難な状況だと思うが、ぜひとも成功してほしい。まさに「コモン」を顕現化するためである。

中島京子の快作『やさしい猫』

［二〇二二年八月］

●大石あきこ『維新ぎらい』（講談社）
れいわ新選組の立場からの「維新ぎらい」だが、れいわにもかなりの疑問符が付く。
三日、『ＺＡＩＴＥＮ』の「佐高信の賛否両論」を田中秀征さんと。吉祥寺に行く。

●石井妙子、岸富美子『満映秘史』（角川新書）
残る本であり、残すべき本である。

●川本三郎『向田邦子と昭和の東京』（新潮新書）
ふと本棚から見つけ出して読み始める。著者も向田さんも親しめる人だからである。

●加藤陽子、佐高信『戦争と日本人』（角川新書）

●佐高信『わが筆禍史』（河出書房新社）
旧著を読み返したのはなぜだったか？　前者は中国で訳されている。

郷里の『荘内日報』に書いている「思郷通信」に次の原稿を送る。見出しは「庄内弁が出てくる中島京子の小説。」

〈直木賞作家の中島京子さんと初めて会ったのは、社民党党首の福島瑞穂さんの総決起集会でだった。福島の後援会長として私は駆けつけてくれた中島さんにお礼を言い、『俳句界』での対談も頼んだ。彼女に承諾してもらって、対談が実現したのが今年の六月二七日。準備のために読んだ『やさしい猫』(中央公論新社)の「謝辞」に「庄内弁に関しては、山形県鶴岡市立図書館の今野章さんにご教示いただきました」とある。

あるいは、親とかが鶴岡市出身なのかと思ったら、そうではなかった。

それはともかく、吉川英治文学賞を受賞した『やさしい猫』は難民問題がテーマの傑作である。

ウクライナからの難民を突然受け入れて、日本は最初から理解があるように装っているが、遅れていることは甚だしい。

たとえばカナダでは難民認定率が六七%だが、日本は〇・三%である。作中で指宿昭一さんがモデルの弁護士がこう語る。

「難民ですから、この国に居させてくださいっていう申請をする一〇〇人のうち、(カナダでは)六七人がいいですよって言ってもらえる」

ところが日本は、一〇〇〇人が来たうちの三人となる。カナダは一〇〇〇人来たら六七〇人だ。

それでも日本に難民申請する人は毎年一万人くらいいる。とすると認定されるのはおよそ三〇人。

また、入国管理局、通称・入管の扱いがとてつもなくひどい。収容中の女性が病気になったのにろくに治療も受けさせないで死なせた事件は記憶に新しいだろう。

この国は国民に対しても人権感覚がないに等しいと思うが、難民に対しては完全にゼロで、厄介者扱いなのである。

チェスの世界チャンピオン、ボビー・フィッシャーが牛久の入管にいたことがある。一九七〇年代にソ連(現ロシア)の王者、スパイスキーを破って、アメリカの伝説的英雄となった彼はその後いなくなり、九〇年代になって突如出てきて、ユーゴスラビアでスパイスキーと再現試合をした。

アメリカがユーゴに対して経済制裁をしていた最中だったので、怒ったアメリカ政府は国籍を剝奪する。しかし、無国籍となった彼は、ある時期から日本とフィリピンを行ったり来たりした。その間のパスポートチェックがどうなっていたかはわからない。そして、二〇〇四年に成田空港で捕まってしまった。入管法違反である。

アメリカは引き渡しを要求したが、ボビーは政治的迫害だと主張して日本で難民申請をする。しかし、却下された。その時、スパイスキーは当時のアメリカ大統領のブッシュに次の手紙を書いた。

「もしフィッシャー氏が罪に問われるなら自分も同罪です。どうぞ私も刑務所に。その時は彼と同房にして、チェス盤を差し入れて下さいね」

後の顚末は中島さんの作品に譲ろう。

彼女との対談は『俳句界』の九月号掲載だが、八月号の相手は歌手の伍代夏子さんだった。彼女とは美空ひばりの「人生一路」が好きで一致した。〉

●落合恵子『わたしたち』(河出書房新社)

私も「いい人生」と言えるか？　抵抗した女性、ジャネット・ランキンとバーバラ・リーが浮かんだ。

一五日、『俳句界』の対談を江成常夫さんと。江成さんとは九月三日に酒田でまた会うことになっている。土門拳のヒロシマと江成のヒロシマでシンポジウムをやるのである。

●岸本聡子『水道、再び公営化！』（集英社新書）

『日刊ゲンダイ』のオススメ本へ。

〈今年の六月に杉並区長選挙で一八七票差で当選した著者は、選挙戦で繰り返し、

「私の選挙ではありません。みなさんの選挙です」

と訴えていたという。選ばれる者より選ぶ者の選挙だという主張は当然だけれども、そのことが忘れられていた。

杉並区民で選挙に関わった作家の中島京子と私は『俳句界』の九月号で対談したが、中島は感動したとして、こう言っていた。

「新自由主義的な、それこそ自己責任論とかが三〇年ほどずっと続いて、未来に何も希望が持てなかったんですが、岸本さんは別のものを見せてくれたし、地域の方々が持っているものと共鳴したところが、とても新しいというか、これから期待が持てますね」

水を商品として利益の対象とする水メジャーのヴェオリアやスエズと著者はヨーロッパで闘ってきた。竹中平蔵などが唱える新自由主義は「民営化」を金科玉条のように進めるが、私は民営化を「会社化」と言っている。そう置き換えれば、彼らが強調するほどいいものではないことが明確にわかるだろう。

たとえば、日本で中曽根康弘などが推進した国鉄の分割・民営化ならぬ分割・会社化は過疎地の住民の足を奪い、さらなる過疎をもたらした。私はそれに懸命に反対したが、当時、北海道のある町の町長が訴えた言葉が忘れられない。

「国鉄が赤字だ赤字だと言うけれども、じゃ、消防署が赤字だと言うか」

郵政の民営化ならぬ会社化でも同じである。

過疎地の住民にとって郵便配達はライフラインであり、配達員は安否の確かめ役だった。そこに黒字赤字の数字を持ち込んで、いまは土曜配達がなくなっている。

著者が言うように、「水は民主主義」であり、民営化という名の会社化によって悪化した水道を再び公営化する運動が世界各地で市民の手で起こされている。

日本も麻生太郎をその代理人として水メジャーにねらわれている。内閣府の中に官民連携や民営化推進の「PPP／PFI推進室」があるが、そこにヴェオリア社の担当者がいた。二〇一八年に参議院議員の福島みずほが厚生労働委員会で驚いて質問した。

「これって、受験生がこっそり採点者に言って自分の答案を採点しているようなものじゃないですか」。

公けつぶしが政治の役割なのか。〉

●澤地久枝、佐高信『世代を超えて語り継ぎたい戦争文学』（岩波現代文庫）

一六日、新宿駅西口での国葬反対集会の後、中村屋で『サンデー毎日』元編集長の隈元浩彦さん、現編集部の向井徹さんと会食。八階の「グランナ」にて。

●佐藤藤三郎『亮子よ』（本の泉社）

隈元さんより渡された。『毎日新聞』記者として山形支局にいた隈元さんは『山びこ学校』の卒業生の佐藤さんを知っていたらしい。

これは五六歳で亡くなった娘をしのぶ本である。「先立った娘への痛哭（つうこく）のオマージュ」と。ガンだった。

●佐藤亮子『んだ　豚だ！』（協同図書サービス）

どこかで見たおぼえが、と思ったら、亮子さんはこの本を書いていた。副題が「コメを捨てた男　平田牧場主　新田嘉一」。

●白井聡、望月衣塑子『日本解体論』（朝日新書）

あまりかみ合っているとは思えない。

二九日、統一教会の霊感商法と闘ってきた弁護士の山口広さんと旬報社から出す本のための対談。

三〇日は『サンデー毎日』用の田原総一朗さんとの対談。安倍晋三の国葬を一番喜ぶのは統一教会だと強調する。

『ベルダ』の連載「佐高信の斬人斬馬剣」で「河井克行を応援して安倍晋三を礼讃した佐藤優」を改めて批判。要だけ紹介する。

〈佐藤は創価学会系の雑誌『潮』の昨年の五月号で、河井克行を応援したと告白した。

「広島三区の河井克行議員が金権汚職で逮捕されたことには、私にも責任の一端があります。外務省時代から面識があった縁もあり、私は河井氏の選挙で推薦人を引き受け、応援演説に行ったことがあるのです」

よりによって河井の選挙の推薦人になって応援演説に行ったとは――これだけで佐藤は作家としてアウトだろう。人物鑑定眼がまったくないことを自ら証明しているからである。

佐藤は『Ｈａｎａｄａ』というウルトラ保守の雑誌で、首相時代の安倍も持ち上げている。

「いまは非常時だ。新型コロナウイルスの嵐が去るまでは、民主的手続きによって選ばれた最高指導者である安倍晋三首相を断固支持するべきだ。客観的に見て、安倍政権の危機対応は合格点だ」

佐藤は極めて評判の悪かったアベノマスクにも感心したのだろうか。〉

統一教会が一番喜んだ安倍晋三の国葬

［二〇二二年九月］

●江成常夫写真集『まぼろし国・満洲』（新潮社）

三日、郷里の酒田で「江成常夫と土門拳――ヒロシマ・ナガサキ」作品展の記念フォーラム開催。酒田市美術館館長の石川好の企画で、江成さん、『土門拳』（法政大学出版局）の著者の阿部博行、そして私でシンポジウム。阿部は学生時代の寮の後輩なり。

●早野透、佐高信『丸山眞男と田中角栄』（集英社新書）

日本の戦後民主主義の上半身を丸山が、下半身を角栄が支えたという早野の指摘は至言である。

●井川意高『熔ける　再び』（幻冬舎）

ケン兄（見城徹幻冬舎社長）、林真理子、そしてホリエモンと、友だちが悪すぎる。ザンゲの値打ちもない。

●宇治芳雄『洗脳の時代』（汐文社）

「富士政治大学校」の〝特殊教育〟。

ずいぶん前の本だが、反共教育を行なうこの大学校の研修会受講組合を挙げると――造船重機、石播労組、鉄労、大日本インキ、住友重機械、住友化学、三井造船、ゼンセン同盟、全郵政、愛知民労協、中部電力労組、三菱重工労組、関東民労連、日立造船労組、ダイキン労組、東京同盟、鐘紡労組、東京地方金属、東京電力労組、鉄鋼連絡会議、全トヨタ労連、全ジャスコ労組、建設労協等々。

●有田芳生『改訂新版　統一教会とは何か』（大月書店）

『日刊ゲンダイ』のオススメ本へ。

〈私は統一教会をヒルだと指摘している。試みに『広辞苑』を開くと、蛭についてこんな説明がある。「ヒル綱の環形動物の総称。体は細長くやや扁平で三四体節から成る。前後両端の腹面に吸盤があり、前吸盤の中に口がある。雌雄同体。吸血または肉食」

付け加えれば、反共ウイルスが潜み、特に自民党安倍（晋三）派と共棲するということになるだろう。このヒルとズーッと闘ってきた著者の「改訂新版」はさすがに年季が入っていて示唆に富む。

安倍晋三の祖父の岸信介と統一教会の関係についてはいろいろ語られてきたが、岸の女婿で晋三の父親の晋太郎とも切っても切れない縁があったようである。

中曽根康弘の後継首相の座を竹下登と宮澤喜一、そして晋太郎が争った時、統一教会は晋太郎をその座につけるべく応援したという。

第三章の元信者の手記にこんな一節がある。

埼玉県知事選の応援に行った時、自民党の幹部だった安倍晋太郎が、統一教会員と知って、わざわざ「ご苦労さま」と握手してくれた。それで、とても感激し、「自民党と統一教会はこんなに深くつながっていたんだと安心した」というのである。

また、宗教団体であることを隠して募金活動をやっていた女性が、玄関を開けるや否や、犬に太ももを噛まれた。すぐに病院に行って手術となり、七針縫った。

それを隊長に電話で報告したら、「そうか」と言ったまま沈黙し、その後、「もう手術は終わったんだな」と確認して「じゃあ、いまから、がんばれるな」と続けたという。

いかにも「いい人」の西川きよしの秘書も統一教会員だったと書かれているが、疑うことを知らない「いい人」は私は加害者になるのだと思う。被害者にして加害者である。

資料として一九九〇年三月二五日号の『思想新聞』に載った「勝共推進議員名簿」が出ている。私はそこで、中曽根康弘や渡辺美智雄、羽田孜、森喜朗などの過去の議員と共に細田博之や麻生太郎が並んでいるのに注目した。特にまだ力を持っているといわれる麻生である。麻生が岸田に安倍の国葬を強く迫ったともいわれるが、私は麻生こそ統一教会と自民党の一体化のシンボルだと思っている。著者には、この腐れ縁を徹底して暴いてほしい。〉

一〇日は朝日カルチャーセンター千葉教室で望月衣塑子さんと対談。

一四日は有田芳生さんと『ZAITEN』の対談。「佐高信の賛否両論」シリーズである。

●小倉孝保『踊る菩薩』(講談社)

『毎日新聞』の小倉記者、多彩。これは「ストリッパー、一条さゆりとその時代」を描いた濃密な作品。

一七日が盛岡で「佐高信文化塾」。「統一教会と自民党」とテーマを変えて話す。

●野村克也、宮本慎也『師弟』(講談社文庫)

野村〝再生〟工場の秘密を知りたくて、手に取った。

●高橋均『競争か連帯か』(旬報社)

労働組合運動を続けてきた高橋さんの本に「バカな大将、敵より怖い」と喝破した武井正直さんが出て来て、ちょっと驚く。北洋銀行の頭取をやった武井さんには極めて親しくしてもらった。

郷里の『荘内日報』に次の原稿を寄せる。

〈一〇月から「佐高信評伝選」全七巻が刊行される。

版元は『佐藤優というタブー』で、著者の私と共に佐藤から訴えられた旬報社である。

第一巻が「城山三郎という生き方」と「逆命利君を実践した男　鈴木朗夫」を収めた『鮮やかな人生』。

第二巻が「久野収からの面々授受」等の『わが思想の源流』。

隔月刊で来年一〇月に完結の予定である。

「佐高信評伝選を推薦します」のリーフレットが豪華で、あいうえお順に並べると、落合恵子、鎌田慧、田中秀征、田中優子、寺島実郎、吉永みち子の六氏が推薦文を寄せてくれている。

落合は「まっとうに生きることを考えたい」人にすすめると言い、鎌田は次のように過分な佐高論を展開する。

「佐高信を信頼しているのは、歳を重ねるにつれてますます批判がラジカルになっているからだ。たぶん時代が悪化していることもあるが、批判的精神をもちつづけるには、知的好奇心ばかりか、批判にたいする緊張感を必要とする。といっても、佐高信の真骨頂は人間的な幅の広さで、このシリーズに脈打っている保守の政治家たちへの真っ当な評価と人間讃歌は、現在ただいま、人間不信の悪政を変える、大いなる力に転化するであろう」

五〇年を超える付き合いの田中秀征は私について「一編集者として世に出る前から人やものの本質に迫る力、それを表現する力が際立っていたように思う。だから、人物伝が彼のお家芸になったのだろう」と、面と向かったら決して言わない讃辞を呈してくれた。

「佐高信の評伝は単なる生涯の記録ではない。佐高信が追い求め考え続けている、この近現代における人間のありかたであり、評価であり批判である。明確な価値観がそこに見える」として、「後世に読み継がれるべき」と推してくれた田中優子も、「ここには城山三郎、久野収、石橋湛山、田中角栄、大平正芳、宮澤喜一と私にとっても特に心に残る人物達が描かれているが、戦後日本という矛盾に満ちた時代を真剣に生きた人物と正対してきた佐高信の真骨頂ともいえる作品群であり、その行間に私は佐高信の美学を感じる」と共感してくれた寺島実郎にも、ありがたくて涙がこぼれるほどの感謝を献げる。

私には枕詞のように辛口という二文字が冠せられるが、「寒風の中にも春の風の暖かさを求めるような命がけの甘さを感じる」と察してくれた吉永みち子にもただただ黙って頭を下げるだけである。第三巻の『侵略の推進者と批判者』では、石原莞爾と石橋湛山を対比させ、五巻の『歴史の勝者と敗者』では、藤沢周平や西郷隆盛を取り上げた。六巻の『俗と濁のエネルギー』に入れた土門拳まで含めて明らかに私の評伝には郷里の庄内の刻印が彫り込まれている。

もちろん、全国の読者に向けて、この評伝選は放たれるのだが、私は特に郷里の読者の本棚に並ぶことを期待したい。そこが著者の私の生まれた土地だからだ。〉

二七日、安倍晋三の国葬。

三〇日付の『毎日新聞』夕刊に「安倍元首相国葬　佐高さんと『現場』を歩く」が載った。榊真理子記者の執筆で、国葬の日に私は彼女の同行取材を受けた。

午後〇時半、鎌田慧、落合恵子、松元ヒロの各氏らと共に開いた国葬反対の市民集会で私はこう切り出した。

「今日の国葬、誰が一番喜んでいるか、言うまでもなく統一教会です」

そして、メディアと同じように「旧統一教会」とは呼ばない、と付け加えた。「旧」をつければ名称変更を認めたことになるからである。

「統一教会が喜ぶ国葬をやって、自民党が統一教会と離れることができますか」とも問いかけたが、統一教会もヒルのように自民党にくっつくだろう。

国葬が行なわれた武道館や、その近くの靖国神社をまわって、私と記者は渋谷区松濤の統一教会本部にも行った。弔意を示す半旗が掲げられている。

同行取材の終わりに、「国葬後のこの国はどうなっていくのか」と問われた。

その時、私は「予想ばかりしてどうするの」と声を荒げた、と書かれた。

「どうなるか」は「どうするか」で変わっていくと思っている私は、メディアが予想に傾いていくことにいつもイライラしているから「声を荒げた」のかもしれない。

どうなるかばかり考えていたら、デモも批判もできない。

「霊感商法」や合同結婚式はあれだけ問題になったのに、メディアは取り上げなくなり、「空白の三〇年」が生まれた。

夕刊の特集ワイドは私の次の注文で結ばれている。

「メディアは問題点を指摘し続けなければ役割を果たせない。この国葬が、東京五輪・パラリンピックで言われた『やってよかった』で終わってはならない。それではまた、空白の三〇年が上塗りされることになる」

『週刊東洋経済』の一〇月八日号の特集が「宗教　カネと政治」。注目は「統一教会『密接企業』リスト」である。

書き出しは「ハマチからモデルガンまで」。

医療法人では、一心病院や一美歯科を運営する日心会がそうだという。代表格のハッピーワールドは「幸世商事」から「世界のしあわせ株式会社」を経て現在の社名になった。

自分の辞書から「絶望」を削りたい

［二〇二二年一〇月］

●鈴木エイト『自民党の統一教会汚染』（小学館）

四日、新宿御苑前の東京合同法律事務所へ弁護士の山口広さんを訪ねる。『俳句界』新年号対談。長く「全国霊感商法対策弁護士連絡会」の事務局長をつとめてきた山口さんとは『統一教会との闘い』（旬報社）でも対談した。

山口さんたちと共に闘ってきた鈴木さんの本を『日刊ゲンダイ』オススメ本へ。〈統一教会の闇は深い。それに著者は文字通りの突撃取材をしてきた。「追跡三〇〇〇日」である。巻末に「関係があった現職国会議員一六八人」の一覧が載っているが、私は本文中で著者が言及している菅義偉の両腕（だった）菅原一秀と河井克行に注目した。山際大志郎や萩生田光一も登場するが、いま、菅と統一教会との関係が看過されているような気がするからである。

菅原は安倍（晋三）内閣の官房長官だった菅の推しで経済産業大臣に抜擢された。菅原の両親は菅と同じ秋田県立湯沢高校を卒業している。菅原は菅をバックアップする「令和の会」を立ち上げたが、無派閥ながら、明確な菅印だった。

また、法務大臣となった河井が主宰する「向日葵会」も〝菅グループ〟と目されていた。

菅に近いこの二人が共に失脚したことは記憶に新しいが、菅原も河井も統一教会とはとりわけ深い関係だった。

菅は二〇一七年に教会幹部の北米大陸会長一行を首相官邸に招待したという。

著者によれば、教団は「統一教会を日本の国教にする〝国家復帰〟の野望」を持っていた。そして、統一教会と関わりのある議員がほとんどと言っていいほど改憲論者であることも大問題である。

二〇一七年に教団が開催した一万人集会の大阪大会で参議院議員の柳本卓治（自民党）がこう挨拶している。

「現在、わたくしは参議院の憲法審査会会長という天職をいただいています。憲法というのはどこの国でもそうでございますけれども、国のあり方、未来の方向性というのをきちっと示していかなければならないわけですけれども、何が大事かといえば愛を持って家庭を築いていくということ、これが一番であることであります」

しかし、統一教会が家庭を壊していることは明らかではないか。

一〇月八日の『週刊東洋経済』には「統一教会『密接企業』リスト」が載っている。代表格がハッピーワールドで、「幸世商事」から「世界のしあわせ株式会社」を経て、現在の社名になった。高麗人参の輸入から始まって多宝塔、壺、印鑑へと商材を広げ、信者が外交員となって訪問販売していた。

鈴木本を教科書とすれば、弁護士の山口広他著『統一教会との闘い』（旬報社）も副読本として有益である。〉

五日は河村光庸さんのお別れ会。角川書店の伊達百合さん（河村夫人）やテレビ朝日の松原文枝さん、そして、前川喜平さんや望月衣塑子さんと会う。

●佐藤久美子『議員秘書　捨身の告白』（講談社）

アントニオ猪木が亡くなって猪木礼賛一色の中、猪木が青森県知事選の応援で原発推進の電気事業連合会から一億円を受け取った話をこの『捨身の告白』で確かめる。

一〇日は『ZAITEN』の対談を田中優子さんと。「佐高信の賛否両論」シリーズである。例によって田中さんは着物姿。

●殿谷みな子『火を噴く山が憶えていること』（花伝社）

石川好夫人の殿谷さんが義母のヒストリーを小説化した。舞台は石川の出身地の伊豆大島。火を噴く山はもちろん三原山である。

一六日の『朝日新聞』朝刊を読んで、澤地久枝さんに葉書を書く。

「今日の『朝日』の落合（恵子）さんとの対談で『希望を持たないのは怠惰です。自分の辞書があるとしたら、絶望という言葉は削ってしまいたい』という澤地さんの発言に強く太くサイドラインを引きました。

一二月に西山太吉さんの『告白』が集英社新書で出ます。私が聞き役をつとめました。

元気でいて下さい。」

●諸永裕司『ふたつの嘘』（講談社）

三度目か四度目である。西山夫人の啓子さんにいつも涙する。

●坪内稔典『俳句いまむかし　みたび』（毎日新聞出版）

●花田紀凱『安倍晋三が闘った朝日と文春』（産経新聞出版）

後者は批判のためにいまいましく買う。

●佐高信『鮮やかな人生』（旬報社）

刊行が始まった「評伝選」の第一巻。「城山三郎という生き方」と「逆命利君を実践した男　鈴木朗夫」の二冊分収録。

二四日は参院議員会館で、安倍「国葬」やめろの集会。鈴木エイトさんと初めて会う。

●山口広ほか『統一教会との闘い』（旬報社）

副題が「三五年、そしてこれから」

二八日は平野貞夫、早野透、それに私の「3ジジ放談」。

●毎日新聞写真部ＯＢ会編『目撃者たちの記憶』（大空出版）
求められて次の一文を「特別寄稿」。けっこう苦闘した。

〈岸井成格が大学時代のゼミの同期生だったこともあって、『毎日新聞』記者に知己が多い。そして、岸井の後輩の倉重篤郎の協力を得て、「沖縄密約」を暴いた西山太吉との共著を出すことにもなった。

敬称略でいくが、西山には『毎日』の関係者もいろいろ複雑な思いがあるだろう。

しかし、西山ほど「スクープとは何か」、「国家権力が隠そうとするものは何か」、そしてジャーナリズムの意義とは何なのかを、衝撃をもって考えさせた記者はいないだろう。

現役記者では鈴木琢磨や小倉孝保に私は注目している。

写真部員にはほとんど知っている人はいないのだが、ただ、ある種のレジェンドの江成常夫の仕事には敬意を払ってきた。

江成には石川好の紹介で会ったのだが、今年の九月三日に土門の故郷の酒田で「江成常夫と土門拳が写した被爆」と題して記念フォーラムが開かれ、江成と一緒に私もパネルディスカッションをやることになっている。

私は写真についいては詳しくないが、土門の写真には精神を揺さぶられて、二〇〇三年に「逆白波のひと土門拳の生涯」という一文を書いた。それは小学館発行のアートセレクションの一冊となっている。

日本海から唸りをあげて吹きつける強風と日本三急流の一つの最上川がぶつかって生まれる逆白波を見て、実相観入の歌人、斎藤茂吉は次の歌を作った。

最上川逆白波のたつまでに

ふぶくゆふべとなりにけるかも

運命に従わず、むしろ、それに逆らって生きた土門を私は「逆白波のひと」と命名してその生涯をスケッチしたのである。

土門がひたすら追い求めたリアリズムの、茂吉がまさに先駆者だった。端的に言えば、リアリズムは下品と呼ばれることを恐れない。

土門は座禅に通っていた総持寺のある鶴見駅の階段をのぼっていて、片隅の赤い痰壺に目をとめる。汚い痰を吐き捨てるものとして、それは存在する。それを美しいものとして見る人はいない。しかし、これがなければ、汚さは広がってしまうのである。

貧困の中で、さまざまな職業を経験した土門はこの痰壺に注目した。

「痰壺は痰壺である。どんなに形が変ろうと、どんなに場所が変ろうと、この一個の赤い痰壺がそこに在るということは絶対である。在るということの確かな手応え、それは赤い銅の、ピカピカに口金の光った痰壺そのものが実証している」

土門は、画家を志していた少年時代を回想した「赤いタンツボの話し——私の作画精神」（『アサヒカメラ』（一九五三年八月号）でこう書いている。

また『三人三様』（講談社）では「しまい湯」が好きだと主張する。

「しまい湯のなかにトロッと厚みのある湯が好きだ。殊に人の湯垢でよどんで、プンと一種のにおいがそこはかとなく鼻にくるくらいになった湯がいい」

上品な人は鼻をつまみ、目をそむけるようなしまい湯を出て、どこかの塀に立ち小便をしながら、夜更けの空の満点の星を仰ぐときの幸福感に浸る土門は、骨の髄までの庶民派だった。

先日、江成と話して、土門への並々ならぬ傾倒を知り、嬉しくなった。

スクープでも何でも、どこから何を撮るか、あるいは撮ったかが問われる。江成を先頭として、ここに展開される写真は、その視点に於て、徹底してローアングルである。

そこから隠されているものをクローズアップするのが写真なのだろう。ここには、土門が背負わされなかった時事性を求められて走りまわった写真部員の熱い叫びが秘められている。その労苦に頭を下げつつ、私はまた、活字では表現できないものを読者に突きつけている写真に羨望をおぼえる。

時代を超えて残るものは活字より写真なのかもしれない、と思うのである。

個人的なことを付け加えれば、ここに取り上げられた年代は、ほぼ、岸井と私が出会って、岸井の死によってそれが裁ち切られるまでと重なる。そういった意味でも、極めて感慨深い。〉

●鈴木邦男『90年代のナショナリズム』(長崎出版)

本棚を眺めていて、この本に目がとまった。二歳上の鈴木大人はほとんど家から出られない状態らしい。続けて手に取った鈴木と白井聡の対話『憂国論』(祥伝社)で、三島由紀夫が自民党から誘われて、石原慎太郎の後塵を拝するのは嫌だと断ったことを知る。鈴木によれば、二人は共に右派学生のアイドルで石原の方が人気があったという。

「三島はどん臭いでしょう」とまで鈴木は言っている。フーン、石原は輝いていたのか。

早野透への弔辞でこみあげた

［二〇二二年一一月］

●前田朗編著『ジャーナリストたち』（三一書房）

特に安田浩一さんの項にサイドラインを引いた。

一日は『ZAITEN』の「佐高信の賛否両論」でラサール石井さんと対談するため下北沢へ。

四日、藤沢周平の「春秋山伏記」の中の「狐の足あと」の劇を神楽坂で見る。

六日、早野透急逝。突然のことでぼうぜん。

●早野透、佐高信『寅さんの世間学入門』（KKベストブック）

追悼の意味で、これを読み返す。

八日、早野宅へ。死に顔を見るのはつらい。

●山本茂歌集『郷愁』（楡影舎）

一〇日、『サンデー毎日』に山本ありと言われた名文家の山本さんと二〇年ぶりくらいに池袋で会う。山本さんが『AERA』に書いてくれた「現代の肖像」を評伝選の別巻に収録したくて連絡した。八〇代半ばの山本さん、予想以上に元気。夜は評伝選の宣伝のための対談を八重洲ブックセンターで。相手の望月衣塑子記者、ていねいに読んでいて恐縮。

●大下英治『最後の無頼派作家　梶山季之』（さくら舎）

『日刊ゲンダイ』のオススメ本に次の一文を書く。

残念ながら梶山さんに会うことはなかったが、会いたかった作家である。大下も梶山さんも純文学からの転向組。

〈「人物の心理だけを追っているような小説じゃ、駄目なんだ。その時代とか、社会を浮き彫りにしないといけない。読者に読んでいただく意味がない。それこそ、大衆小説だ。自分ひとりでわかっているようなわからない小説を書いたって、駄目だ」

ベストセラーを連発して四五歳で逝った梶山季之はこう力説したという。

著者の師でもある梶山が亡くなったのは一九七五年だが、なぜ、半世紀近く経ってからこの本が出ることになったか。

著者は梶山夫人の美那江から「憧れの『梶山季之伝』を書くことを許され」、梶山が関係した女性のひとりの大久保まり子への取材も許された。しかし、できあがった原稿を夫人に見せると、「無理、活字にするのはやめて」と断られた。それで夫人が亡くなってからの出版となったのである。

ポルノ小説も書いて〝ポルノ作家〟のレッテルを貼られた梶山を、私は『経済小説の読み方』で、城山三郎と並ぶ経済小説のパイオニアと位置づけて、夫人に感謝された。

タブーを恐れず小説を書いた梶山はたとえば『生贄』ではモデルとしたデヴィ夫人に訴えられている。背景には岸信介とスカルノが主役のインドネシア賠償汚職があったが、それも描いたために、その筋からの圧力が働いたとも言われた。

代表作の『黒の試走車』について城山と行なった対談で梶山は、

「企業間のスパイ的な行為はそんなに激しいんですか」

と城山に問われ、

「たとえば、N社で新車を作ったときのことですが、非常に手口がうまくて発売日まで外部にはもらさなかったんです。競争相手のT社ではN社ですごい車をつくっているという情報をもとに八方手をつくしたあげく、N社系の興信所から、その新車の第一号を（発売前に）手に入れて、即日解体して調べたということもありましたよ」

と答えている。

「売れるのが大衆小説で、売れないのが純文学か」と梶山は皮肉ったとも言われるが、おカネの問題から逃げずに取り組んだ梶山の功績は大きい。その後を追って奮闘する著者の愛情あふれる追悼伝である。梶山の告別式の葬儀委員長は柴田錬三郎で、吉行淳之介や黒岩重吾が弔辞を読んだ。梶山は「注文をひとつとして断ることなく、書いて書いて書きまくった」。〉

●田原総一朗、佐藤優『人生は天国か、それとも地獄か』（白秋社）

田原さんにもらったので流し読みしたが、無内容な本だ。

●田原総一朗、御厨貴『日本という国家』（河出書房新社）

これも同様。

一三日、桐ケ谷斎場で早野透の告別式。弔辞を読んだが、途中で二度、こみあげてきて危なかった。声を高くして何とか切りぬける。終わって平野貞夫さんと五反田駅前でそばを食べた。早野、平野、私の三人でやっていた「3ジジ放談」だが、突如、2ジジになってしまった。

●佐高信『統一教会と改憲・自民党』（作品社）

刊行が遅れたら読者がいなくなると焦った本がついに出る。うれしい書評を引用した「思郷通信」（郷里の『荘内日報』一二月二三日掲載）を「ジジ放談」にも関わるので次に。

〈一二月一六日に前川喜平さんと二度目の対談をした。彼が一二日前に鶴岡で「戦争の違法化と平和的生存権」をテーマに講演したことは知らなかったが、一二月二一日にまた会うので鶴岡の印象を尋ねてみたい。

さわやかな風が吹く感じの前川さんと最初に対談したのは『俳句界』の二〇一八年二月号でである。

先日のそれは『ZAITEN』の二〇二三年三月号に掲載される。「佐高信の賛否両論」にゲストとして登場してもらったのだが、その時に拙著『統一教会と改憲・自民党』（作品社）を進呈しようとしたら、すでに読んでいて持参していた。

しかし、サインもしてあるので「もらって下さい」と言ったら、「では、こちらは娘にあげましょう」と受け取ってくれた。

ちょっと宣伝めくが、この本は一二月六日付の『日刊ゲンダイ』で「本書は著者があちこちに書いた短いエッセーの論集だが、著者の一貫した姿勢と豊富な情報網でほかにない読みごたえになっている。トランプと統一教会がズブズブの関係などと端的に指摘するコラムは類を見ないだろう」と推奨され、一二月二二日号の『週刊新潮』「15行本棚」でも「本書は大きく三つのブロックで構成されている。まず統一教会と自民党との関係だ。家父長制を守る統一教会と自民党の改憲案とは重なっていると言い、両者の『構造癒着』を指摘する。次が橋下徹や竹中平蔵など自公政権を裏支えする面々に対する痛烈な批判。そして昨年一月から今年八月までの社会の動きを精査した時事批評と続く。何が問題なのか。なぜ危ういのか。核心を衝くペンが冴える」と賞讃された。

さて、前川さんである。彼を私は、やはり異色の文部官僚、寺脇研さんに紹介されたのだと思うが、前川さんを陥れようとして、ありもしないスキャンダルを『読売新聞』に流したのは菅義偉前首相だった。

東大法学部で前川さんは芦部信喜教授の憲法を最も熱心に聴講した。

その精神を生かすために文部省（現文科省）に入ったが、この省はイデオロギーの波に激しく揺さぶられるところであり、特に教育基本法の改変の時は辛かった。

前川さんは反対なのに大臣官房総務課長として成立に走りまわらなければならなかったからである。この時は十二指腸潰瘍になった。前川さんが口走って問題となった「面従腹背」もそう簡単にできるわけではない。

ここに一冊の詩集がある。一九八一年に出された『さよなら、コスモス』である。作者が秋津室で挿絵が原一平。共に前川さんの筆名で故郷の奈良の地名などに由来している。当時、前川さんは二六歳。「コスモスよりもコスモスのような人へ」と献辞があるが、つまり、最初で最後のこの詩集は結婚したひとに献げられたものである。

前川さんを私はユーチューブで流れる「3ジジ放談」に誘っている。爺と時事をかけたそれへの参加に私より一〇歳下で古稀を迎えていない彼は少なからず抵抗している。〉

●佐高信『この国の会社のDNA』(日刊現代)

デジタルに連載していたものをまとめた。

一六日、『ZATEN』の対談を田原総一朗さんと。夜は星陵会館で「福島みずほの会」。後援会長としてあいさつした後、前川喜平さんの講演を聞く。

●立川談四楼『文字助のはなし』(筑摩書房)

著者からのこちらの献呈本はおもしろかった。文字助は「立川談志を困らせた男」であるという。

二二日は酒田で恒例の新田(嘉一)産業奨励賞記念イベント。寺島実郎さんが講演して、その後、私と対談する形で一〇年続いている。

●椎名誠『失踪願望。コロナふらふら格闘編』(集英社)

パートナーの渡辺一枝さんが頻出する。

二五日、「3ジジ放談」を早野追悼として、ゲストに辻元清美を招き、平野さんと私がそれぞれ思いを語った。早野には届いたかな。

●荒井魏『良寛の四季』（岩波現代文庫）

●川本三郎『ひとり遊びぞ我はまされる』（平凡社）

共に良寛関連本。突如起こった良寛熱。

●佐高信『石原慎太郎への弔辞』（KKベストブック）

『週刊文春』の「阿川佐和子のこの人に会いたい」に石原良純と延啓が出ていて、これを読み返し、「追弔辞」を書くことにした。

画家という肩書の延啓が父親について、こう語っている。

「最期まで死を覚悟できていなかったと思います。自分の意識が無くなるということを一番恐れていましたから」

「うまいものを食い、海に出たい時は船に乗り、スポーツをしたい時はテニスをするのが、石原慎太郎にとって『生きる』ということだったので。それができなくなった晩年はすごくストレスだったと思います」

さらに彼は「父は少年のまま大人になったアーティスト」と定義づけているが、この四男がオウム真理教の信者だといわれた。その情報を自民党東京都連が怪文書という形で流した。

「延啓氏はオウムの準幹部（官房長官副秘書官）だったが、第七サティアンで〝救出〟され、保護、その後しばらくの間、高尾病院に強制入院させられていたことも初めて明かされました」

結局、これはガセネタだった。

電力会社は盗っ人猛々しい

［二〇二二年一二月］

●程麻・林振江著、林光江・古市雅子訳『李徳全』（日本僑報社）

副題が「日中国交正常化の『黄金のクサビ』を打ち込んだ中国人女性」

オビには「戦後初の中国代表団を率いて訪日し、戦犯とされた約一〇〇〇人の日本人を無事帰国させた中国人女性」とある。この本の監修者の石川好にもらっていたのだが、一三日に「日本と中国のあいだ」という講義をするので取り出して読み、この中国紅十字会会長のことはぜひ紹介したいと思った。モンゴル族の貧しい家に生まれた彼女は、クリスチャン・ゼネラルといわれた馮玉祥と結婚する。

端的に言えば、中国は日本人を生きたまま帰し、日本は殺してしまったということになるのではないか。

二日、衆院第一議員会館で、共同テーブル主催の統一教会問題シンポジウム。

●中島岳志編『橋川文三セレクション』（岩波現代文庫）

なるほどと思ったのは、橋川文三が一九七七年一〇月号の『文学』掲載の「竹内好と日本ロマン派のこと」で紹介しているエピソードである。

三島が自刃した翌日、橋川が竹内から中国語を教わるために「中国の会」の事務所に行くと、竹内がいきなり、

「おい、今日は祝杯をどうする?」

と言った。

中国語の勉強予定で頭がいっぱいだった橋川がケゲンな顔をすると、竹内は、「昨日、三島が死んじゃったじゃないか」

とにこにこしている。

竹内は盟友、武田泰淳の『森と湖の祭り』完成慰労会の発起人を三島と一緒では困ると断っているから、三島を否定の対象と捉えていたのだろう。「漢語の錯綜する三島の文章を竹内は一種の人工語とみなし大変面白く思わなかった」と橋川は書いている。竹内は文学者として三島の「文学」を認めていなかった。

フジテレビで放送する石原慎太郎のドキュメントにコメントを、と若い女性ディレクターが言ってきて、収録されるはずがないと思ったが、私にそれを求めるあなたに会いに行くと答えて、代々木公園駅近くのスタジオに出かけたのは一日だった（これは二月四日に流れ、私の辛口コメントも消されなかった）。

●河合弘之、海渡雄一、木村結編著『東電役員に一三兆円の支払いを命ず！』（旬報社）

『日刊ゲンダイ』のオススメ本へ。

〈電力会社が料金値上げを言っていることに対して、私は「盗っ人猛々しい」という強い言葉をあえて投げかけたい。

東京電力をはじめ、電力会社は役所の悪いところと会社の悪いところを併せ持っていると常々指摘してきたが、まさに無責任の権化である。

今年の七月一三日、東京地方裁判所は東電の元会長の勝俣恒久ら四人に一三兆円余りの損害賠償の支払いを命ずる判決を下した。

この額に驚いた人も多いかもしれないが、それだけ重大な責任を負っているのに、彼らはまったく能天気である。土木グループが津波対策の必要性を提案しても、勝俣たちは「御前会議」で無視してきた。第5章にその様子が詳述されているが唖然とするばかりである。一三兆円に驚くよりも、この御前会議のデタラメさに驚いた方がいい。

福島第一原発事故の被害は少なくすることができたのである。それをしなかった勝俣らの無責任さと被害の甚大さを考えれば、一三兆円は決して多い額ではない。

また、拙著『この国の会社のＤＮＡ』（日刊現代）で、中国電力や東電を例に批判したが、供給責任を負うかわりに地域独占が認められてきた電力会社は、競争を活力剤とする資本主義の枠外にいる非常識な会社で、腐っている。先ごろ、中部電力、中国電力、九州電力の三社に、独占禁止法違反（不当な取引制限）に当たる行為があったとして公正取引委員会が課徴金納付を命ずる処分案を通知した。関西電力はそれをチクったために処分を免れる見通しだが、カルテル体質、独占体質が身についてしまっている。

大体、競争のない電力会社は広告など打つ必要がないのに、巨額の広告費を使って原発推進の大宣伝をしてきた。その費用も電気料金に上乗せしてきたのだから、「盗っ人猛々しい」と言われても仕方がないだろう。それでもなお、料金の値上げをと言える神経はおかしい。

かつて、青森県知事選挙で原発推進候補と一時凍結派、そして原発反対派が争った。

人気抜群だったアントニオ猪木に一時凍結派が一五〇万円で応援を頼んだ。猪木は行く気だったが、それを知った推進派のバックにいた電気事業連合会（電事連）が猪木に一億円を提示し、猪木はあわてて一時凍結派に一五〇万円を返して、推進派の応援に入った。

これは猪木の秘書の佐藤久美子が『議員秘書、捨身の告白』（講談社）に書いている話で、訴えられたことのない事実である。電力会社をまとめる電事連は原発宣伝に使った金額をまず公表せよ。その上で値上げするかどうかを電力会社は言うべきだろう。〉

●西山太吉、佐高信『西山太吉　最後の告白』（集英社新書）

私もからむこの本については『週刊新潮』二〇二三年二月九日号の書評を借りよう。評者はメディア文化評論家の碓井広義である。

〈一九七一年、毎日新聞記者だった西山太吉は、沖縄返還に際してアメリカが支払うべき四〇〇万ドルの補償金を、日本が肩代わりする密約をスクープした。だが、取材方法が国家公務員法違反に問われ有罪判決を受ける。密約問題よりも西山と外務省女性事務官との男女関係に世間の目が向けられたのだ。追及はうやむやとなり、結果的に報道の自由が封じられていった。

『西山太吉　最後の告白』は、九一歳の西山にとって覚悟の一冊だ。沖縄密約の構図を多面的に分析している。岸信介の時代、すでに別の密約があった。安保改定における朝鮮議事録だ。半島で緊急事態が起きれば、事前協議なしで在日米軍基地から出撃可能との内容だった。

また弟の佐藤栄作は早くから沖縄返還を、ポスト池田勇人を狙う自分のメインイシューにする。政権獲得後は政治的野心から七二年返還のタイムスケジュールを厳守。その無理が秘密を生み、密約となる。基地の自由使用という財政密約が、返還合意とほぼセットで決まっていたのだ。

密約のスクープは機密漏洩事件として貶められたわけだが、情報は女性事務官が「私にくれた」ものであり、強要も要請もしていないと西山。ただし、彼女を情報ソースとして守れなかったことを、ミスであり失敗だったと自己批判する。半世紀が過ぎても解決しないままの沖縄問題。自民党政治と日米同盟の本質を衝く、貴重な証言集だ。〉

一二日、『サンデー毎日』に載る倉重篤郎さんのインタビューを受ける。倉重さんは『西山太吉　最後の証言』もまとめてくれた。

清水一行『小説兜町』（角川文庫）の解説を書く。

〈横浜国立大学経済学部で「企業と人間——経済小説の世界」という講義をしたことがある。半年間の特別講義を終えるに当たって、試験がわりに「経済小説にみる企業と人間」というレポートを提出してもらった。

「何か経済小説を読んで、その中における企業と人間をさぐってほしい」と言ったのだが、城山三郎と並んで清水一行の作品が多かった。

中に、城山と清水を比較して論じているレポートがあり、それによると「城山作品からは背広の香りがするのに対し、清水作品からは脂ぎった腕の毛穴から吹き出す汗の臭いがする」という。

城山作品には、〝酒〟や〝女〟といった「男の遊び」の部分が欠落しているが、それがリアリティを薄くしている。城山の潔癖性と清水のえげつなさを雑誌にたとえると、「さしずめ、『プレイボーイ』とビニール本といったところだろうか」と、この学生は書いていた。全面的に賛成するわけではないが、この指摘は両者の違いを端的にとらえている。

さて、数多くの清水の小説の中で、「第一に読むべき作品は」と問われたら、私はためらいもなく、この『小説兜町』を挙げる。

推理作家協会賞を受けた新幹線公害の『動脈列島』、日本経済の闇を食う手形パクリ屋を扱った『虚業集団』等、十指に余る清水の秀作の中で、この作品をまず挙げるのは、これが清水のデビュー作だからでもある。

一九六六年春、この作品が三一新書として出た時、清水は水上温泉にいた。当時、三〇代半ばだった清水は週刊誌のトップ屋をやっていて、仲間と一緒に〝骨休め〟のドンチャン騒ぎをしていた。そこへ、三一書房の担当者から興奮した口調の電話が入る。

「すごい売れゆきだ。昨日出て、もう今日増刷だ」

一万八千部からスタートして、増刷が五千部。合計二万三千部だから印税も大分入るぞと、騒ぎに拍車をかけて帰って来たら、さらに増刷また増刷で、アッという間に二〇万部近くのベストセラーになった。

同じころ、朝日新聞の一千万円懸賞小説に三浦綾子の『氷点』が当選して五〇万部もいったので、その陰に隠れた形になったけれども、水準以上の大当たりだった。こうして、刺激的な作家、清水一行はデビューする。

これ以後、清水は『買占め』、『虹の海藻』と、たてづづけに兜町小説を発表した。

山陽特殊製鋼の倒産に端を発して、山一証券が経営危機に陥り、日本銀行がその山一に無担保、無制限の特別融資をした昭和四〇年不況の翌年に出された『小説兜町』は、沈み切っていた証券界に火をつけた。特に、立ち直りのキッカケを求めていた山一証券では、一度に千冊も買って、社員に配った。この作品を貫く激しいスピリットがカツを入れると思ったのだろう。（以下略）〉

●笠井潔、絓秀実、外山恒一『対論　1968』（集英社新書）

不思議な魅力あり。

●森功『バブルの王様』（小学館）

マムシとあだ名されたアイチの森下安道は闇の世界で知られ、〝トランプタワーを買い占めた日本人〟である。

二一日、前川喜平さんを加えた3ジジ放談。

●寺島実郎『ダビデの星を見つめて』（NHK出版）

ユダヤ・ネットワークが分かる好著なり。

軽くて無責任なミコシの岸田文雄

［二〇二三年一月］

●佐高信『わが思想の源流』(旬報社)

評伝選の第二巻を新春に読み返す。久野収、竹内好、むのたけじ等の師からの「面々授受」と「福沢諭吉のパラドックス」である。

●山本茂『融雪期』(楡影舎)

五日に銀座の岡部クリニックへ。定期健診なり。ここで「姫」の山口洋子さんと遭遇した。

かつて、『ＡＥＲＡ』に卓抜なサタカ論を書いてくれた山本さんの青春小説。北大恵迪寮の面々が踊り、悩み、恋をする。

●寺脇研、前川喜平『これからの日本、これからの教育』(ちくま新書)

ユーチューブの「3ジジ放談」に前川さんを誘い込むことに成功したが、前川さんも先輩に寺脇研がいて、ずいぶん助かったのだな。

一一日、寺島実郎さんと対談。

ウェブの媒体に頼まれて、「岸田文雄は骨のない軟体動物」を寄稿。何というメディアなのかは忘れてしまった。

●冠木結心『カルトの花嫁』(合同出版)

宗教二世の地獄を描く。

●森功『国商』(講談社)

『日刊ゲンダイ』の「オススメ本ミシュラン」へ。

〈「最後のフィクサー葛西敬之」が副題のこの本を読むと、ボンボン的ひ弱さを持った安倍晋三の強固な突っかい棒がＪＲ東海「総帥」の葛西だったんだなということがよくわかる。

ゴリゴリの右派で中国嫌いの葛西の実像は意外に知られていない。丹念な取材によって著者はそれを明らかにした。

『ＺＡＩＴＥＮ（財界展望）』の二〇一七年四月号が「ＪＲ東海『葛西敬之』の研究」という特集を組んだが、それによれば、同年二月一〇日にホワイトハウスで行なわれた日米首脳会談のニュースを見て、葛西はほくそ笑んだという。

「安倍さんは気難しいトランプを相手に上手にうちの高速鉄道プロジェクトを売り込んでくれた」

経済産業省の官僚だった時代から葛西が〝使える部下〟と思ってきた首相秘書官（当時）の今井尚哉に指南してきた成果が表れたと葛西は満足だったのである。

「自分の目が黒いうちの開業」に固執したリニア中央新幹線もそうで、後継者の山田佳臣が記者会見で思わず「絶対にペイしない」と漏らしたほど無謀な計画なのに、安倍政権はその採算性を精査しないまま財政投融資の活用を決定し、二〇一六年一一月に五〇〇〇億円が「固定金利〇・六％、三〇年返済据え置き」というタダ同然の条件で実行された。

さすがにこれには、経団連幹部から「葛西氏と安倍政権の癒着ぶりは度が過ぎている」と批判の声があがったとか。

なぜ、葛西が政商を上まわる〝国商〟という存在になっていったか。葛西がその名を知られるようになったのは、国鉄の民営化ならぬ「会社化」をめざす〝改革〟三人組の一人としてだった。

表向きは〝改革〟だが、裏の目的は、それを進めた元首相の中曽根康弘が告白したように、社会党の支持母体だった国鉄労働組合、いわゆる国労潰しだった。

そのために葛西は、禁じ手ともいうべき動力車労組（動労）を率いていた松崎明と手を組む。松崎は左翼過激派の革マルの副議長だった男である。しかし、民営化後は松崎と対立して、しつこく脅されることになる。

目的のためには手段を選ばずの葛西の自業自得とも言える経過だった。

安倍の後見人としての葛西は菅義偉とも親しくなり、菅と共にＮＨＫを支配するようになった。「皆さんのＮＨＫならぬ菅さまのＮＨＫ」を実現して国民をマインドコントロールするのに尽力したのは葛西だった。〝葛西人事〟といわれるその口出しは現在の岸田（文雄）政権にも及んでいる。最大の黒幕の正体がこの本で露わになった。〉

●小倉孝保『ロレンスになれなかった男』（角川書店）

●小倉孝保『柔の恩人』（小学館）

前著は「空手でアラブを制した岡本秀樹」を、後著はアメリカ人の女性柔道家を描く。どちらも読ませる。

一九日、七八歳の誕生日なり。

二〇日は小出裕章さんと『俳句界』の対談。

●郷路征記『統一協会の何が問題か』（花伝社）

統一協会員は教義上、三人の統一協会員を獲得しなければ自分も救ってもらえないという立場に置かれているという。

講義の特徴は質問を許さず、すべてそのまま受け入れること、つまり、丸呑みすることを求める等、ずいぶん前から闘ってきた弁護士ならではの指摘がある。

郷路は一九八七年三月に「青春を返せ訴訟」を起こした。その郷路がこう語っている。

「旧統一協会のやり方は、霊感商法的手法で脅して透かして信者になる前に金をガバーッと取る。でも、信者になった後なら脅さなくても献金するし、買うんですよ」

だから、マインド・コントロールを規制することが必要なのだが、公明党（創価学会）はそれに頑強に抵抗した。

二五日、『ZAITEN』で鈴木エイトさんと対談。

二六日は松元ヒロさんに「佐高信の隠し味」に登場してもらう。終わって一緒にポレポレ東中野へ。小室等さんが待っていて、矢崎泰久さんの追悼集会。浜口庫之助さん作詞作曲の「みんな夢の中」の作詞は本当は矢崎さんだったと聞いて驚く。

恋はみじかい夢のようなものだけど
女心は夢を見るのが好きなの
夢のくちづけ　夢の涙
喜びも悲しみも　みんな夢の中

いい詞である。矢崎さんを見直す思い。
●平本和生『昭和人の棲家』（新潮社）
TBSの「報道局長回想録」。同年輩だけにしみじみとなるものがある。

二八日、少し酔っぱらって転び、顔面を強打する。眼鏡が壊れ、少し出血したが、大事に至らなかったのは奇跡的。やはり衰えているのだろう。鈴木邦男死去の報に接した驚きもあったかもしれない。三一日、鈴木追悼を辛淑玉と「のりこえネット」でやるために八王子へ。

●小泉信一『絶滅危惧種記者　群馬を歩く』(コトノハ)
●太田朝久、三苫義雄『有田芳生の偏向報道まっしぐら』(賢人舎)
統一教会側の有田批判の本。本当にしぶとく、しつこい。いまたいておかなければ、また再生するだろう。

〔二〇二三年二月〕

好敵手、鈴木邦男死す

●柳広司『ジョーカー・ゲーム』(角川文庫)
一日、集英社の『青春と読書』で柳さんが拙著『反戦川柳人　鶴彬の獄死』の宣伝対談をしてくれるというので、恐縮しつつ出かける。スパイを描いた『ジョーカー・ゲーム』はさすがのベストセラー小説。
●鳥海修『文字を作る仕事』(晶文社)
講談社の編集者だった小沢一郎さんにこの著者を紹介されたが、鳥海君は私が酒田工業高校にいた時の生徒で、卓球部の部長だったらしい。なかなかユニークな仕事で、ユニークな本。
●鈴木邦男『言論の覚悟　脱右翼篇』(創出版)
鈴木邦男が亡くなって、『創』の追悼特集に次の一文を寄せる。題して「好敵手の死」。

鈴木と私には、東北人で、「姉の力」をしたたかに知らされており、竹中労が好きという共通点があった。

〈二〇一〇年に鈴木と『左翼・右翼がわかる!』(金曜日)という対話を出してまもなく、『朝日新聞』の「ニッポン人脈記」が「毒に愛嬌あり」というシリーズで私を取り上げ、鈴木の次のようなコメントを載せた。記者は加藤明である。

「相手の実名まで出してバッサリ斬るには、相当の覚悟がいる。訴えられもするし、嫌がらせの電話も家にかかってくる。その蛮勇には、ただただ敬服。しかも、情け容赦なくやっているようで、弱い立場の人は絶対に標的にしていない」

それこそ「言論の覚悟」をもっている鈴木のこの評は嬉しかった。鈴木にはわかってもらえているんだなと思ったからである。

それとともに、鈴木に語らせた記者の加藤にも脱帽した。それかあらぬか、この回の見出しは「その蛮勇ただただ敬服」である。

しかし、私へのこの評はそのまま鈴木に返したい。

鈴木は、それこそ左右の枠を超えて衝撃を与えた『腹腹時計と〈狼〉』（三一新書）に入れた『週刊現代』のインタビューで、こう語っている。

「革命家は、毛沢東でもレーニンでも、革命が終った日に、皆自殺すべきだ。権力者となって生き残ったら、革命家としては終わり、というのが僕の持論です。爆弾闘争を行った青年たちには大衆の支持がなかった、という批判があるが、多くの人の支持を得るということは、もともとむずかしいですね。結果においての支持であって、支持は理論以外で求められない。しかし、理論というものはある運動の形成を経ないとできない。」

この本は一九七五年に出ているが、この時、鈴木はまだ三二歳だった。

鈴木より二歳下の私と鈴木の共通点は、竹中労に惹かれていることである。

二〇一一年に河出書房新社から出た『竹中労』というムック形式の本がある。編集したのは武田砂鉄。その巻頭で鈴木と私が対談した。題して「左右弁別すべからざる対話」。

そこで私は、鈴木がかなりのノセ上手であることを発見した。いわば右翼特有のホメ殺しの術を心得ているのである。

「（竹中は）漢文の素養もあって、なおかつ難しい書き方をしない。それを誰に習ったのかなと思ったら、藤沢周平に影響を受けたとどこかで読んだことがあります。時代小説が好きで参考にしていると」

鈴木がこう言うので、私が、

「藤沢周平より、竹中労のほうがうまいんじゃないの（笑）。文章が色っぽいんだよ」

と返すと、鈴木は、

「佐高さんの文章もそう。読めば竹中労を目指してきたことがよく分かる。竹中労は佐高さんの中に生きていますよ。生まれ変わりですよ（笑）」

と続けた。「そこまで言うか」とも思うが、悪い気はしない。また、こんな遣り取りにもなって、私はタジタジだった。

「竹中労に批判されて名誉だと思う人もいたでしょう。今だって、俺は佐高信に批判されたんだという風に威張っている人っているじゃない、いっぱい（笑）」

「俺、知らないよ、そんな人（笑）。竹中さんは、小物は批判しなかったよね」

「竹中に批判された、これは大物の証明だと。じゃあやっぱり今の佐高さんでしょう？だって、小物は批判しないでしょう？」

「まあ、損することはしない（笑）」

最後は笑ってかわすのが精一杯だったが、私が何度も批判した猪瀬直樹や佐藤優がこれを読んだら、おそらく怒るだろう。

もう一人、鈴木と私の共通の知人を挙げれば、異色の弁護士、遠藤誠がいる。釈迦とマルクスに惹かれる遠藤は自らを釈迦マル主義者と称した。

遠藤の『交遊革命』（社会批評社）によれば、遠藤は一九八一年に開かれた「竹中労さんを鼓舞する会」で鈴木に会った。

鈴木は会場の九段会館に「陸軍幼年学校生徒みたいに礼儀正しい若者数名を従えた三八歳ぐらいの実直そうな青年」として現われたという。

その後、ときどき、遠藤は鈴木を料亭に招いた。ところが、彼はいつもセーターにジーパン、それにズック靴でやって来る。

なぜかと尋ねると、鈴木は、

「いつ警官から逮捕されそうになっても、乱闘できるように」

と答えた。それで遠藤は「旧右翼には警察は甘いが、本当に権力と闘おうとしている新右翼に対しては、警察はきびしいのだな」ということを学んだ。

その遠藤に鈴木は自分が代表だった一水会の機関紙『レコンキスタ』への連載を頼む。タイトルは「四方八方レコンを斬る」で、天皇裕仁は最高の戦争犯罪人であるとか、遠藤は普通の右翼が読んだら激怒するような原稿を書いた。そのまま掲載されていたが、さすがにこれを右翼の元老の葦津珍彦が問題にした。

「一水会の機関紙なら、さぞかし、民族主義のことばかり書いてあると思ったら、遠藤誠という人が毎号書いている。しかも題目が『レコンを斬る』とある。一水会は新左翼の遠藤誠に乗っ取られたのか」

その後、鈴木は「脱右翼宣言」をし、「私が右翼をやめたのは遠藤誠さんのせいである」と書いた。それを遠藤は「思い当たるフシもあるが、冗談だろう」と、いなしている。

ところで、辛淑玉に誘われて一緒に呼びかけ人になった「のりこえネット」で、先日、辛と私は鈴木の追悼対談をやった。

そこで私が鈴木理解の必読の本として挙げたのが邦男ガールズ編の『彼女たちの好きな鈴木邦男』（ハモニカブックス）である。委細はユーチューブで流れる前記の対談に譲るが、鈴木も私も、そして遠藤も東北出身。その遠藤に「ヤマトタケル以来、天皇により何度も討伐された東北人は、いまこそ怨みを晴らすのだ。天皇制打倒のために共に立ち上がろう！」と呼びかけられて、鈴木はのけぞったらしい。〉

七日は社民党東京都連の会合で挨拶。

九日が共同テーブル主催の「新しい戦前にさせない」シンポを文京区民センターで。

小室等さんを引っ張り出したら、沖縄の山城博治さんとエールの交歓をやっていた。

●鈴木邦男、佐高信『左翼・右翼がわかる！』（金曜日）

読み返して、一水会の機関紙『レコンキスタ』にも追悼文を寄せる。

●柳広司『太平洋食堂』（小学館文庫）

『日刊ゲンダイ』オススメ本へ。

〈国家、あるいは政府に批判的な言論を封殺しようとする風潮はますます強まっている。

いまから一一〇余年前、この国では「天皇暗殺」の謀議をしたというウソをでっちあげられて一二人の人間が絞首刑にされた。大逆事件である。これは特に西欧諸国に衝撃を与え、各国の知識人たちが「日本はいまだ野蛮な未開国家」と非難した。死刑執行前夜、それを主導した山県有朋以下、検事の平沼騏一郎らがあつまって乾杯したという。

ベストセラー『ジョーカー・ゲーム』（角川文庫）の著者の柳は満腔の怒りをこめて、「国家に殺された」一二人の一人の、ドクトル大石誠之助がどんな人間であったかを描く。一二人の中には幸徳秋水や管野須賀子もいるが、ドクトルはとりわけ魅力的な人間だった。子どもが好きで、子どもにも好かれたドクトルは生まれ故郷の新宮にレストランとも集会所ともつかない「太平洋食堂」を開いた。その前に大石医院があり、貧しい人からおカネは取らないが、その分、金持ちからは多めに取るという診療方針を掲げた。

平等をめざす者に権力者はたいていアカのレッテルを貼る。ドクトルは社会主義者であることを隠さず、四歳下の幸徳らとの交友を続けた。ドクトルはアメリカに渡って「王（支配者）なしでもこの社会はやっていける。それも、結構楽しくやっていける」ことを発見する。それは「紀州熊野方言に敬語なし」で育ったドクトルを元気づけた。

山県有朋の過敏な社会主義者取り締まりに対して、同じ政友会ながら原敬は日記に「山県の陰険は実に甚しと云うべし」と書いているという。現在で言えば、菅義偉だろうか。その「陰険は実に甚し」である。亡くなった時、山県は国葬だったが、弔旗を掲げる家もほとんどないほど不人気だったらしい。その時、リベラルの元祖の石橋湛山は「死もまた社会奉仕」という痛烈な一語を送った。

国家によって首を吊られたドクトルはまだ四三歳である。どんなに可能性のある人間を殺したか。この「小説」を読めば、それは国家的損失だったと言いたくなるだろう。

日本とロシアが戦争を始めて二年目の一九〇五年ごろ、「日本国内では戦費調達のために『消費税』をはじめとする様々な名目で増税につぐ増税が行われ、諸式が高くなった」と書かれている。これはまさに「現在」を描いた作品である。〉

●石破茂、鈴木エイト他『自民党という絶望』（宝島社新書）

一日は『ZAITEN』の「佐高信の賛否両論」という対談を田中均さんと。「戦争は外交の失敗」と語る。

●谷川俊太郎、小室等『プロテストソング』（旬報社）

なかなかにしゃれた本である。

●中村敦夫『狙われた羊』（講談社文庫）

『日刊ゲンダイ』のオススメ本へ。

〈小林よしのりと有田芳生の『統一協会問題の闇』（扶桑社新書）も『小川さゆり、宗教2世』（小学館）も、自民党と一体となったカルト集団を理解するためには大事な新刊である。しかし、私はここで敢えて、三〇年前に書かれて緊急文庫化されたこの作品をすすめたい。小説にしたために、いわば動画となって、この不気味なカルトの実態が分かりやすく暴かれた。

一九九三年に中村はテレビで統一教会を批判して、この「詐欺団体」から刑事告訴されている。「マインド・コントロールによって信者を無賃労働者に仕立て上げ、カモを見つけては他者の財産を巻き上げる」統一教会を中村は詐欺団体と断定する。

小説では「敬霊協会」となっている統一教会のえげつなさは、自民党ならぬ「国民保守党」に潜り込んでいる敬霊協会候補の選挙の応援で遺憾なく出ている。

それは驚くようなもので、夜中の三時ごろに対立候補の名をかたって有権者の家へ電話攻勢をかけるので

前田朗の佐高信論に恐縮

［二〇二三年三月］

ある。

厳しい選挙なのでぜひ応援をと依頼するのだが、かけられた方はこんな時間に非常識だと怒る。そして、翌朝、その候補の事務所には抗議の電話が殺到して使えなくなるという。

保守の候補でも、リベラルだった宇都宮徳馬などが統一教会に批判的だったために、これをやられた。

さて、信者を脱会させるには人里離れた所に連れて行って孤立させなければならない。

「信者は、団体生活に慣れきっていますから、一人になることを恐れています。しかし、一人にしなければ、自分の力で判断する力や習性が戻りません。なんとしてでも昔の生活の感覚を思い出させるのです」

一〇〇人以上救出した人間が、作中でこう語る。彼は「信者たちは別の星に住む異生物だと考えた方がいい」とも言っている。マインド・コントロールの後遺症は深く、普通に戻るまで、平均すれば一年ぐらいのリハビリが必要なのである。

『統一協会問題の闇』で小林は、同じカルトのオウム真理教を擁護した中沢新一や島田裕巳を批判しているが、中沢がそれをザンゲしたという話は聞いたことがない。学者と称する者たちのいいかげんさもカルトをはびこらせる原因となっているだろう。また、統一教会と自民党の改憲案が酷似していることも、もっと問題にされなければならない。〉

●柳広司『ダブル・ジョーカー』（角川文庫）

●柳広司『南風に乗る』（小学館）

沖縄を照射した後者に中野好夫さんが出て来て驚く。

一三日は「影法師イン永田町」につきあう。

●中村哲『アフガニスタンで考える』（岩波ブックレット）

中村哲か、岸田晋三かが問われている。

●カミムラ晋作『黒と誠』（双葉社）

目黒孝二を描いたこのコミックスを椎名誠さんよりもらった。副題が「本の雑誌を創った男たち」で、もちろん誠は椎名誠である。

●柳広司『二度読んだ本を三度読む』（岩波新書）

二〇日、柳さんと『俳句界』の対談。

●佐高信『反戦川柳人　鶴彬の獄死』（集英社新書）

すぐ増刷となったが、私としては『マスコミ市民』三月号で前田朗さんが次のように書いてくれた評伝選こそ売れてほしい。

〈独占禁止法違反

佐高信と言えば辛口評論家。

辛口評論家と言えば佐高信。

『鵜の目　鷹の目 佐高の目』『こいつだけは許せない！』『官僚国家＝日本を斬る』『佐高信の寸鉄刺人』『タレント文化人150人斬り』『佐高信の筆刀両断』『タレント文化人筆刀両断！』『原発文化人50人斬り』『小泉純一郎を嗤う』『偽装、捏造、安倍晋三』『自公政権のお抱え知識人徹底批判』…とごく一部の著作タイトルを並べるだけで、その過激さと辛口ぶりがよくわかる。

企業批判、政治家批判、御用学者批判の鋭さで佐高の右に出る者はいない。

特徴はズバリ直球の実名批判である。事実に基づいて、正面から具体的に批判をぶつける。当たり前の批判方法だが、「論壇」と称しながら「和」や「内輪」の論理で動きがちなこの国で、佐高のような方法を貫くことは「異例」に映る。お友達の花畑を無暗に荒らす仕草に見えるからだ。

『石原慎太郎への弔辞』は二〇一七年出版である。芥川賞作家で東京都知事だった石原が亡くなったのは二〇二二年のことである。石原存命中に「弔辞」と銘打って猛烈な批判をしたのだ。他にも『石原慎太郎の老残』など佐高節炸裂の著書が山積みである。

ただ、佐高の辛口には憎悪があまり含まれない。それどころか実は愛が含まれていると言えば言い過ぎかもしれないが、少なくとも佐高は批判対象を向こう側に排除しようとしない。同じコミュニティの一員だからこそ批判対象に興味を持ち、刺したり、斬ったり、叩いたりする。該博な知識と軽妙洒脱な文体でスパッと斬る。

阪妻の斬り方ではない。田村正和演じる眠狂四郎の斬り方でもない。私には藤田まこと演じる中村主水の斬り方に見えるが、どうだろうか。

上手に斬られることで哀切な〝華〟が宙を舞う。それがわからない愚者は佐高を名誉毀損で訴えるのだろう。愚者と嗤われないように心したいものだ。

鮮やかな人生

辛口評論では独占禁止法違反状態の佐高だが、もう一つ「評伝」でも独占を狙っている節がある。旬報社から「佐高信評伝選全7巻」が出版開始となったからだ。

「鮮やかな人生」と題された「佐高信評伝選1」は二つの評伝を収める。「城山三郎という生き方」(原題『城山三郎の昭和』)と「逆命利君を実践した男鈴木朗夫」(原題『逆命利君』)である。

歴史小説・経済小説の第一人者・城山三郎(一九二七〜二〇〇七年)は海軍特別幹部練習生の経験を原点とし

て反戦・平和をしっかり核に据えつつ、「組織と人間」の関係を描き続けた。『小説日本銀行』『官僚たちの夏』『落日燃ゆ』『粗にして野だが卑ではない』『男子の本懐』……城山作品の愛読者と公言する政財界人は多い。

だが、佐高は、彼らが城山作品を真に理解しているのかと首をかしげる。城山の原点を見忘れて、表層の物語だけを読んでいるのではないか。佐高はこう問いながら、城山の評伝を書き続ける。城山の評伝は時代を描きつつ、佐高の人物像を映し出すことになる。

胃がんのために五六歳で亡くなった住友商事常務の鈴木朗夫（一九三一～八七年）は、モノづくりを掲げ「商売」を遠ざけた住友にあって商社マンとして国際的に活躍した。一九六〇年代に遅刻常習の異端の会社員ながら、上司に苦言を呈し、個性溢れる仕事ぶりで「住友に鈴木あり」と呼ばれる。

会社嫌いで豊かな趣味人でありながら、いったん仕事に向かうやタフ・ネゴシエーターとして活躍した鈴木は住友の歴史に点在した破天荒を継承する奇跡の社員であった。鈴木の気障さが気に入らないと言いながら、佐高は鈴木の生涯に迫る。

二人の鮮烈な人生を追いかけた佐高は、自らの「評伝選」の冒頭に本書を置いた。久野収、竹内好、むのたけじ、福沢諭吉の評伝を収めた「佐高信評伝選2　わが思想の源流」を差し置いて、「評伝選1」に城山三郎と鈴木朗夫を持ってきたのは思い入れのかなりの強さを示している。

一九四五年生まれで戦後民主主義の申し子・佐高は、平和憲法最大の危機に直面して再び反戦・平和の旗を高々と掲げる。

喜寿を迎えた佐高は、平和のための闘いを実践することで「鮮やかな人生」を生き抜こうとする。

それでは佐高の評伝を、いつ、誰が書くのだろうか。〉

●本城雅人『キングメーカー』(双葉社)
二四日はむのたけじ賞贈呈式。
●中沢啓治『はだしのゲンはピカドンを忘れない』(岩波ブックレット)
二七日、『ZAITEN』の対談を神田香織さんと。
●島田裕巳、小川寛大『創価学会は復活する⁉』(ビジネス社)
●橋爪大三郎『日本のカルトと自民党』(集英社新書)
「統一教会と創価学会」というテーマで一冊仕上げたいと思う。

一水会の機関紙『レコンキスタ』に寄せた鈴木邦男追悼の一節を引く。

〈鈴木邦男の女性ファンは〝邦男ガールズ〟だけではない。あのコワイ、もとい厳しい辛淑玉までがその死に泣かんばかりで、私は一月三一日に「のりこえネット」で追悼対談をやらされた。鎌田慧などと共に鈴木も私も「むのたけじ地域・民衆ジャーナリズム賞」の選考委員となっていたが、同じく選考委員の落合恵子も彼の死にガックリしていた。

但し、櫻井よしこは違うだろう。独特のユーモアで鈴木は櫻井をからかっていた。

鈴木がバリバリの右翼青年だった時、『クリスチャン・サイエンス・モニター』の記者をしていた彼女が鈴木を取材したという。

「右翼青年！　おう、テリブル(恐ろしい)」などと言っていたが、鈴木は「いまは貴女の方がテリブルだよ」と嗤っている。〉
●泉谷しげる『キャラは自分で作る』(幻冬舎新書)
森永卓郎推薦。

［二〇二三年四月］

選挙応援で二度、岩国へ

四日は山口県議選に再び立った井原寿加子さんの応援で岩国へ。無所属の彼女は元市長の井原勝介さんの妻。

「人の世に許されざるは美しき」と宣言した新子と鶴彬の比較もおもしろい。

●時実新子『花の結び目』（朝日文庫）

帰りに京都で反戦歌手の川口真由美さんと歓談。彼女を推すのは望月衣塑子さん。

●深沢潮『李の花は散っても』（朝日新聞出版）

『日刊ゲンダイ』のオススメ本へ。

〈日本は朝鮮にとてつもなくひどいことをしたのだから日本人は朝鮮人に奉仕するのが当然なのだと統一教会（文鮮明）は教えて日本人信者から多額のカネをまきあげていたという。素直な信者ほど加害者意識を植えつけられて奉仕に努めたらしい。確かに日本は加害者だが、まず、国家と国民は一体なのか？　そんな疑問を差しはさむ間もなく、朝鮮と日本の現代史を知らない日本人は統一教会の教えに取り込まれていくのだろう。

この小説は「日鮮一体」の名の下に、日本の皇族から朝鮮の李王朝の垠王子に嫁いだ梨本宮方子を主なる主人公とした物語である。方子は昭和天皇が皇太子だった時の有力な妃候補でもあった。

政略結婚だったが二人は愛し合い、子どもも生まれた。しかし、歴史の波に翻弄される。垠の腹違いの兄の生母・閔妃は一八九五年に虐殺されている。朝鮮を思いのままに支配しようとした大日本帝国に抵抗したためだった。公使の三浦梧楼を中心に軍部が協力する形で王宮に乱入して殺したのだが、あえて虐殺と書くのは、よってたかって陵辱したといわれるからである。皮肉にも、方子が生まれ、幼少期を過ごした家は三浦が建てたものだった。一九一〇年の朝鮮併合を経て、一九二三年には関東大震災が起こり、多くの朝鮮人が虐殺される。人質のように日本に住まわされていた垠さえ命の危険にさらされた。それらについて方子は「すべてが日本人である自分のあやまちのよう」に考えてしまう。

しかし、三浦をはじめ、日本の権力者たちはそんなことは考えない。その責任の腑分けをしなければならないのだろう。過大にそれを負ってしまう者と、まったく責任を感じない者とは区別して追及する必要がある。

戦争が終わっても、二人が悲劇から解放されたわけではなかった。この小説で方子は独白する。

「殿下をはじめ、朝鮮のひとびとが朝鮮人でなく、日本人とされたこと、朝鮮が日本に組み込まれたこと、その悲しみを理解していたつもりだったけれど、私はあくまで頭で想像していただけだった」

「日本、朝鮮、どちらにも私たちの居場所はないということなのか」

歴史を知らなければ、統一教会にも簡単に食い込まれる。それを知った上で、為政者の責任と国民の責任を区分けするためにも、これは最適の作品である。〉

●鈴木邦男『新右翼〈最終章〉』（彩流社）

●坂本龍一、鈴木邦男『愛国者の憂鬱』（金曜日）

いずれも鈴木邦男が亡くなって追悼文のためなどに読み返す。後者は二〇一四年刊。

鈴木は川本三郎との共著『本と映画と「70年」を語ろう』（朝日新書）では、三島由紀夫と一緒に亡くなった森田必勝の若いころの日記に森田が「（社会党の）浅沼稲次郎が好きで、浅沼が卒業した早稲田大学に入ろうと思って、浅沼を殺した山口二矢は許せない」と書いているという秘話を明かしている。

鈴木が調べてみると、右翼の大東塾の影山正治は、あの時、「三島を射殺すべきだった」と言っているし、皇学館大学の田中卓という先生も、「自衛隊が間違っていた。いくら三島に脅されても、自衛官をバルコニーの前に集めるべきではなかった」と怒っている。

ところで、鈴木の『愛国と憂国と売国』(集英社新書)に「左翼であることを公言している人」として私が出てくる。公言しているつもりはないのだが、「左翼ではないとは言いたくない」とは思っている。批判派を左翼と言うなら、勝手に言え、というだけである。

「佐高さんはめっぽう口が悪い。特に、政治家や評論家、学者などを批判する時の舌鋒の鋭さはただごとじゃない。聞く方は面白いけど、心配になったりもする」

私は鈴木をも心配させていたのか。

「人格攻撃しないで、思想だけを批判することはできないもんですかね」

ある時、鈴木は私にこう言ったらしい。当人に記憶はないのだが、左から右に変わったりする「生き方」を断罪すると、人格攻撃になってしまうのか。

いずれにせよ、私は鈴木を、少なくとも私よりはテリブルな存在だと思っていたが、あるいは鈴木は私をテリブルと思っていたのかもしれない。好敵手という感じの鈴木の死を惜しむばかりである。

六月刊の「佐高信評伝選」(旬報社)は『歴史の勝者と敗者』で、『司馬遼太郎と藤沢周平』、そして『西郷隆盛伝説』を収録している。前者の「解題」として「悪を描いた藤沢周平と描けなかった司馬遼太郎」を書く。要点を引こう。

〈『プレジデント』の一九九七年三月号臨時増刊「司馬遼太郎がゆく」の座談会で、明治前半の「楽天的な時代」を描いた司馬に対し、会田雄次はこう注文をつけている。

「楽天性もいいけれどももうちょっと悪人を書いてもらいたかった気がする。司馬作品の中には、本質的な悪人がまったく出てこないでしょう」

これは司馬に対する根源的な批判だろう。つまり、人間観が深くないと会田は言っているのである。「男にとって本質的に悪」だと会田の言う「女」を藤沢が一般の男以上に好きだったかどうか私は知らない。しかし、藤沢ファンに女性が多いことは確かであり、それは女性ファンが極端に少ない司馬と比べるとはっきりする。

その理由には、司馬があくまでも女性を脇役というか従者としてしか登場させていないことも挙げられる。それに比べて、藤沢作品では主役としても登場する。たとえば、私との共著で『拝啓　藤沢周平様』（イースト・プレス）を出した田中優子は藤沢の「榎屋敷宵の春月」（文春文庫『麦屋町昼下がり』所収）を挙げ、こう語る。

「これを読んでおもしろかったのは、女性を中心として描いていること。田鶴という女性がいて、その人が下級藩士のところにお嫁に行くんです。夫は出世したい。組頭から家老になるチャンスが訪れるんですが、ある日、自分の家の前でだれかに追いかけられ、刀で切られた旅姿の青年を田鶴が助ける。助けたあとに、その青年は殺されてしまう。だれに、なぜ殺されたのだろうと真実を追及していって、ついにその犯人をつきとめるのですが、でも、その結果は夫の出世に絡んでくる。女性中心の物語は非常に珍しいのですが、それはほかの作品の女性とそんなにイメージが違わないんです。それは何かと言うと、強さがあって、男性に対してあまり要求がなくって、すぐ自分で物事を片づけるところです」

藤沢文学の魅力の一つは悪人、悪党を描いたことであり、それゆえに「男にとって本質的に悪」である女性の読者を獲得したことであると言ったら、女性ファンはもちろん、藤沢自身もけげんな顔をするだろうか。

善も悪も紙一重であり、生きることにおいてそれほど乖離（かいり）してあるものではない。多分、藤沢はそう思っていた。そして、自分の中に、はっきりと悪に惹かれる心持ちがあることを意識していた。そうでなければ、

『天保悪党伝』（角川文庫）で、あんなに生き生きと悪党たちを描けるはずがない。

河内山宗俊、片岡直次郎、金子市之丞、盛田屋清蔵、くらやみの丑松、そして、おいらんの三千歳の六人の「悪党」の名は、読者にもなじみが深いだろう。

二代目松林伯円で人気を博した「天保六花撰」という講談を、明治になって河竹黙阿弥が歌舞伎に移し替え、現在まで何度も演じられているからである。

それを藤沢が、いわば本歌取り的に描き直した。最大のワルの河内山宗俊でさえ、何か憎めない気がするのは、根っからの悪人はいない、と藤沢が思っているからだろうか。悪人にならざるをえない事情も藤沢は丹念に描く。つまりは生活を書いていくのである。たとえ、悪党たちの手前勝手なものであっても、人は日常のくらしの中から、悪への動機を育てる。それを藤沢は裁かない。司馬のように、一段上の位置から裁いたりはしないのである。〉

●榎本泰子『上海』（中公新書）
魯迅の墓参りに上海を訪れたのは、もう四〇年も前になるのか。韓流ドラマ「根の深い木」は印象に残る。

●北上次郎『息子たちよ』（早川書房）
目黒孝二名じゃないんだな。


一三日、『ハマのドン』の試写を渋谷のユーロスペースで見て、その後、監督の松原文枝さん、吉永みち子さん、私の高校以来の友人の三浦光紀、そして私の四人で会食。「ハマのドン」の藤木幸夫さんには元気でいてほしい。現在の政治の閉塞状況を打ち破る可能性を彼は開いてくれたようにも思う。

ドンが導火線となった市民パワーである。

一四日は神蔵孝之さんの招きで、平野貞夫さんを囲んで、石川好と私。初対面の神蔵さんと石川さんは平野さんの汚れていなさに感心していた。一八日は演歌歌手の羽山みずきさんと『俳句界』の対談。彼女は羽黒山で巫女さんをしていた。

●西日本新聞取材班『落日の工藤会』（角川書店）

一九日、山口二区の補選に立った平岡秀夫さんの応援で再び岩国へ。

●田中伸尚『死刑すべからく廃すべし』（平凡社）

●保阪正康『Ｎの廻廊』（講談社）

期待したほどにあらざる西部邁追想。

●柳広司『風神雷神』（講談社）

俵屋宗達の迫力か、柳広司の迫力か。

［二〇二三年五月］

万歳とあげて行った手を大陸においてきた

●ヤンヨンヒ『カメラを止めて書きます』（クオン）

ドキュメンタリー映画を撮っている彼女から送られてきた本。二〇〇九年に私が聞き手となって彼女が語ったのが『北朝鮮で兄は死んだ』（七つ森書館）だった。兄はオッパと読む。

三日、有明の憲法集会へ。

●大江健三郎『ヒロシマ・ノート』（岩波新書）

『日刊ゲンダイ』のオススメ本へ。

〈広島を選挙区とする岸田文雄はこの本を読んだことがあるのだろうか。あるいは、読んでも理解することができたのか。

一九四五年八月六日のアメリカの広島への原爆投下は明らかに国際法違反のジェノサイドであり、そのアメリカに抗議もせず、謝罪も求めずして核兵器使用の禁止を訴えることはできない。ところが岸田の地元の広島市の教育委員会は今年になって突然、原爆の悲惨を伝える「はだしのゲン」を平和教育プログラムの教材から削除することを決めた。奇跡的に助かったゲンの作者の中沢啓治は、被爆者の母親が亡くなった時、原爆傷害調査委員会（ABCC）が「内臓をくれ」と言ってきたと怒っている。アメリカにとっては研究材料なのである。

この本で大江は「人間の威厳について」書く。たとえば、被爆者で奇形児を生んだ若い母親は、自分の生んだ赤ん坊をひと目なりと見たいと望んだが、その願いはかなえられなかった。そのとき彼女は、赤ん坊を見れば、勇気が湧いたのに！　と嘆いたという。

「死産した奇型児を母親に見せまいとした病院の処置は、たしかにヒューマニスティックであろう。人間がヒューマニスティックであり続けるためには、自分の人間らしい眼が見てはならぬものの限界を守る自制心が必要だ。しかし人間が人間でありうる極限状況を生き抜こうとしている若い母親が、独自の勇気をかちとるために、死んだ奇型の子供を見たいと希望するとしたら、それは通俗ヒューマニズムを超えた、新しいヒューマニズム、いわば広島の悲惨のうちに芽生えた、強靱なヒューマニズムの言葉としてとらえられねばならない。誰が胸をしめつけられないだろう？　この若い母親にとっては、死んだ奇型児すら、それにすがりついて勇気を恢復すべき手がかりだったのだ……」

大江はこう説き、一九六五年の時点ですでに「地球上の人類のみな誰もかれもが、広島と、そこでおこなわれた人間の最悪の悲惨を、すっかり忘れてしまおうとしている」と指摘している。

それからまた半世紀以上経って、大江の言う「通俗ヒューマニズム」さえ持たない日本の首相が広島でサミットという茶番をやろうとしている。亡くなった者を含む被爆者にとっては侮辱でしかない形でである。アメリカに謝罪さえ求めないそれを、なぜ、よりによって広島でやるのか。〉

●早野透、佐高信『寅さんの世間学入門』（KKベストブック）

早野の存命中は読んで笑っていたが、亡くなってから読み返すと泣き笑いになる。

●柳広司『象は忘れない』（文春文庫）

フクシマは忘れない…。

●吉橋通夫『小説　鶴彬』（新日本出版社）

『反戦川柳人鶴彬の獄死』（集英社新書）を書く時には読まなかった。

一三日、茅ヶ崎へ。城山三郎湘南の会主催の講演。「城山三郎と私と俳句」。「俳句」にはサラッとしか触れず。城山さんの息子さんと娘さんも来た。

一六日付の『朝日新聞』湘南版に次のように私の講演が要約されている。

〈佐高さんは城山さんの原点について、一七歳の時に志願入隊した海軍で組織の腐敗を目の当たりにし、国家に手ひどく裏切られた経験だったとし、終生にわたり、国家や組織、大義を疑い、創作したと指摘。個人情報保護法案に激しく反対し、運動の先頭に立つなどしたことも振り返り、「『信じる』ことがいいことのように言われる風潮だが、相手に責任を託してしまうことだ。『疑う』とは責任を自分に取り戻すこと。城山さんは必ずある種の疑いから出発し、これでいいのか、本当なのかと問うていた」と話した〉

一六日は統一教会に訴えられた有田芳生さんと共闘する集会を日比谷図書館地下ホールで。有田さん、意気軒高なり。

一七日は『鶴彬の獄死』について、『毎日新聞』の吉井理記記者の取材を受ける。

まもなく終刊の『週刊朝日』五月二六日号に平山瑞穂名で次のありがたい書評が載る。

〈反戦と川柳という、一見、相容れないものの間に、実は高い親和性があることが、本書を読むと深く納得できる。庶民の現実生活に寄り添う文芸である川柳こそ、反骨の精神を生々しく投影できる「民衆芸術」だからだ。「万歳とあげて行った手を大陸において来た」に代表される幾多の激越な川柳を残し、二九歳の若さで獄死した鶴彬は、まさに日本のファシズムが激化していく時代を生きた人物だった。「肺腑をえぐるような」と著者が形容するその作風は、読む者の胸に消しがたい刻印を残す。著者は、その鶴の事蹟を後世に伝えようと尽力したキーパーソン、鶴自身の生涯、周辺の人々との間の愛憎劇や軋轢などをめぐって縦横に筆を走らせる。反戦への意識が稀薄になりつつあるこの時世に、こうした人物の作品と生きざまを振り返ることには大きな意義がある〉

一八日は『俳句界』の対談を松原文枝さんと。

『週刊金曜日』の五月一二日号には田沢竜次という人が、やはり懇篤な書評を寄せてくれている。

一九日は香港人ジャーナリストの呉薫さんに「デモクラシータイムス」の「佐高信の隠し味」に登場してもらった後、平野貞夫さん、前川喜平さん、そして私での3ジジ放談。ユーチューブで見られるが、ファン多く、毎回ほぼ一〇万の視聴者。

●いのうえせつこ『女性の自立をはばむもの』(花伝社)

推薦・田中優子。

●松原文枝『ハマのドン』(集英社新書)

『日刊ゲンダイ』のオススメ本へ。

〈この本の副題は「横浜カジノ阻止をめぐる闘いの記録」だが、その運動の先頭に立ったのは「ハマのドン」こと藤木幸夫だった。九〇歳を過ぎてなお元気な、この魅力的なオヤジの姿は著者が監督をした映画「ハマのドン」で見ることができる。それはいま各地で上映中である。

市民の声を無視して横浜にカジノを誘致しようとした時の首相、菅義偉を向こうにまわして藤木たちは立ち上がり、戦いの場となった市長選挙に勝った。

「主権在民と言うけど、本当に在民で良かった。主権官邸じゃなかった。主権官邸を消して、主権在民を表したのがこの選挙だ」

戦いを終えて藤木はこう言ったという。カジノ誘致について「白紙」を掲げて当選した前市長、林文子がそれを撤回した時、藤木は「顔に泥を塗られた」と言い、「塗らせた」菅への宣戦を布告して、「菅は安倍(晋三)の腰ぎんちゃく、安倍はトランプの腰ぎんちゃく」と言い切った。発する言葉に力があるのである。横浜の経済界がカジノをやりたいと言っていることについても、こう切り捨てた。

「ああ、あれは『おこぼれ組』。資本主義の末期症状になると、汗を流さないで金を儲けたい人はいっぱいいるんだから、今」

二〇一七年五月に開かれたカジノ業者によるセミナーに集まった政治家は萩生田光一、細田博之らの自民党に加えて、国民民主党の玉木雄一郎などだった。いずれも統一教会との関わりが深い面々である。統一教会ウイルスとカジノは親和性が高いのだろう。彼らには改憲菌も入っている。

五年ほど前に初めて藤木に会うことになった時、私は名刺がわりに拙著「湛山除名」(岩波現代文庫)を持って行った。早稲田に学んだ藤木は石橋湛山に敬意を抱いているに違いないと思ったからである。ピタリだった。藤木も驚き、後日、若き日に藤木が湛山を横浜の三渓園に案内した時の写真を複製して送ってくれた。

藤木は最初カジノ誘致に賛成していたが、ギャンブル依存症の深刻さを知って反対に転ずる。

「私は横浜エフエム放送もやっていて、そこでも、消費者金融が『電話下さい。すぐに三〇万円送ります』なんていうコマーシャルがあった。それをFMヨコハマはシャットアウトした」

こう語る藤木が政治の閉塞状況を破った。〉

二三日は共同テーブル主催のシンポ「統一教会と自民党が呼び込む戦争」を衆院第一議員会館の大会議室で。

フォーク・シンガーの中川五郎の歌に、講釈師の神田香織の講談。そして、有田芳生、平野貞夫、前川喜平、そして私によるシンポジウムである。

中川の歌と神田の講談も評判がよく、盛り上がって、集客に苦労した主催者として胸をなでおろす。

神田さんには五月上旬発売の『ZAITEN』六月号「佐高信の賛否両論」にも出てもらった。『日本経済新聞』に載った同誌の広告には彼女の「唯一の被爆国として『はだしのゲン』の削除を看過してはならない」という発言が引いてある。
●『西部邁と佐高信の快著快読』(光文社)
●辺見庸、佐高信『絶望という抵抗』(金曜日)
旧著を読み返す。
●椎名誠『月夜にはねるフライパン』(新日本出版社)
「おなかがすいたハラペコだ」の四。

旬報社刊の「佐高信評伝選」は第四巻が『友好の井戸を掘った政治家』で、五巻が『歴史の勝者と敗者』。四巻では田中角栄をはじめ、松村謙三、保利茂、宮澤喜一、村山富市らをスケッチしている。

天皇制を外した司馬遼太郎

〔二〇二三年六月〕

●吉永みち子『麻婆豆腐の女房』（光文社知恵の森文庫）

副題が「赤坂四川飯店」物語。ヒロインは陳建一の母親だが、〝料理の鉄人〟の陳が亡くなって、その追悼譜を書くために吉永さんから、あらためてもらう。最初に謹呈された本をさがすのは至難の技。二日、松元ヒロさんのライブ。

●鈴木エイト『自民党の統一教会汚染2』（小学館）

「山上徹也からの伝言」である。

一〇日、「関西生コンを支援する会」で主催者あいさつをした後、寒気がして途中で帰る。カゼを引いたらしく、一三日までダウン。

一四日、『俳句界』の対談を日本女医会会長の前田佳子さんと。

●『佐高信評伝選5　歴史の勝者と敗者』（旬報社）

この巻には『司馬遼太郎と藤沢周平』、『西郷隆盛伝説』の二冊分が入っている。『毎日新聞』学芸部の吉井理記記者に頼まれて次の司馬批判の原稿を送る。司馬生誕一〇〇年ということで、NHKの人の讃歌と私の批判を上下で掲載する。掲載されたのは二五日だが、それを読んだ友人の鈴木力さんが、『毎日』はよく載せたね」と。

吉井さんは拙著『反戦川柳人　鶴彬の獄死』（集英社新書）もさまざまな形で推奨してくれた。まだ若いのに骨のある記者である。では「『国民作家』は何を外したのか」の原稿。

〈司馬遼太郎をめぐって井上ひさしと激論をかわしたことがある。それは井上の対談集『物語と夢』（岩波書店）に収録されているが、司馬もいい、藤沢周平もいいと言う井上に、二人は本質的に違うと異論を唱えた。まず、読者が違う。私が批判していた政治家や経営者はこぞって愛読書に司馬作品を挙げるが、藤沢作品を挙げる人はほとんどいない。司馬はこの国の無責任なリーダーに致死量の毒を盛っていないのである。また、藤沢作品に女性ファンは多いのに、司馬作品に女性の読者は少ない。

藤沢と同じ昭和二年生まれの城山三郎も吉村昭も司馬には点数が辛かった。城山は司馬を高みから「神の目で書いている」と批判していたし、吉村は司馬賞を受けることを断った。

司馬はこの三人より四歳上だが、三人は司馬が青春を書く、もしくは青春だけを書くことが不満だったのだろう。『竜馬がゆく』をはじめ、司馬作品には青春をテーマにしたものが多い。それに対して、城山の『毎日が日曜日』に触発されて藤沢は『三屋清左衛門残日録』を書き、吉村は『海も暮れきる』で尾崎放哉を描いた。（中略）

私が納得できなかったのは小田実との対談での司馬の次の発言である。

「日本の歴史をみるときに、天皇の問題をはずすと、物事がよく見えるね。天皇という問題にこだわるとぜんぜん、歴史が見えなくなる。だから、天皇というものからきわめて鈍感に、それを無視して眺めると、幕末もよく見えるし、明治も見えると思っている」

正直さは買うが、こうして日本の歴史が「見えた」つもりになってもらってはたまらない。最も難しい、最も厄介な問題を無視して「見えた」歴史が歴史であるはずがないのである。（中略）

一九九六年三月五日に開かれた法律扶助のシンポジウムの予告で、『読売新聞』は登壇者として櫻井よしこと私の双方の名前を並べたのに対し、『朝日』は「佐高信ら」、逆に『産経』は「櫻井よしこら」で対照的だった。

「なかなかおもしろかったよ」

と『産経』の知り合いの記者に言ったら、彼はニヤリと笑って答えた。

「朝日も産経も、あるいは朝日の宿敵の文春も、みんな自分のところが一番近いと強調するのが司馬遼太郎ですよね」

なるほど、〝国民作家〟か。それは果たしてこの国にとって幸せなのか?〉

●森功、佐高信『日本の闇と怪物たち』（平凡社新書）

のちに、これは次のような書評で迎えられた。まず、七月二七日号の『週刊新潮』でコラムニストの林操さんが「最強タッグが語る黒幕・政商の現代史」と。

「発売予告に最初に出くわしたのは去年の春。その時点ですでに四月予定の刊行が七月に延期だったのが、さらに先送りが続き、でも、ついに出ました。

この新書にワタシが粘着してきた理由、それは言論萎縮の今、いかにも世に出にくそうなテーマだからというのがひとつ。もうひとつは、そんなテーマを今、きっちり世に出してくる書き手・語り手である佐高信と森功の共著・対談だから。この一年越しの期待が裏切られなかったことは、登場する『怪物たち』の顔ぶれだけでよくわかるかと。

許永中　磯田一郎　宅見勝　田中森一　児玉誉士夫　四元義隆　田中清玄　田岡一雄　笹川良一　後藤忠政　福本邦雄　森下安道　柳川次郎　小西邦彦　堤清二　有田一壽　竹井博友　稲盛和夫　佐藤茂　西川善文　葛西敬之　瀬島龍三　杉田和博　古森重隆　前田晃伸　島桂次　竹中平蔵　宮内義彦　荒井三ノ進　太

刀川恒夫　渡邉恒雄　伊藤淳二　ヘンリー・キッシンジャー　佐藤正忠　小佐野賢治　南部靖之――。

これに雑魚や小物までが絡み合い、そこに岸　中曽根　安倍　CIA　NHK　東芝　日立その他いろいろの政治家や役人、組織や企業がどう関わって敗戦後昭和・平成・令和のニッポンの何がどう変わってきたかがよくわかるゆえこの本、曼荼羅（まんだら）化された地獄絵図のよう。

取材や体験に裏打ちされた陰謀論臭ゼロの正調裏面史。そういう電波に乗らない裏側を、ネットよりはるかに信頼できる枠組みで知れる活字のありがたさよ！」

望外の書評である。遅れたのは練達のまとめ人の体調不良故だった。

この『週刊新潮』が発売されたのは七月二〇日で、その二日後の『東京新聞』には次の書評が載った。

「国鉄を民営化し、NHKや官邸人事まで仕切った葛西敬之はじめ児玉誉士夫、許永中ら大物フィクサーたち。当代きっての論客が彼らの策動を片っ端から論じ、戦後日本の政治をどのように動かしてきたかを明らかにした裏面史。統一教会、竹中平蔵など現在進行形の話も」

●古賀茂明『分断と凋落の日本』（日刊現代）

充実した本である。こんな指摘も。

「一九七〇年代にはアメリカから日本に対してベトナム戦争への自衛隊派遣の圧力が強まったが、当時の田中角栄首相が憲法九条を盾に毅然と断った逸話が残されている」

●小池真理子『日暮れのあと』（文藝春秋）

この国の大手マスコミが書けないトヨタのバカボン、豊田章男の批判も痛烈。

小池サン、元気かな？　作品は充実しているけど。

●石井妙子『近代おんな列伝』（文藝春秋）

『選択』連載のおんなものがたり。

二二日、デモクラシータイムスの「佐高信の隠し味」を「路上のラジオ」の西谷文和さんと。

「お笑い維新研究」だが、維新批判が意外に少ないためか、ユーチューブで流れた視聴率バクハツ。維新スキャンダル・ワースト10の第二回もやらなければ。

二三日は久しぶりに平井康嗣君と田園調布に朝堂院大覚さんを訪ねた後、3ジジ放談。二五日は京王相模原線堀之内駅へ。のりこえネットの辛淑玉さんのコーディネートで田中優子さんと対談。

二六日は『ZAITEN』の「佐高信の賛否両論」で一水会の木村三浩さんと対談。二八日はデモクラシータイムズの読書案内のコーナーで鈴木力さんのインタビューを受ける。『反戦川柳人　鶴彬の獄死』がテーマである。

二九日は共同テーブル主催のシンポジウム。

「東アジアで戦争をしない――?・中国・朝鮮の脅威論を超えて」

予想以上に充実していて盛り上がった。孫崎享さんと初めて会う。

●平和を求め軍拡を許さない女たちの会関西編『私たちは黙らない！』（日本機関紙出版センター）

女たちにだけがんばらせてはならない。

●柳広司『楽園の蝶』（講談社）

『毎日』の吉井記者が「今日も惑いて日が暮れる」という連載コラムで、私に教えられたとして、大正時代に流行った「ノンキ節」に触れていた。

へ貧乏でこそあれ日本人はエライ

　それに第一辛抱強い

天井知らずに物価はあがっても
湯なり粥なりすすって生きている
　ア　ノンキだね…。

添田唖蝉坊が流行らせたこれを吉井さんは「一〇〇年前の唄とは思えない」と書いている。「政府の失政でどんどん貧乏になっているのに、怒らず、批判もせず、しょうがないさ、と肩をすくめる。そんな当時の民衆の姿は今と重なる。今年に入り、やはり社会保険や年金を巡り、一〇〇万人規模のデモが相次いだフランスとはだいぶ違う」と。怒らないのが日本人の〝伝統〟なのか？

［二〇二三年七月］

古賀メロディをどう克服するか

●宮里邦雄語録編集委員会『宮里邦雄かく語りき』（旬報社）
一日、アルカディア市ヶ谷で「労働弁護士」のレジェンド、宮里さんのお別れ会。「関西生コン」の会議などで私も何度か会ったが、誰もが尊敬する人だった。この日は沖縄生まれの宮里さんの八四歳の誕生日とか。

●櫻井義秀『統一教会』（中公新書）
『日刊ゲンダイ』のオススメ本へ次の原稿を寄せる。
〈早くも統一教会問題が過ぎ去ったことのように扱われているが、それを原理的に追及するこの本に、合同結婚式の後、韓国に渡って結婚まで地元の教会に住み込んで送る「任地生活」のために一五ヵ条の戒めなるものが張り出されていると書かれている。最初の七ヵ条だけ紹介しよう。

一．自分を捨てること
二．驕慢にならないこと
三．神様をまず考えること
四．真の父母様の家庭に孝行すること
五．原理講論を読むこと
六．不平不満を言わないこと
七．疑わないこと

私は、「疑う」とは自分に責任を取り戻すことであり、「信ずる」とは相手にそれをゆだねてしまうことだと思っているが、韓国人の女性教会員はどういう教会生活を送っているかについて、「日本ではカルト宗教だけど、韓国では異端だけどカルトじゃないんですよ」「だって霊感商法、韓国でやってないし」と語ったとか。

鈴木エイトの『自民党の統一教会汚染2』（小学館）で鈴木は、一時的なバッシングが終われば政治家は教団に協力すると教団側は見ており、自民党を中心とした政治家との密な関係を小出しにして反撃してくる可能性がある、と言っている。前回の補選で維新が一議席を得たのは統一教会が表向き協力できない自民党の候補ではなく維新の候補を応援したからだと私は見ている。

宮崎哲弥の次の指摘に自民党や維新の政治家はどう答えるのか、いや、答えられるのか。

『文藝春秋』の二〇二三年一月号によれば、日本人信者が統一教会に献金した四五〇〇億円がロンダリングされて北朝鮮のミサイル開発に流用されたという。「事実なら由々しき事態です。『北朝鮮が脅威だから増税して防衛費を上げる』と主張する自民党の保守派が、日本で集金した金を北朝鮮に送る宗教団体と深くつながっているのだとしたら、保守の正当性に関わる大問題ですよ」

私も宮崎の言う通りだと思うが、岸田自公政権は統一教会に対して質問ばかり繰り返して国民が忘れるのを待っている。

安倍晋三の一周忌に記念すべき何かをしなければならないとしたら、それは統一教会の解散しかないのではないか。いわゆる安倍派がこぞってそれを主張すべきである。〉

●山崎雅弘『ある裁判の戦記』(かもがわ出版)

副題が「竹田恒泰との811日間の戦い」

私も〝産経反共文化人〟の佐藤優に訴えられたので共感をもって読む。

五日は、石橋湛山の研究者で翻訳家のリチャード・ダイクさんとの対談。「いま、なぜ湛山か」である。

『月刊日本』掲載。継続して対談する。

六日が『サンデー毎日』での田原総一朗、森功さんとの座談会。

●林えり子『川柳人　川上三太郎』(河出書房新社)

時実新子が師と仰いだ三太郎は戦争協力者だった。だから、鶴彬と新子は思想的には対立することになる。

一〇日は集英社新書の編集部の招待で『毎日新聞』の吉井理記記者と神保町の「新世界菜館」で歓談。ここは何度か、土井たか子さんと来た。

●大道寺将司『最終獄中通信』(河出書房新社)

『サンデー毎日』の向井徹さんに、大道寺さんが鶴彬のファンだったことを教えられる。

一六日、文京シビックセンターで鶴彬についての講演。望外の盛況。

●西谷文和『打倒維新へ。あきらめへん大阪!』(せせらぎ出版)

●河谷史夫『読んだ、知った、考えた』（弦書房）

『日刊ゲンダイ』のオススメ本へ。

〈『日刊ゲンダイ』デジタルに「この国の会社」を連載していた時、㈱文藝春秋を取り上げ、社長人事をめぐって内紛があっても『週刊文春』には載らないので、文春砲は文春自体には発射されない、と皮肉った。この本は『選択』誌の連載「本に遇う」をまとめたものである。「アベノヒトリズモウ」と題した一篇がとりわけ秀逸。

二〇二二年二月号の『文藝春秋』に載った安倍晋三への「独占インタビュー」を痛烈に批判している。この号には岸田文雄の「緊急寄稿」も掲載されているが、その「現元首相を二枚看板にした作法」を捉えて河谷はこう指弾する。

「かつて『金脈批判』で現職首相田中角栄を窮地に追い込んだ同じ雑誌とはとても思えない。あからさまな権力者への擦り寄りぶりは、一体どうしたことだろう」

『文藝春秋』が『月刊Ｈａｎａｄａ』になってしまったわけである。

「インタビューというのは、聞き手と答える人とのやり取りに妙味があり、『聞きづらいこと』を聞いてどう応ずるかが見所である」と河谷は説き、「しかし安倍の言いたいことが続くばかりのさながら独り相撲で、これはただの宣伝ビラでしかない」と断罪している。

河谷が番外として追悼している渡辺京二の司馬遼太郎批判も鋭い。

渡辺は初期の司馬作品は愛読したが、『坂の上の雲』で離れたという。その後、必要があって『翔ぶが如く』を読んだが苦痛だったとし、「小説としてみれば、スカスカである」のに、講釈ばかり多くて、読み続ける意欲をなくしたと回想している。

私は『司馬遼太郎と藤沢周平』（光文社知恵の森文庫）を書いて司馬を徹底批判し、多くの司馬ファンから抗議の手紙をもらった。

しかし、天皇制の問題をはずすと日本の歴史がよく見えると言っている司馬を肯定するわけにはいかない。

「そんなバカな」である。

河谷は「天皇制は必要なのか」の項で、在野の歴史家の岡部牧夫が「原則として死ぬまで一つの職務、それも自分の意志で選んだわけでもない職務を続けなければならないことは、非人間的で残酷な制度と言うほかない」と指摘しているのを引き、岡部なら「特定の家系が政治的権威を世襲で伝世する君主制は、不合理でむだな体制である。世襲だと秀れた人物が常に国家元首になる保証がないし、またその維持に莫大な経費を要する」という論陣を張るだろうと予測している。〉

●星野博美『世界は五反田から始まった』（ゲンロン）

大佛次郎賞受賞の力作。

二〇日、3ジジ放談。

●城本勝『壁を壊した男』（小学館）

一九九三年の小沢一郎。

●椎根和『平凡パンチの三島由紀夫』（新潮社）

旬報社刊の「佐高信評伝選」第六巻は古賀政男、土門拳、徳間康快の『俗と濁のエネルギー』、古賀の解題を次のように書く。

〈なぜ、古賀政男を書いたのか？

自分でもよくわからなかったそれについて、作家のなかにし礼が『酒は涙か溜息か——古賀政男の人生とメロディ』（角川文庫）の解説で、こう書いてくれた。

「この『酒は涙か溜息か』（原題『悲歌』）を読んでまず最初に痛感したことは、佐高さんの歌にたいするなみなみならぬ愛情である。特に、佐高さんは古賀メロディを愛唱していらっしゃるようだが、ほかにも服部良一、古関裕而、船村徹ほか、日本の作曲家にとどまらず、韓国籍や在日韓国人作家の作品にもくまなく愛情をそそいでいく。流行歌というつねに大衆とともにあることを運命づけられた芸能（あえて芸術とは呼ばない）作品をわが身のこととして受け止めようとする姿勢のあらわれであろう。これは抵抗の姿勢以外のなにものでもない。それだけに、大衆に寄り添うかのごとく見せかけ、愛国心の美名のもとに戦意高揚の軍歌を書き、青年たちを戦地に送り込んだ古賀政男や西条八十たちにたいする憤りは激しい」

わが師の久野収は戦争中に抵抗運動をして捕えられた獄中で、「東京音頭」が流れてくるのを聞き、自分たちはこれに負けたんだなと思ったという。

歌は時に軍人の号令以上に人を動かすのであり、それを軽んじているだけでは抵抗運動は成り立たない。なかにしは数多くのヒット曲の作詞家でもあったが、五木寛之もまた立原岬の名で作詞をしている。

先日、『サンデー毎日』に五木論を書いた。五木とは『俳句界』の二〇二〇年一月号で対談したが、その時、こんな話が印象に残った。

「僕は植民地育ちなんですけど、日本人が満州や台湾とか、いろんなところに進出していたとき、だいたい一家に一冊は歳時記があったんですよ。故国、ふるさとを離れて異国にいる人間たちが、日本を思い出すよすがとしていたんでしょう。自分たちは国を離れてデラシネみたいな暮しをしているけど、ここでつながっているという。俳諧歳時記を出している出版社に、どこで売れるんですか、と聞いたら、ブラジルですごく売れると言っていた。移民の多いところですよ」

『歳時記』以上に手軽なのが歌本であり、口ずさまれる流行歌だろう。〈以下略〉

●田中真紀子『父と私』（日刊工業新聞社）

二九日、立憲民主党の落合貴之さんと久しぶりに歓談。

三一日、『ZAITEN』の対談のため、文京区音羽の鳩山会館に鳩山由紀夫さんを訪ねる。同誌の「佐高信の賛否両論」は第一回が寺島実郎さんだった。

［二〇二三年八月］

角栄の孫は政治家にならず

●別冊宝島編集部『知れば知るほど泣ける田中角栄』（宝島SUGOI文庫）

ツイッターならぬXで、田中角栄の孫が政治家にならずに公認会計士を続けているのは立派とつぶやいたら大いなる反響。母親の真紀子にすすめられても彼は断ったらしい。娘はともかく、孫がならなかったのは、やはり祖父の角栄が何者かだったからではないか。

私は二〇〇一年に野中広務への手紙という形で『サンデー毎日』にこう書いたことがある。同年一〇月二一日号だった。一部を引く。

〈野中さんとは、大蔵官僚の腐敗を叱る対談をしたわけですが、『諸君！』一九九六年一一月号掲載のそれで、野中さんは「自分のところの組織を守るというのは、役人共通の悪い癖でしてね。私も大蔵省批判の演説をしたら、明くる日から連日、無言電話やら嫌がらせが続くんですよ、この数年間」と言っていましたね。

（中略）

ところで野中さんは小林照幸著『政治家やめます』（毎日新聞社）は、もう読まれたでしょうね。

久野忠治さんの息子の統一郎さんが政治家をやめるに至る経緯を綴ったこの本で、私はそうした自民党代議士がいたことに驚き、彼の「普通の人による、普通の人のための政治を目指したけれど、普通の人に国会議員を務めることはできないとわかった。時局が変われば、自分の発言もコロコロ変えねばならない〝いい人〟を演じ続けるのは、人を押しのけてでも、という性格でもない自分のような人間では務まらなかった」という述懐に胸うたれました。

ただ、野中さんと同じ派閥（田中派）に属していた久野統一郎さんの話を引いたのは、このためではありません。

「自衛隊はどう見ても軍隊だよな。憲法の解釈では違うとは言っているけれど、それは詭弁。自衛隊は違憲だと思うがなあ」

胸中でこう呟いていた久野さんが違和感を消せなくなったのは、自民党がガイドライン関連法案の成立のために公明党を抱きこんだからでした。自由党だけでなく、公明党とも連立を組むことに久野さんは大きなショックを受けたというのです。私も、その点を野中さんに改めて尋ねたいと思います。

「自民党はこれから公明党とも組むのか？

冗談じゃないよ。これまでボロクソに両党が言い合ってきて、泥仕合をしてきた仲じゃないか。社会党と組む以上の禁じ手じゃないか」

こう思った久野さんは、いわば野中さんに問いかけるような形で、次のようにも言っています。

「選挙区に帰れば、支持者があれこれというだろうな。〝公明党と組むとは何事だ〟って。〝国民生活の安定のためです〟と言うぐらいじゃ、済まされない。党や派閥はそう言うだろうけど」〉

三日、3ジジ放談。前川喜平さんはジジではないが、平野貞夫さんと私の三人の呼吸も合ってきた。

●鎌田慧『叛逆老人　怒りのコラム222』（論創社）

『日刊ゲンダイ』のオススメ本へ。

〈旬報社から刊行中の「佐高信評伝選」の推薦文に鎌田はこう書いてくれた。

「佐高信を信頼しているのは、歳を重ねるにつれてますます批判がラジカルになっているからだ」

しかし、これは私以上に鎌田自身のことだろう。私より七歳上の鎌田は毎週一回『東京新聞』のコラムで怒りをぶつけている。その連載を編んだのがこの本だが、最後が昨年の九月二七日の「今日の『国葬』反対デモ」。

日比谷公園で開かれた反対集会の予告で、「落合恵子、佐高信、松元ヒロ、鎌田が挨拶」とあるけれども、声をかけて先頭に立ったのは鎌田だった。原発反対等の集会でもそうである。

「狭山事件」の再審請求の署名を届ける時も、鎌田からの電話で落合や古今亭菊千代と共に私は参加した。そして、あやまって「殺人犯」の烙印を押された石川一雄が獄中でゴキブリを飼っていたことを知った。その生命力の強さに引かれてである。

鎌田は青森、私は山形と同じ東北出身ということもあって、私は鎌田に兄事してきた。同郷の葛西善蔵についての著書もある鎌田は飄々として少しも偉ぶるところがない。

盗聴法反対の集会でだったか、福島出身の鈴木邦男と鎌田と私が一緒になったことがあった。

「今日は奥羽越列藩同盟だね」

と戊辰戦争で賊軍とされた東北の同盟の話をしたら、すぐに鎌田が、

「津軽は早々に脱落してすみません」

と頭を下げたので鈴木と私は驚いた。

「白河以北一山百文」と蔑まれ、原発なども押しつけられてきた東北出身者の反骨心を鎌田は胸中深く潜めている。

多岐にわたるこの「怒りのコラム」の中で、やはり目立つのは飽くまでも原発をやめない電力会社と国への批判である。二〇一九年一〇月八日のコラムはこう書き出されている。

「それでも辞めない関西電力幹部の腐敗。この事件で知らされたのは、八木誠会長が読売テレビ放送の社外取締役、岩根茂樹社長がテレビ大阪の社外取締役を兼任していた事実だ」

関電の歴代の会長や社長が長い間、原発立地の町の助役からカネをもらっていたという想像を絶するスキャンダルについては、「驚き、である。まるでアベコベ」と指弾する。八〇代半ばで憤りの炎が消えないのが凄い。〉

一一日、『俳句界』で京都に住む反戦歌手、川口真由美さんと対談。韓流ドラマ『朝鮮ガンマン』を見終わる。

●大下英治『ハマの帝王』（さくら舎）

藤木幸夫さんの肖像。

●鎌田慧『忘れ得ぬ言葉』（岩波書店）

久野収あらず。鎌田さんに電話したら、久野先生に会う機会がなかったらしい。

●椎名誠『机の上の動物園』（産業編集センター）

●加茂田重政『烈侠』（彩図社）

ヤクザの親分の本と椎名さんの本、共におもしろいと言ったら、椎名さん、怒るかな？

●杉山卓男『冤罪放浪記』（河出書房新社）

共犯とされた桜井昌司さんが亡くなったので、この本を開く。

●伊藤彰彦『仁義なきヤクザ映画史』（文藝春秋）

『日刊ゲンダイ』のオススメ本へ。

〈反社会的勢力のことを略して「反社」と言う。ヤクザのことである。しかし、私には政府や自民党の方がよほど「反社」に見える。原発の汚染水をそのまま海に流した自公連立の岸田軍拡政権の方がずっと反社会的勢力だろう。

鶴田浩二が逝って間もなくテレビで彼の主演映画『傷だらけの人生』をやっていた。戦時色濃くなる中で、軍部は「お国のため」を振りかざしてヤクザをも糾合しようとする。それに乗っかる極道もいるが、鶴田の演ずるヤクザはそのいかがわしさを嫌う。そして、「自分たちもそれぞれの組の代紋を背負って無法なことをやるが、国家という〝菊の代紋〟を背負っている奴らが一番あこぎなことをする」とつぶやくのである。

先ごろ亡くなった映画監督の中島貞夫は、著者のインタビューに答えて「戦前の日本映画は活動屋とヤクザとアナキストが作っていた」と言っているが、そもそもヤクザと映画は切っても切れない関係にあった。

無法者もしくはアウトローの視点から、著者は幅広くヤクザ映画を捉える。「ヤクザ映画に投影された大衆のヤクザへの恐れと憧れ、そしてヤクザ映画が暴き出した日本近現代史の『闇の領域』を描き出す試み」なのである。

中に映画監督の西川美和や『死刑弁護人』の安田好弘、そしてビッグスターの小林旭のインタビューをはさんで興趣は尽きない。

「ヤクザ者は人別帳から除籍され、世間から捨てられていたので、逆に世間の目を気にしないで生きられたんじゃないかと思います」

浪曲師の玉川奈々福のこの言葉も「世間の目」を気にして生きるフツー人には皮肉に聞こえるかもしれない。

一般にヤクザの構成比率は、被差別部落民、在日コリアン、市民社会からのドロップアウトがそれぞれ三分の一ずつだと言われる。ヤクザ映画を作る時に差別問題は避けて通れないのである。「レーニン全集を読む在日韓国人ヤクザ」として知られる柳川組二代目谷川康太郎がこう語っているという。

「小学校のセンセイは、努力する者は必ずむくわれる、と教壇の上でよう言うとった。これほどひどいウソはないわ。差別されとるモンは、ナニかしようと思うても、ナンもでけへんやないか。貧乏やから銀行いってもカネ貸してくれへんし、学校もろくに行けんから、まともなところには就職でけん」

一方で、差別が生む反逆のエネルギーの湧き口にも著者は注目している。〉

●田中秀征『日本リベラルと石橋湛山』（講談社選書メチエ）

●佐高信『湛山除名』（岩波現代文庫）

田中さんと『いま、なぜ湛山か』という本を出すための対談を始める前に。

『通販生活』のWEB版に、八八歳の平良啓子さんが、沖縄戦の悲劇として知られる「対馬丸」事件の生き残りとして、こう語っている。

「今は、新聞を読むのが怖いです。『戦』の文字が毎日増えている。また戦争が来るんじゃないか。避難する所がないんじゃないか」

寝られない日があるという。

私が『反戦川柳人　鶴彬の獄死』（集英社新書）を書いたのは、少しでも歯止めになればと思ってだった。

それを五木寛之さんが『日刊ゲンダイ』で「洪水のようにあふれる新書界にあって、読書人必読の一冊」

とまで書いてくれた。

元気なのはイナゴを食べてきたから⁉

［二〇二三年九月］

●高橋徹『「オウム死刑囚　父の手記」と国家権力』（現代書館）

九月初めに鶴彬の生まれた石川県かほく市に行き、講演した帰りに浄専寺の住職で鶴彬を顕彰する会の事務局長、平野喜之さんから、この本をもらう。オウムの井上嘉浩に深く関わった平野さんが協力して、この本ができた。

四日は関西在住のジャーナリスト、西谷文和さんと共著で維新スキャンダルを追及する本を出すため平凡社へ。

●城山三郎、佐高信『男たちの流儀』（光文社知恵の森文庫）

必要があって読み返したはずだが、どういう「必要」だったか思い出せない。

六日は歯科医へ。定期検診。

二〇日付の『日刊ゲンダイ』の「あなたの医療費この先いくら？」というコーナーに次のような記事が載ったが、平井康嗣君のインタビューを受けたのは八月二五日だった。見出しは「イナゴを食べてきたから元気なんじゃないかな」

〈言わずと知れた辛口評論家の佐高信さん。「ＡＩ診断（花王とミライズで開発）による健康資産は二七万円です」と告げると、「そうなの。オレはそういうの適当だから」と言う。

そう言いつつも、健康チェックにスキはない。二ヵ月に三回は銀座のクリニックで健康診断。「そんなに悪い数字は出ていないみたいだね」だそうだ。

気になるのは閉所恐怖症。七年前から突然、飛行機に乗れなくなった。

「昔は北海道で講演して、羽田で乗り換えて九州にまた飛んだりしていたけど、八年前に中国に行ったのが最後かな。そもそも飛行機で移動できることが不自然だよ（笑）。郷里の酒田・鶴岡の藤沢周平も地下鉄に乗れなかったというから親近感がますます湧いたね」

日常生活は完全に夜型。

「ずっと毎日午前四時に寝て一一時に起きる生活だけど大丈夫。夜中は仕事じゃなくて韓流ドラマを見ていることが多いな（笑）。朴慶南に面白いドラマを教えてもらっている」

高校時代は卓球部で鳴らしたが、今は運動といえば散歩くらい。昼食後は目黒駅まで日刊ゲンダイを買いに行き、駅前のイトーヤ（喫茶店）でコーヒーを飲みながら新聞を読むのが日課。

「ここは俺が宅配購読していない産経新聞やスポーツ新聞を置いてあるんだ」

店は自宅から徒歩二〇分で往復七〇〇〇歩。気が向けば目黒不動尊の階段を上り下りする。

「でも最近は平地でつまずくようになって、この間は大地と喧嘩した（笑）。しゃがんで立ち上がるのがつらい。年だなあと思う」

右手のしびれも感じ、原稿用紙に文字を書くのに少々差し障るようにも。スマホは持っているが結局、携帯電話しか使わないアナログ派。自宅で週一の全身マッサージを受けている。

食事面で気を付けていることは「特にない」。

「酒はもともとたいして飲まないし、たばこもやらない。酒は晩メシのときに妻とビール一缶を飲むくらい。マッコリが好きだな。たばこは小学三年生から禁煙しているけど（笑）、人に禁煙禁煙って言うのはイヤだね。好きな食べ物はゴボウやハタハタ。納豆も好きだけど、別に健康に気を付けているからじゃなくて好きだから。昔は調子が悪いと思えば神田駅前でうな重を食べていた。そんな感じだよ。イナゴを小さい頃に食べていたんだけど、最近の人は全然食べないだろ？ 根拠はないけど俺はイナゴを食べていたからアレルギーもなく元気だと思っている。昔はイナゴがたくさんいて、捕まえて売って小遣いにしている子もいた。川でコイも捕まえたけど、今は赤トンボも見ない。イナゴやトンボが暮らせる自然を食べて俺は育ったんだよな。三つ星がついてる店もうまいけど、やっぱり地場で取れたキュウリを川で洗って食べたうまさにはかなわないのではないかなあ」

郷里の思い出が、体に合う今の食生活へとつながっているのかもしれない。

「オヤジは九三歳、おふくろは九七歳まで生きた。それを見ていると俺もその年くらいまでは大丈夫って、根拠のない自信はあるよ（笑）」〉

●住友達也『あわわのあはは』（西日本出版社）

徳島でタウン誌の『あわわ』を成功させ、その後、買い物難民を救う移動スーパー「とくし丸」を始めた住友クンの物語。これも再読だが、キッカケはこの本に私と一緒に推薦文を寄せている加川良さんが亡くなったためではなかったかと思う。

●柳広司『ロマンス』（文春文庫）

一一日は『ZAITEN』で森功さんと対談。「佐高信の賛否両論」のコーナーである。一二日が共同テーブルのシンポシリーズで、「マイナ保険証は要らない！」。白石孝さん奮戦。多摩市長の阿部裕行さんも駆けつけてくれる。阿部さんは統一教会が買った土地の問題でも頭を痛めている最中。

●諸橋仁智『元ヤクザ弁護士』（彩図社）

二〇日が「福島みずほの会」。後援会長として一言。上野千鶴子さんも激励に。二二日付の『荘内日報』に次の一文を寄せる。

〈『週刊金曜日』の八月二五日号は共に酒田出身の白崎映美と私の大きな写真で表紙が飾られている。そこで彼女と私は「虐げられてきた東北から考える」ために「まづろわぬ民」の対談をした。

同誌の発行人として私は一時㈱金曜日の社長をしていた。同誌は今年三〇周年を迎えるが、筑紫哲也、本多勝一、井上ひさし、そしてわが師の久野収らを編集委員としてスタートした。

上々颱風（しゃんしゃんたいふーん）のヴォーカルだった白崎は東日本大震災の後に「東北6県ろ～るショー？」を結成し、現在に至る。そのキーワードが「まづろわぬ民」、つまり服従しない民である。それを踏まえて私は対談の冒頭、宮城出身の異色の弁護士、遠藤誠が、先日亡くなった新右翼の鈴木邦男（福島出身）に呼びかけたセリフを紹介した。

「ヤマトタケル以来、天皇によって何度も追討された東北人は、今こそ恨みを晴らすのだ。天皇制打倒のために立ち上がろう！」

天皇制を肯定する鈴木はこれにのけぞったらしいが、白崎は、

「あらまぁ、最初から、おもしれぇこと言うね」と受けて

「東北は太古の昔から『蝦夷（えみし）』と呼ばれてきた。中央から攻め込まれ、戊辰戦争でも負けて。こいつらは『まづろわぬ民』、つまり言うこと聞かねぇ奴らだと言われて。それがオラたちだと。こんないわれのないコンプレックスを植え付けられたんだとわかって、アタマさきての。私も『氾濫（反乱）』してやると」

と展開した。

「東北という根っこにこだわることが、普遍性につながる。広く、たとえばウクライナの人たちとも連帯できる」

と私が言うと、彼女は

「んだ！　人の痛みを感じられるかどうか、ですよの。まづろわぬ民は世界中にいる。そういう『小さな声の人たち』の一人として、私は歌でつながっていきたいな」

と庄内弁で答えた。そんな彼女に突然、私が土門拳について振ると、

「酒田に帰った時は、よく土門拳記念館に通ってました。佐高さん、〝逆白波のひと〟だって書いてましたよね」

と答える。思わず私は

「自分で書いておいて忘れてた」

と苦笑いした。

土門の小伝は古賀政男や徳間康快の評伝と共に八月刊行の「佐高信評伝選」第六巻『俗と濁のエネルギー』（旬報社）に入れた。

「土門拳も、冬は最上川に逆波が立ち、海の色も灰色だと言われた場所に生まれた人ですね」

と語る白崎に、私も、

「暗さはオレたちのキーワードだよな。あと日本海側の裏日本も」

と応じた。

私は「裏日本」という言葉を返上してはならないと思っている。「裏」を背負って生きていくのである。

それに対して彼女は答えた。

「人生裏街道って……私と同じじゃないですか」

ちなみに、彼女の母方のばばちゃんは巫女だったという。

二二日は『俳句界』の対談を鳩山由紀夫さんと。事前に「俳句のことはナシで」と秘書の人から言われる。『ZAITEN』一〇月号の対談はこんなヤリトリで始まった。

〈佐高　鳩山さんが新党さきがけの代表幹事の時、私に立候補してくれと電話をよこしたのを覚えていますか？

鳩山　もちろん覚えています。

佐高　鳩山さんの隣に当時さきがけの衆議院議員だった田中秀征がおり、たぶん秀征が「佐高に電話しろ」と言ったのだろうなと思いました。一〇〇％は失礼かなと思って「九九％その意思はありません」と言ったんです。そうしたら、鳩山さんは「一％はあるんですね」って返して（笑）。

鳩山　その一％をもっと追求すればよかったですね。ずっと「この世の中、おかしいじゃないか」というお気持ちは強かったですよね。政治家になるおつもりは最初から一切なかったのですか？

佐高　土井たか子さんからも何回か言われたことがありましたが、その時は「私が立候補してしまうと社会党とか社民党を応援する人いなくなるでしょう」と言ったら、土井さんが「それもそうね」と言って（笑）〉

●辺見庸『入り江の幻影』（毎日新聞出版）

寺山修司論あり。辺見にふさわしいような、ふさわしくないような…。

二七日、安倍国葬一年ということで、『毎日新聞』の榊真理子記者と、武道館や統一教会本部をまわる。その記事が同紙の二九日付夕刊に掲載された。自民党の外に教会があるのではない。改憲ウイルスとして中に入り込んでいるのである。

あとがきにかえて

残念ながら、立憲民主党は経済安保法に賛成してしまった。それをさらに悪くした、いわばスパイ防止法の経済版のような「セキュリティークリアランス」法が国会に提出されている。今度こそ立憲には反対してほしい。

それを願って『週刊新社会』に寄稿した次の一文を「あとがき」とする。題して「公安国家が経済（暮らし）を滅ぼす」である。

ある日突然、大川原化工機の社長らが、同社製の噴霧乾燥機を中国や韓国に不正に輸出したとして警視庁公安部に逮捕され、五〇六日後の初公判直前に検察が起訴を取り下げるという異常な事件が起こった。その乾燥機が軍事転用可能だという立証はできないと判断されたためである。

そもそも経済産業省は最初、立件に否定的であり、社長らが都と国に賠償を求めた裁判では、捜査に当たった現職の警視庁の警部補が「本件はねつ造だ」と証言した。そして、東京地裁の判決では捜査そのものが違法だとして都と国に賠償を命じたのである。

ところが、とんでもないことに都と国は判決を不服として東京高裁に控訴した。

いわゆる経済安保の成立から、こうした公安主導の暴走は始まっているのだが、さらに政府は今国会に経済安保上の機密情報を扱う者の身辺調査をする「適性評価（セキュリティークリアランス）」制度の創設を盛り込んだ法案を提出している。

経済安保と特定秘密保護法を連動させようとしているのである。これによって、主に公務員が対象だった秘密保護が民間企業や大学にまで拡大される。規制の網を全国民にかけたいのだろう。

こうした動きに一番熱心な政治家が甘利明や高市早苗である。ワイロを大臣室で受け取った甘利や、批判的なテレビ局の言論を停波させるとまで言ったタカ派ならぬバカ派の高市がこれを推進しようとしている。それだけで恐ろしく危険なものであることがわかる。

ヘイトクライムの経済版と言ってもいいわけで、非常に恣意的に運用される危険性が大きい。たとえば、日本製鉄が実質的に支援しながらスタートさせた中国の宝山製鉄からトヨタ自動車は鉄板を買っている。ところが、宝山製鉄は特許侵害で日本製鉄に訴えられている企業であり、中国との関係を問題にするなら真っ先にトヨタに着目しなければならない。しかし、優良企業ながら中堅の大川原化工機の社長らはいきなり逮捕したのに、トヨタはスルーしている。

大体、タカ派は経済（暮らし）がわからず、反共というイデオロギーに固執する。一九四九年に中国が共産主義の国となって以来、特に岸信介から安倍晋三に至るタカ派は台湾重視で中国を遠ざけてきた。その中で松村謙三や石橋湛山らのハト派が「政経分離」の名の下に中国との国交回復をめざしてきたのである。その流れを汲む田中角栄流に言えば「何ぼアカの国でも、隣の大きな家とつきあわないわけにはいかないではないか」ということになる。しかし、タカ派は暮らしよりイデオロギー重視で、アカの国とはつきあうなと言い、国交回復に中国に出かけようとした田中は、暗殺を恐れなければならないほどだった。石原慎太郎らの青嵐会が田中を国賊として騒いだのである。

彼らは、本能的に経済（商売）は国境を越えるということを感じていたのかもしれない。「政経分離」の交流の時代があって、中国との国交回復はなされた。経済安保はまさにそれに逆行する。主要な推進勢力の安倍派が解体されようとしている時に、その動きが加速されるのはどうしたことか。あるいは、それは断末魔のあがきなのか。

経営者や財界人もずいぶん小粒になった。たとえば、国交回復前の一九六三年頃、倉敷レーヨンの社長だった大原総一郎は、中国向けにビニロン・プラントを輸出しようとして、多くの反対や右翼のいやがらせを受けた。しかし、彼は自分の考えを曲げず、一年半にわたる粘り強い説得工作を重ねて、時の首相、池田勇人や、そのボスでワンマンの吉田茂、それに実力者の佐藤栄作などを説き伏せ、このプラント輸出を認可させた。そこに至るまでのアメリカや台湾の反対もすごかったのである。

この時の思いを、大原はこう書いている。

「私は会社に対する責任と立場を重くすべきだと思うが、同時に私の理想にも忠実でありたい。私はいくばくかの利益のために私の思想を売る意思は持っていない」

これは、対中プラント輸出を思いとどまれば、アメリカや台湾から商談が来る。その方がずっといいではないかと、彼を翻意させようとする財界人たちに対する答でもあった。中国に対する戦争責任が、大原の根底にあったのである。

危険思想の培養所ともいわれた大原社会問題研究所をつくった大原総一郎の父、孫三郎は、晩年、総一郎に、

「自分の考え方は一〇年か二〇年早すぎた」

と語ったというが、父の理想を息子が実践したとも言えるだろう。

それにしても、いま、大原親子のような財界人はいない。最も必要な時なのにである。何としても戦争に直結するスパイ国家への道を防がなければならない。

タカ派が執拗に求めるスパイ防止法は一億総監視社会を招き、息苦しい社会をつくる。この国を開かれた社会ではなく閉じられた社会にするのである。スパイ防止法の必要を叫ぶ自民党の議員らが掲げるのは愛国で、彼らほど国家を商売のタネにする者はいない。それが反共に結びつく点で自民党と統一教会は一致する。そうした暗い社会にしないために私は微力を尽くしている。その日々を綴った日記をすべて載せたいと、旬報社社長の木内洋育さんに無理を言って、大部の本になった。「佐高信評伝選」や『中村哲という希望』に続いて、多くの読者を獲得し、旬報社に迷惑をかけることにならないように祈っている。

二〇二四年二月一〇日

佐高　信

［著者紹介］ 佐高 信（さたか・まこと）

一九四五年、山形県酒田市生まれ。慶應義塾大学法学部卒業。高校教師、経済誌編集長を経て、評論家となる。
主な著書に、『佐高信評伝選（全七巻）』『佐高信の徹底抗戦』『竹中平蔵への退場勧告』『佐藤優というタブー』『当世好き嫌い人物事典』（以上、旬報社）、『時代を撃つノンフィクション100』『企業と経済を読み解く小説50』（以上、岩波新書）『なぜ日本のジャーナリズムは崩壊したのか（望月衣塑子との共著）』（講談社＋α新書）、『池田大作と宮本顕治』『官僚と国家（古賀茂明との共著）』『日本の闇と怪物たち　黒幕、政商、フィクサー（森 功との共著）』（以上、平凡社新書）、『国権と民権（早野透との共著）』『西山太吉　最後の告白（西山太吉との共著）』『反戦川柳人　鶴彬の獄死』（以上、集英社新書）、『反-憲法改正論』（角川新書）など多数。

統一教会と創価学会——信じるより疑え

二〇二四年四月二五日　初版第一刷発行

著者…………佐高　信
装丁…………佐藤篤司
発行者………木内洋育
発行所………株式会社 旬報社
〒一六二-〇〇四一 東京都新宿区早稲田鶴巻町五四四
TEL 03-5579-8973　FAX 03-5579-8975
ホームページ https://www.junposha.com/
印刷・製本……中央精版印刷 株式会社

 ISBN978-4-8451-1888-5

佐高信評伝選 全7巻

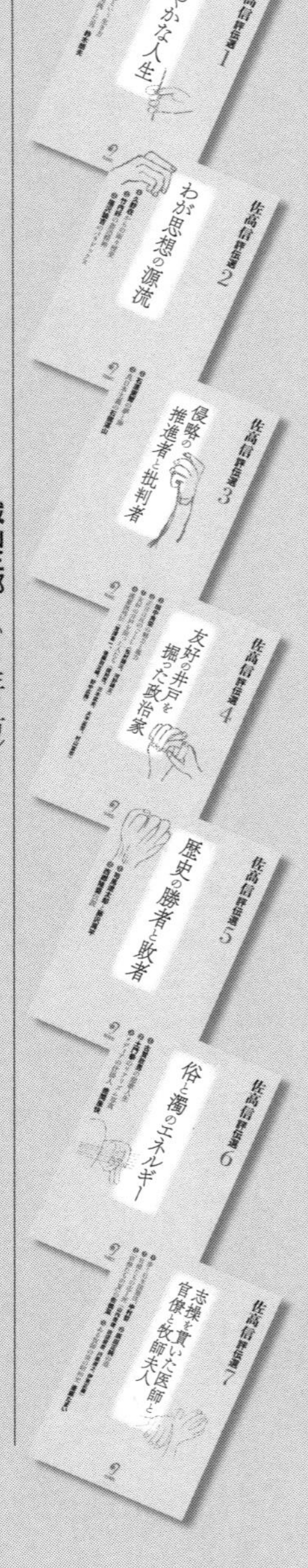

第1巻 鮮やかな人生
城山三郎という生き方／逆命利君を実践した男 鈴木朗夫
定価(本体二五〇〇円＋税)

第2巻 わが思想の源流
久野収からの面々授受／竹内好とむのたけじの魯迅精神／福沢諭吉のパラドックス
定価(本体二五〇〇円＋税)

第3巻 侵略の推進者と批判者
石原莞爾の夢と罪／良日本主義の石橋湛山
定価(本体二七〇〇円＋税)

第4巻 友好の井戸を掘った政治家
田中角栄の魅力と魔力／正言は反のごとし 松村謙三と河野謙三／友好の井戸を掘った人たち(保利茂、三木武夫、大平正芳、村山富市)／護憲派列伝(宮澤喜一、後藤田正晴、野中広務)
定価(本体二六〇〇円＋税)

第5巻 歴史の勝者と敗者
司馬遼太郎と藤沢周平／西郷隆盛伝説
定価(本体二五〇〇円＋税)

第6巻 俗と濁のエネルギー
古賀政男の悲歌人生／土門拳のリアリズム写真／メディアの仕掛人 徳間康快
定価(本体二五〇〇円＋税)

第7巻 志操を貫いた医師と官僚と牧師夫人
歩く日本国憲法、中村哲／原田正純の道／官僚たちの志と死(山内豊徳、田辺俊彦、川原英之、伊東正義)／「官僚たちの夏」の佐橋滋／ある牧師の妻の昭和史 斎藤たまい
定価(本体二六〇〇円＋税)

旬報社
https://www.junposha.com/